Gruppe:	Verlag:	
A 7	Gustav Bosse Verlag Regensburg (Bärenreiter)	USA 75

Reihe: Studien zur Musikgeschichte des 19.Jahrhunderts	Band Nr.: 44
Autor: (Name) Abegg	(Vorname) Werner
Titel: Musikästhetik und Musikkritik bei Eduard Hanslick	
rsg. v.: orname)	(Name)
i mehrbändigen Werken ndzahl des Gesamtwerkes:	Auflage und Erscheinungsjahr: 1/1974
ɔandart: Ld. Ln. Hln. Pb. Wst. Pbck. brosch. kart.	Ladenpreis: DM 73.-
ɔn: 194	

JCHTITELKARTE

Zeitschriften s. Rückseite

Studien zur Musikgeschichte des 19. Jahrhunderts
Band 44

Forschungsunternehmen der Fritz Thyssen Stiftung
Arbeitskreis Musikwissenschaft

Musikästhetik und Musikkritik bei Eduard Hanslick

von Werner Abegg

Gustav Bosse Verlag Regensburg 1974

ISBN 3 7649 2105 6
Fotosatz: Gruber + Hueber, Regensburg; Druck: Bärenreiter, Kassel

für Agni

Inhalt

Vorwort 7

Einleitung

1. Skizze der historischen Situation um 1854 11
Beginn eines neuen Musikverständnisses 11 – Inhaltsfrage 11 – Wandlung der Ästhetik 12 – Anmerkungen 13

2. Literaturdiskussion 14

3. Übernommenes und Originelles in Hanslicks ästhetischen Ideen 16

a) Die Idee der Musik als einer Kunst sui generis 16
Allgemeine und Spezial-Musikästhetik 16 – Verschiedenheit der Künste aufgrund unterschiedlicher Wirkung 16 – Besonderheit der Musik aufgrund eigener Gesetzmäßigkeiten 18 – Anmerkungen 18

b) Ästhetisches und pathologisches Verhalten zur Musik 19
Phantasie und Urteil 19 – Aktives oder passives Verhalten 20 – Anteil des Gefühls am Kompositionsprozeß 21 – Geistiger Genuß 22 – Anmerkungen 23

c) Die Idee der „reinen Instrumentalmusik" 24
Begriff der Tonkunst 24 – Prinzipieller Unterschied von Vokal- und Instrumentalmusik 25 – Zusammenfassung von 3. a) – c) 37 – Anmerkungen 28

d) Ambros' Stellungsnahme im Vergleich zu Hanslicks Position 29
Persönliches Verhältnis zwischen Ambros und Hanslick 29 – Unterschiedliche Begründung der Sonderstellung der Musik 30 – Formalismus-Mißverständnis 31 – Arabeske 32 – Geistiger Anteil und geistige Immanenz 33 – Erneuerungswille, Differenzierungsvermögen, Originalität 34 – Anmerkungen 35

Hanslicks Musikanschauung in allen seinen Schriften

Vorbemerkung 37

I. Hanslicks Auffassung der Ästhetik und ihres Verhältnisses zur Geschichte 39
Systematik und Polemik in der ästhetischen Schrift 39 – Wissenschaftlichkeit der Musikästhetik 41 – Konsequenzen für den Werkbegriff 41 – Historisches Begreifen und ästhetisches Beurteilen 42 – Vier Stichproben aus Kritiken 43 – Erkenntnis der historischen Relativität der Ästhetik 44 – Rückblick auf die Kritiken – Stichproben 45 – Zusammenfassung 46 – Anmerkungen 46

II. Allgemeine Probleme der Ästhetik und Kritik

1. Das Verhältnis von Form und Inhalt 47

Provokation der „tönend bewegten Formen" 47 – Identität mit dem Musikalisch-Schönen 48 – Material und Geist 48 – Problematik des Inhalt-Begriffs 49 – Formbegriff in den Kritiken 51 – Inhalt von Programmusik 53 – In Tönen denken 53 – Beherrschung der Form 54 – Zusammenfassung 55 – Anmerkungen 55

2. Musik und Gefühl 57

Fehler der Gefühlsästhetik 57 – Darstellung von Gefühlsbewegungen 58 – Ausdrücken unbestimmter Gefühle 58 – Differenzierung des Verhältnisses von Musik und Gefühl 59 – Spezifischer Sinn des Gefühls 59 – Mehrdeutiger Werkbegriff 60 – Gefühl des Interpreten 61 – Wirkung auf das Gefühl des Hörers 61 – Vokalmusik 62 – Instrumentalmusik 64 – Stereotype Gefühlsdarstellungen 66 – Gefühl statt Phantasie 67 – Zusammenfassung 67 – Anmerkungen 68

3. „Das Schöne" als Wesenszug der Musik 71

Bedingungen: Idee, Form, Einheit 71 – Wahrnehmung am Thema 71 – Zusätzliche Erläuterungen 72 – Historische Geltung des Schönheitsbegriffs 73 – Das Häßliche 73 – Dominanz der Melodie 75 – Einprägsamkeit 76 – Das Interessante 76 – Zusammenfassung 77 – Anmerkungen 77

4. Originalität als Kategorie der Kritik 79

Kein Gegenstand der ästhetischen Schrift 79 – Das „ungesucht Geistreiche" 79 – Prüfstein Melodie 81 – Zusammenhang mit dem Schönheitsbegriff 82 – Anmerkungen 82

5. Natur und Natürlichkeit in der Musik 83

Musik Geistesprodukt 83 – Grundgesetze naturgegeben? 84 – Natur des Hörens 85 – Naturkraft des Komponisten 85 – Das Natürliche als ästhetische Kategorie 86 – Anmerkungen 87

III. Besondere Probleme einiger Gattungen

Vorbemerkung 89

1. Musik nach Programm oder „poetischer Anregung" 91

Differenz im Inhaltsbegriff 91 – Intentionen 92 – Verständlichkeit 93 – Poetische Anregung 93 – Komposition und Titel 94 – Poesie und poetisches Programm 95 – Programm anstelle musikalischer Substanz 96 – Notwendigkeit der Programmkenntnis 98 – Analogieinhalt 99 – Primat der musikalischen Eigengesetzlichkeit 100 – Freiheit der Phantasie 101 – Gefahren für den Komponisten 102 – Mißbrauch der Instrumentation 103 – Dekadenz 104 – Naturalismus 105 – Klangrauch verdrängt Kunstgenuß 106 – Zusammenfassung 106 – Tonmalerei 107 – Tonsprache 108 – Anmerkungen 109

2. Hinführung der Publikums zur Kammermusik 111

Pädagogisches Motiv 111 – Vielfalt der Konzertprogramme 112 – Höchste Stufe der Verfeinerung 112 – Vorzug und Gefahr der reinen Substanz 113 – Kenntnis vor Erkenntnis 114 – Adressat der Kritiken: das Publikum 114 – Anmerkungen 115

3. Verbindungen von unmittelbar motorischer Wirkung und künstlerischem Anspruch in der Tanzmusik 116
Wirkung auf Füße und Herzen 116 – Gehalt und Ausarbeitung 117 – Grenzen der Gattung 117 – Wirkung durch künstlerische Qualität 118 – Anmerkungen 119

4. Musik und Dichtung und andere Vokalmusik 120
Trennung zwischen Tonkunst und aller anderen Musik 120 – Kolorierung oder Illuminierung 121 – Umschaffen des Textes 122 – Hindernisse für die Vertonung 122 – Heiterkeit 123 – Selbständige Schönheit 123 – Zurückspiegeln der Stimmung 125 – Sangbarkeit 126 – Negative Wirkung von Liederzyklen 127 – Wirkung in den Kritiken 128 – Verabsolutierung der Kriterien 129 – Anmerkungen 130

5. Der Konflikt von kirchlichem und ästhetischem Anspruch in der Kirchenmusik 132
Beeinträchtigung der reinen Anschauung 132 – Der innere Bruch in der Kirchenmusik 133 – Religiosität 134 – Schlechte Zeit für Kirchenmusik 135 – Alte Kirchenmusik 137 – Kirchliche Zweckbindung 138 – Religiöse und ästhetische Andacht 139 – Resonanz im Gemüt 140 – Zusammenfassung 141 – Anmerkungen 142

6. Musik im Theater: die Oper 144
Verhältnis der Konzert- zu Opernkritiken 144 – Gesellschaftlicher Umkreis 145 – Die „zusammengesetzteste" Kunstform 146 – Stellung zur Mitte 147 – Ungeeignete Stoffe 148 – Theoretische Befrachtung und Sinnfälligkeit 152 – Dramatische Musik 153 – Das Musikalisch-Schöne in der Oper 154 – Sinnlichkeit 155 – Kunstreich - kunstvoll 156 – Leitmotive 157 – Zweifel am Fortschritt 158 – Zusammenfassung: Gemüt in der Vokalmusik 159 – Übergreifendes Prinzip Schönheit 160 – Anmerkungen 160

IV. Hanslicks Stellung zur Musikgeschichte 163
Zwei Extreme 163 – Biographische Fakten 164 – Ästhetisches Prinzip und historische Differenzierung 165 – Moderne Empfindungsweise 166 – Verhalten der Gattungen 167 – Historischer Sinn 167 – Linearität der Entwicklung 168 – Modifikationen dieser Auffassung 169 – Historismus 172 – Mitwirkung an geschichtlicher Überlieferung 172 – Anmerkungen 173

Zusammenfassung in Thesen 174

Hanslicks Schriften mit den Abkürzungen ihrer Titel 177

Weitere Literatur 179

Namensregister 185

Register der Werke, aus deren Rezensionen zitiert wurde 189

Vorwort

Seit ihrem ersten Erscheinen vor beinahe 120 Jahren hat Eduard Hanslicks Schrift „Vom Musikalisch-Schönen" immer wieder Anlaß zu Publikationen zustimmenden oder ablehnenden Charakters gegeben. Wenn diese auch mit wachsendem zeitlichem Abstand distanzierter und wissenschaftlicher angelegt waren, so läßt sich doch ein Merkmal in allen Abhandlungen wiederfinden: jeder Autor nimmt zu Hanslick Stellung, Ablehnung oder Zustimmung sind entweder Inhalt oder Antrieb seiner Arbeit. Eine neutrale Darstellung von Hanslicks ästhetischer Position ist noch nicht geschrieben worden, sie ist auch für die Zukunft unwahrscheinlich. Der Grund liegt im Gegenstand: Hanslicks Buch ist eine Streitschrift, es enthält Thesen, deren Funktion häufig die der Antithese ist. Hanslick wollte mit ihnen widersprechen;[1] Widerspruch reizt seinerseits zum Widerspruch; die Arbeiten, die zu Hanslicks Lebzeiten entstanden,[2] wiederholen zum Teil die von Hanslick bekämpften Anschauungen oder stellen neue Antithesen auf. Nach Hanslicks Tod begann man einzusehen, daß Hanslick nicht widerlegt, sondern verstanden werden muß, wenn die Musikästhetik von ihm Bereicherung erhalten soll.

Um zum Verständnis Hanslicks zu gelangen, wurden bereits viele wesentliche Schritte getan, auf denen auch die vorliegende Arbeit aufbauen konnte. Der Anlaß, die bereits recht umfangreiche Hanslick-Literatur nun erneut zu vergrößern, war die auffallende Tatsache, daß – mit einer Ausnahme – alle Publikationen bisher Hanslick einseitig betrachteten und entweder seine Kritiken oder seine ästhetische Schrift aus der Untersuchung heraushielten. Das geschah meistens mit der Erklärung, zwischen Ästhetik und Kritiken bestehe ein „unübersehbarer Bruch", die Kritiken hätten „eine ganz andere Intention."[3]

Gegenargumente dazu bringt die Vorbemerkung zum Hauptteil dieser Arbeit vor.[4] An dieser Stelle soll nur die These aufgestellt werden, daß Hanslicks Musikästhetik auf einer Musikanschauung beruht, die sich in allen seinen Schriften äußert. Die Kritiken und die ästhetische Schrift müssen gleichermaßen untersucht werden, um die Grundzüge von Hanslicks Musikanschauung zu finden. Erst danach wird man die positiven Aussagen seiner Ästhetik von den polemischen Antithesen unterscheiden können.

Rudolf Schäfke[5], der bisher als einziger Kritiken und ästhetische Schrift miteinander in Beziehung brachte, tat dies nur unter der Fragestellung, ob Hanslick seine „Ästhetik des Spezifisch-Musikalischen" in den Kritiken beibehalten habe. Abgesehen von einigen methodischen Unkorrektheiten, muß dagegen eingewendet werden, daß Schäfke eine selbst erarbeitete Interpretation der ästhetischen Schrift zum Maßstab nimmt, um damit Hanslicks Konsequenz zu messen. Sein Resultat, man werde „in Zukunft zwischen dem Hanslick des ‚Musikalisch-Schönen' und der Ästhetik (sic!) des Wiener Kritikers zu scheiden haben" (S. 69), wird der Persönlichkeit und auch der Bedeutung Eduard Hanslicks sicherlich nicht gerecht. In dieser Arbeit soll mit dem bereits angedeuteten Verfahren ein Bild von der gesamten Persönlichkeit Hanslicks, die sich nicht in solcher Weise zweiteilen läßt, gewonnen werden. Die Erkenntnis, welchen Rang die Zweige seiner Tätigkeit für ihn besaßen, kann in mancher Hinsicht das Verständnis seiner ästhetischen Schrift vertiefen.

Diese ist in sich nicht frei von Widersprüchen. Einige davon hat Hanslick in späteren Auflagen beseitigt oder abgemildert, andere sind stehen geblieben. Es ist denkbar, daß er in seinen Kritiken die Ästhetik weiter geklärt oder in einigen Bereichen ergänzt hat. Als Beispiele seien hier genannt: die Wirksamkeit der Gefühle im Kompositionsprozeß und der Werkbegriff, der in der ästhetischen Schrift eher auf den Notentext eingeengt erscheint, in den Kritiken jedoch den sinnlichen Eindruck und den Notentext verbindet. Die Zusammenschau von ästhetischer Schrift und Kritiken geht damit von der Hypothese aus, daß Hanslicks ästhetische Position sich nicht nur in dem Buch von 1854 und seinen weiteren Auflagen niederschlägt, sondern zu einem wesentlichen Teil auch in seinen Kritiken.

Dabei ist allerdings zu bedenken, daß Musikkritiken primär Äußerungen zu Tagesereignissen sind, die in begrenzter Zeit verfaßt werden müssen und von den Zeitunglesern nur einmal zur Kenntnis genommen werden. Sie in dieser Form als ästhetische Äußerungen zu werten, die einem als Buch veröffentlichten Manifest gleichwertig seien, wäre ein methodischer Fehler. Im Falle Hanslicks gibt es hier jedoch einen legitimen Ausweg: er hat in Sammelbänden eine große Zahl wichtiger Rezensionen zusammengestellt, die ihm selbst seine Anschauung am besten auszudrücken schienen und wegen der historischen Bedeutung des besprochenen Werkes, des Komponisten oder Interpreten von allgemeinem, über den Bereich des Wiener Publikums hinausgehendem Interesse waren. In der vorliegenden Arbeit werden deshalb ausschließlich diese Kritiken berücksichtigt. Sie haben zudem den Vorteil, für den interessierten Leser leichter zugänglich zu sein.

Wie auch im Obigen schon geschehen, wird Hanslicks Schrift „Vom Musikalisch-Schönen" nur selten mit ihrem Titel benannt, sondern mit „ästhetische Schrift", „Prinzipienschrift" etc. umschrieben; diese Bezeichnungen lassen sich grammatisch besser verwenden als der zwar schönere, aber etwas umständlich zu zitierende Titel.

Die Zitate wurden allgemein der heutigen Orthographie angeglichen, jedoch nur innerhalb des Wortes; Interpunktionen sowie getrennt geschriebene Wortverbindungen, die heute zusammengeschrieben werden, blieben unverändert. Sperrdruck des Originals wurde übernommen. Die Abkürzungen der Titel von Hanslicks Schriften werden im Literaturverzeichnis erläutert.

Die Arbeit verdankt ihre Entstehung einer Anregung von Professor Dr. Walter Wiora, der das ursprünglich etwas anders lautende Thema gab und mir mit eingehender konstruktiver Kritik und detaillierten Vorschlägen wertvolle Hilfe leistete. Dafür sei ihm an dieser Stelle sehr herzlich gedankt. Auch der Fritz Thyssen Stiftung und Herrn Dr. Ernst Coenen habe ich für großzügige und freundliche Unterstützung sehr zu danken.

Anmerkungen:

[1] Wem er widersprechen wollte, hat Dorothea Glatt in der jüngsten Arbeit zum Thema untersucht: Zur geschichtlichen Bedeutung der Musikästhetik Eduard Hanslicks, München 1972.

[2] vgl. dazu die Bibliographie.

[3] Glatt, S. 7.

[4] s. S. 44 f.

[5] Eduard Hanslick und die Musik-Ästhetik, Diss. Leipzig 1922.

Einleitung

1. Skizze der historischen Situation um 1854

Hanslicks ästhetische Schrift ist in einer Zeit heftiger literarischer Auseinandersetzungen um Wesen und Zukunft der Musik entstanden. Robert Schumann, dessen kompositorische Tätigkeit 1854 abrupt endete, war der letzte aus der Gruppe der um 1810 geborenen, frühvollendeten Komponisten, in deren Musik der Begriff der musikalischen Romantik am reinsten aufging: Mendelssohn und Chopin waren schon vor 1850 gestorben. Gleichzeitig begannen Liszt und Wagner, die derselben Generation angehören, ihr für die weitere Entwicklung in diesem Jahrhundert so entscheidendes Werk. Franz Liszt schrieb um 1850 seine Symphonischen Dichtungen, Richard Wagner legte die ersten theoretischen Formulierungen für seine Umwandlung der Oper in ein Gesamtkunstwerk vor. Eine seiner Schriften kennzeichnet die Blickrichtung, die damals bestimmend war, schon im Titel: „Das Kunstwerk der Zukunft". Mit dem 1854 vollendeten „Rheingold" tat er den ersten Schritt auf dieses Kunstwerk hin.

Auch Robert Schumann blickte in seinen letzten Jahren erwartungsvoll in die Zukunft und freute sich, als er 1853 in Johannes Brahms einen jungen Musiker kennenlernte, dem er zutraute, „Neue Bahnen" betreten zu können. Mit den Namen Wagner und Brahms deutet sich die spätere Spaltung jedoch schon an.

Der Gedanke, daß eine neue Epoche des Musikverständnisses sich abzeichne, beherrschte auch Hanslick bei der Abfassung seines „Beitrages zur Revision der Ästhetik der Tonkunst".[1] Er sah den Ansatz zur Revision in der sich immer stärker durchsetzenden Suche nach einer bestimmten, eindeutigen Auffassung der Musik. Daraus folgte für ihn, daß eine wissenschaftliche, „objektive", d. h. auf das gegebene Kunstwerk bezogene und von ihm abgeleitete Ästhetik an die Stelle der Anschauung treten müsse, welche die Empfindungen des rezipierenden Subjekts, seine Reaktionen auf das Kunstwerk reflektiert hatte und damit zwangsläufig mehrdeutig und unbestimmt blieb, ja diese Unbestimmtheit gerade als zu ihrem Wesen gehörig betrachtete. Die romantische Verklärung der Musik, wie sie Wackenroder seinen Berglinger erleben ließ oder E. Th. A. Hoffmann in den Kapellmeister Kreisler projizierte, sollte nicht länger die Suche nach dem Inhalt der Musik ersetzen. Dieser Inhalt – so war Hanslicks von der modernen Wissenschaft seiner Zeit her gewonnene Überzeugung – ließ sich nur durch positiv-objektives Untersuchen der Werke finden und dann auch allgemeingültig festhalten.

Wie aber war der Inhalt zu definieren? Darüber, daß die Musik nicht wie Dichtung oder Malerei einen begrifflich faßbaren Inhalt habe, herrschte seit Hegel allgemeine Übereinstimmung. Konnte man dann überhaupt von einem Inhalt der Musik sprechen? Liszt machte in seinen Symphonischen Dichtungen allgemein bedeutsame Vorstellungen der Bildungswelt zur Grundlage für seine Komposition, die sich in der Form, der Thematik, dem Bewegungshabitus etc. diesen Inhalten anpaßte. Wagner sah den einzigen Weg zu einer inhaltlich bestimmten Musik in der Vereinigung mit den anderen Künsten. Er führte seine Auffassung auf Beethoven zurück, der seine letzte Sinfonie mit einem Chor enden ließ, also die Poesie zu Hilfe nahm, wo ihm die wortlose Instrumentalmusik nicht mehr zu genügen schien. Daraus leitete er ebenso wie Liszt die Überzeugung ab, daß die Zeit der absoluten Musik vorüber sei, daß im Zeichen der neuen Entwicklung die Musik eines Inhalts bedürfe, den sie sich selbst nicht geben könne. Franz Brendel, der Leipziger Musikschriftsteller und Nachfolger Schumanns als Schriftleiter der „Neuen Zeitschrift für Musik", einer der führenden, wenngleich kein unkritischer, Theoretiker dieser Richtung, schrieb, es sei „der Kampf gegen die Musik als Sonderkunst und in Folge davon gegen eine auch in Zukunft für sich bestehende Instrumentalmusik"[2], der das Neue und Ursprüngliche von Wagners und Liszts Ideen ausmache.

Seit dem Tode Beethovens und Schuberts hatte sich das Zentrum der musikalischen Fortentwicklung von Wien nach Mitteldeutschland verlagert: Städte Sachsens und Thüringens waren die Wohnsitze der führenden Komponisten geworden. Mit dieser geographischen Veränderung war die allmähliche Trennung von den Stilprinzipien der „Wiener Klassik" einhergegangen, die in Liszts und Wagners Ansichten ihren Endpunkt fand. In Wien hielt man jedoch noch an den Anschauungen fest, die sich an der Musik Haydns, Mozarts und Beethovens gebildet hatten. Eduard Hanslick, in Prag geboren, übersiedelte 1846 nach Wien, dessen großes Erbe und musikalische Atmosphäre ihn anzogen. Zwar setzte er sich von Anfang an in seinen Musikkritiken für die Werke der modernen deutschen Komponisten ein – um eine Aufführung des „Tannhäuser" in Wien kämpfte er jahrelang –, doch mit der vollständigen Trennung von der absoluten Musik, wie sie Liszt und Wagner vollzogen, war er nicht einverstanden. Er sah nicht ein, daß die Suche nach einem bestimmten Inhalt die Musik zu einer Vereinigung mit der Dichtung oder Malerei zwinge. Für ihn lag der Fehler in der überlieferten Ästhetik, die es nicht verstanden habe, der absoluten, reinen Instrumentalmusik einen Inhalt zu geben, der über unbestimmte Gefühle hinausging. Er zog daraus die Konsequenz, daß die Ästhetik den spezifischen Inhalt der Musik, der sehr wohl ein bestimmter, eindeutiger sei, auch auf spezifische Weise aufzusuchen und zu beschreiben habe. Die Umwandlung war nach seiner Ansicht nicht in der Kompositionsweise, sondern in Ziel und Methode der Ästhetik vonnöten. Als Beitrag zu einer solchen Umwandlung verfaßte er „Vom Musikalisch-Schönen".

Wenn im weiteren Verlauf dieser Einleitung[3] – nach einer kurzen Literaturdiskussion – die Tradition und andererseits die Originalität von Hanslicks ästhetischen Ideen dargestellt wird, dann zeigt sich daran, daß er sie bewußt den Ideen der Liszt-Wagner-Richtung entgegenstellte: er behauptete weiterhin, im Gegensatz zu Brendel, das Wesen der Musik „als Sonderkunst und in Folge davon... eine auch in Zukunft für sich bestehende Instrumentalmusik".

Der Gedanke Arnold Scherings, daß weder Wagners noch Hanslicks Position sich im 20. Jahrhundert als beständig erwiesen habe, ist des Nachdenkens wert.

Schering meint, die Geschichte der Musik habe sich über diese theoretischen Festlegungen hinweggesetzt. „Und warum? Weil der allen Spekulationen zugrunde liegende Musikbegriff von Anfang an zu eng gefaßt, die Beweisführung an einen viel zu eng begrenzten Ausschnitt der Geschichte gebunden blieb. Man übersah, daß es in der Musik ... nicht nur e i n Ideal gibt, sondern viele ..."[4]

Anmerkungen:

[1] Untertitel seiner Schrift. Vgl. auch den ersten Satz des ersten Kapitels: „Die Zeit jener ästhetischen Systeme ist vorüber . . ." VMSch/1

[2] F. Brendel, Geschichte der Musik in Italien, Deutschland und Frankreich, 1851, 5. Auflage Leipzig 1875, S. 545

[3] Dem mit Hanslick noch nicht vertrauten Leser wird empfohlen, sogleich zum Hauptteil überzugehen und die weitere Einleitung erst danach zu lesen.

[4] A. Schering, Kritik des romantischen Musikbegriffs, Jahrbuch der Musikbibliothek Peters 1937, S. 25.

2. Literaturdiskussion

Die Einsicht, daß man Hanslick ohne Kenntnis der historischen Herkunft seiner Hauptbegriffe nur unvollständig versteht, ist nicht neu, und zwei Dissertationen haben sich mit dem Gegenstand bereits beschäftigt. Felix Printz wies nach, daß Hanslicks Hauptbegriffe nicht von Herbart, sondern vielmehr von Nägeli hergeleitet sind.[1] Dorothea Glatt steckte einen weiteren Rahmen ab, sie fand bereits bei Herder die Idee einer Ästhetik des „spezifisch Musikalischen"[2] und untersuchte vor allem, inwieweit Hanslicks Begriffe „Phantasie", „Form", „Arabeske" in der romantischen Musiktheorie bereits in der Hanslickschen Bedeutung gedacht sind. Sie fand heraus, daß Hanslick die Phantasie wie Novalis und Friedrich Schlegel als produktives Vermögen versteht, jedoch in sehr eingeschränktem Sinne: die universale Schöpferkraft, die nach Schlegel und Novalis die Welt allerst bildet, wird von Hanslick allein auf das Hervorbringen musikalischer Ideen, Tonformen eingeengt.[3] Dennoch bleibt sie in ihrer Funktion als alleinige Schöpferin erhalten.

Hanslicks Gemeinsamkeit mit der Romantik im Formbegriff sieht Dorothea Glatt vor allem in der Lösung der Musik von Naturnachahmung und der Enthaltung von Affekterregung. Die Tradition des Begriffs „Arabeske" stellt sie von Kant über Fr. Schlegel, Novalis und Nägeli bis hin zu Hanslick überzeugend dar.[4] Sie weist damit nach, daß dieser Begriff immer dort herangezogen wurde, wo es darum ging, die „freie Schönheit" (Kant) zu beschreiben. Insofern ist auch ihre Methode, Hanslicks Formbegriff vor allem am Vergleich mit der Arabeske zu erläutern, berechtigt. Andererseits übersieht sie auch nicht, daß Hanslicks Formbegriff sich wesentlich von dem Kants unterscheidet, und verweist auf Carl Dahlhaus[5], der klarstellte, daß Hanslick die „innere Form" meinte, während Kant von der äußeren Form sprach.

Ein weiteres Verdienst der Arbeit von Dorothea Glatt ist es, die „Gefühlsästhetik", die Hanslick immer pauschal angreift, ausführlich differenziert zu haben; hier werden Nachahmungstheorie, Affektenlehre und romantische Ausdrucksästhetik voneinander getrennt. Leider fehlt häufig die Darstellung der Hanslickschen Gegenposition, besonders zur Kunstphilosophie der Romantik. Am Beispiel des Begriffes „Geist" läßt sich das zeigen: die Autorin interpretiert ausführlich seine Bedeutung bei Novalis, setzt aber Hanslicks Verständnis des Begriffes, das ja im Hinblick auf den Vorwurf des Formalismus von zentraler Wichtigkeit ist, davon nicht genügend ab. Hierzu werden in der vorliegenden Arbeit einige Ausführungen folgen müssen.

Im übrigen soll hier nicht wiederholt werden, was bereits anderweitig erarbeitet wurde. Eine Besprechung der an Hanslick geübten Kritik haben Printz und Schäfke vorgenommen; insbesondere Zimmermanns Einwände, die sich in einigen wesentlichen Änderungen der zweiten Auflage von Hanslicks ästhetischer Schrift niedergeschlagen haben, sind dort hinreichend gewürdigt worden. Nur eine der vielen Gegenschriften wird zum Abschluß dieser Einleitung eingehender besprochen: „Die Grenzen der Musik und Poesie" von August Wilhelm Ambros, dem Freund Hanslicks seit der Prager Jugendzeit, der Hanslick in seinen „Davidsbündeleien" genannten Freundeskreis aufnahm.[6] Weniger dieses biographischen Details als des besonderen Charakters der Schrift wegen wurde sie ausgewählt. Wie noch zu zeigen sein wird, ist sie der Hanslickschen in vielem ähnlich, trotz der inhaltlichen Gegensätze. Vor allem scheint sie besonders geeignet, die Originalität von Hanslicks Ideen hervortreten zu lassen.

Diese Ideen, die sich in den eigentümlichen Ansatzpunkten Hanslicks zeigen, werden im folgenden auf ihre Vorgeschichte hin untersucht.

Anmerkungen:

[1] Zur Würdigung des musikaesthetischen Formalismus Eduard Hanslicks, München 1918, S. 4–17.
[2] Glatt, aaO., S. 35, 38
[3] vgl. Glatt, S. 47 ff.
[4] Glatt, S. 49–55.
[5] Eduard Hanslick und der musikalische Formbegriff, Mf. XX (1967) S. 145–153.
[6] AML I/42.

3. Übernommenes und Originelles in Hanslicks ästhetischen Ideen

a) Die Idee der Musik als einer Kunst sui generis

Hanslick hatte vor dem Abfassen seiner Prinzipienschrift eine große Anzahl von ästhetischen Abhandlungen gelesen, die bei ihm „Zweifel und Opposition ... wachgerufen" hatten[1]. Primär richtete sich seine Opposition gegen solche Auffassungen, die „das Wesen der Musik in die durch sie erregten ‚Gefühle' setzten und ihr eine sehr bestimmte Ausdrucksfähigkeit zuschrieben"[1], also gegen Abhandlungen spezifisch musikästhetischen Inhalts. Auf den ersten Seiten seiner eigenen Schrift setzt er aber auseinander, daß die allgemeine Ästhetik jene subjektivistische Anschauung längst überwunden und statt dessen „das Schöne in seinen ureigenen, reinen Elementen durchforscht"[2] habe. „Das Schöne" ist für ihn ein Begriff, der sich objektiv, wissenschaftlich an den Kunstwerken demonstrieren läßt, und daher wertvoller als die unbestimmten Aussagen der „unwissenschaftlichen Empfindungs-Ästhetik". Das Schöne – so fährt er fort – sei bisher allgemein erforscht worden; der Schritt zu seiner Übertragung in die einzelnen Künste sei für die Dichtkunst und Malerei bereits getan – Beispiele gibt er allerdings nicht –, einzig in der Musik stehe er noch aus. Er sei nicht durch ein „bloßes Anpassen des allgemeinen Schönheitsbegriffs" zu vollziehen, sondern müsse auf der Kenntnis der spezifischen „technischen Bestimmungen" der Musik aufbauen und zu einer „Spezial-Ästhetik" führen. Gemeinsam sei allen Spezial-Ästhetiken lediglich der strenge Bezug auf „das schöne Objekt"[2]. Bausteine für eine Spezial-Ästhetik der Musik will er mit seiner Schrift liefern.

Die allgemeine und die spezielle Ästhetik stehen für Hanslick somit in einem komplexen Verhältnis: die allgemeine hat das objektive Schöne des Kunstwerks zum Gegenstand, sie bedarf einer Übertragung in die spezielle Musikästhetik. Länger als die allgemeine existiert aber bereits eine spezielle, jedoch als Nachahmungs- oder Affektenlehre, die Hanslick zur „Gefühlsästhetik" zählte. Diese bekämpft er, jene möchte er vorbereiten. Beim Weiterlesen gewinnt man den Eindruck, daß er mit seiner Forderung, die wissenschaftliche Musikästhetik müsse vom Besonderen der Musik ausgehen, ganz in der Tradition der bekämpften speziellen Musikästhetik steht. Denn er führt mehrmals an, diese habe es immer wieder als das Eigentümliche der Musik herausgestellt, auf die Gefühle unmittelbar einzuwirken. Die Idee, die Musik sei eine eigenartige Kunst, erweist sich somit als überliefert seit mehreren Generationen.

Allerdings ist der historische Zusammenhang anders. Während die Nachahmungsästhetik des 18. Jahrhunderts von der Besonderheit der Musik vor anderen Künsten aus apologetischen Gründen sprach, um der Musik in ihrer Zeit Achtung zu verschaffen, wendet sich Hanslick vor allem gegen diejenige romantische Ästhetik, die den Gedanken der Einheit der Künste unter der allen gemeinsamen „Poesie" aufgebracht hatte.[3] Aber auch in dieser Hinsicht ist er nicht der erste. Vor ihm hatte bereits der von Hanslick verehrte Grillparzer[4] 1826 in seinen „Studien zur Musik" geschrieben: „Der übelste Dienst, den man in Deutschland den Künsten erweisen konnte, war wohl der, sie sämtlich unter dem Namen der ‚Kunst' zusammenzufassen. So viel Berührungspunkte sie unter sich allerdings wohl haben, so unendlich verschieden sind sie in den

Mitteln, ja in den Grundbedingungen ihrer Ausübung. Am schlimmsten ist hierbei die Musik weggekommen. Den Verfertiger eines Tonwerkes ‚Tondichter' zu heißen, ist nicht um ein Haar vernünftiger, als wenn ich einen Dichter ‚Wörtermusikant' nennen wollte."[5] Die Unterschiede der Künste sieht Grillparzer, ebenso wie Hanslick, in den „Mitteln" oder, mit Hanslicks Ausdruck, in den „technischen Bestimmungen." Beide sind sich einig, daß die unterschiedlichen Elemente die Vereinigung der Künste zu der „Kunst" unmöglich machen. In den Begründungen zeigt sich aber ihre verschiedene Basis: Grillparzer macht im folgenden „darauf aufmerksam . . ., wie die Wirkung der Musik vom Sinnenreiz, vom Nervenspiel beginnt und, nachdem das Gefühl angeregt worden, höchstens in letzter Instanz an das Geistige gelangt, indes die Dichtkunst zuerst den Begriff erweckt, nur durch ihn auf das Gefühl wirkt und als äußerste Stufe der Vollendung oder der Erniedrigung erst das Sinnliche teilnehmen läßt; der Weg beider ist daher gerade der umgekehrte." Grillparzer argumentiert also von der Wirkung der Musik auf den Hörer her; dies Verfahren will Hanslick, indem er die Ästhetik allein auf das schöne Objekt richtet, überwinden, da er es für unwissenschaftlich hält.

Hans Georg Nägeli, auf dessen Anschauungen er nach den Forschungen von Felix Printz weitgehend fußt, hatte die Idee von der Wesensverschiedenheit der Künste ebenfalls 1826 ausgesprochen. Doch Nägeli weist das auch an der Wirkung nach; er zeigt auf, „wie die Kunst durchaus . . . in der Sinnlichkeit wurzelt, wie sie nur wesenhaft ist, indem sie erscheint, wie aus ihren Erscheinungen ihre Wirkungen, aus verschiedenen Erscheinungs*weisen* verschieden*artige* Wirkungen hervorgehen . . ."[6]. In der Verbindung von Wirkung und Erscheinung sieht Nägeli ein Wesensmerkmal jeder Kunst, gerade daraus leitet er auch ihre fundamentalen Unterschiede ab; Hanslick spricht das nicht so deutlich aus, ja er trennt das Musikwerk in ein produziertes und ein reproduziertes auf und möchte, indem er den Prozeß der Gefühlsentäußerung und -erregung allein in die Reproduktion verlagert, das reproduzierte Werk aus dem Untersuchungsbereich der Ästhetik heraushalten. Auf die Problematik dieser Teilung wird an späterer Stelle einzugehen sein.[7]

Auf andere Weise räumte Hermann Lotze der Musik eine mit den anderen Künsten unvergleichbare Stellung ein. Er schrieb 1847 in seiner Abhandlung „Über Bedingungen der Kunstschönheit", jede Kunst müsse ihre eigenen Weisen der Entwicklung einhalten und sich vor Vermischung hüten. Die Musik erfreue sich „des günstigsten Schicksals und keine Kunst ist so sehr wie sie geeignet, in dem bloßen Spiele der Formen alle wesentlichen Seiten der Schönheit auszudrücken. Sie besitzt in den Tönen nicht nur eine Mannigfaltigkeit überhaupt, sondern eine solche, deren einzelne Glieder in den reizendsten Verwandtschaften stehen."[8]

Interessant an diesem Passus ist auch, daß Lotze der Musik zuerkennt, sie könne das Wesentliche der Schönheit „in dem bloßen Spiele der Formen" ausdrücken. Einen sehr ähnlichen Gedanken stellte Hanslick in den Mittelpunkt seiner ästhetischen Schrift, legte allerdings Wert darauf, daß das Formenspiel für ihn kein „bloßes" sei, sondern beseelt, geistvoll sein müsse. Lotze, einer der ersten Rezensenten von Hanslicks Schrift, achtete auf diesen Zusatz offenbar nicht und hatte wohl auch seine wenige Jahre zuvor verfaßten Sätze nicht mehr im Kopf, wenn er gegen Hanslick einwandte, die Musik gebe an Stelle bestimmter ethischer Einsichten oder konkreter Ereignisse zwar „nur Figuren von Tönen, aber sie trägt auf diese Figuren den Gefühlswert über, den für uns der Inhalt hat, an welchen sie erinnern, und nur durch diese Symbolik erscheint sie schön."[9]

Während die drei angeführten Autoren die Idee, die Musik sei eine eigenständige Kunst und mit den anderen Künsten nicht in eins zu setzen, aus dem Grundsatz ableiten, eine Kunst sei nur in ihrer Einwirkung auf den Rezipienten richtig zu beurteilen, und insofern mit der spezifischen Musikästhetik des 18. Jahrhunderts noch in Zusammenhang stehen, trennt sich Hanslick von der Tradition ab. Daß die Musik nur auf der Grundlage der ihr allein eigenen Gesetzmäßigkeiten zu verstehen sei, führt ihn zu der zugespitzen Behauptung, auch das einzelne Objekt, das Werk sei nur auf die Bedingungen und Besonderheiten seines Produziertseins hin zu untersuchen. Daß es nur in der Erscheinung vorhanden ist, kann er nicht leugnen, doch hält er das nicht für kunstspezifisch: „Das Schöne trifft zuerst unsere Sinne. Dieser Weg ist ihm nicht eigentümlich, es teilt ihn mit allem überhaupt Erscheinenden.... Empfindungen zu erregen, bedarf es nicht der Kunst, ein einzelner Ton, eine einzelne Farbe kann das."[10]

An die Stelle der Empfindungen und Gefühle als musikalisch-ästhetische Organe des Rezipienten setzt Hanslick die Phantasie. Die Tradition dieses Begriffes hat Dorothea Glatt bereits dargestellt.[11] Sie ging besonders ausführlich auf den Phantasiebegriff der Romantik ein. Hier ist zu ergänzen, daß das Wort bereits bei Baumgarten in einer verwandten Bedeutung auftaucht.[12] Nach Baumgarten verlangt die Kunst keine Erkenntnis der Vollkommenheit nach Begriffen, sondern eine eigenartige geistige Kraft, die sinnliche Anschauung („ars pulchre cogitandi"). Der Nachweis, daß die sinnliche Anschauung eine eigene Vollkommenheit besitzt, war der Antrieb seines Buches, dem die Ästhetik ihren Namen verdankt.

Anmerkungen:

1 AML I/236.
2 VMSch/2.
3 vgl. C Dahlhaus, Musikästhetik, Köln 1967, S. 10.
4 Hanslick verehrte Grillparzer so sehr, daß er nicht wagte, sich ihm vorzustellen, obwohl beide eine zeitlang in einem Haus wohnten. vgl. AML I/290 f. Die Idee, die Künste seien wesensmäßig verschieden, hatte schon Lessing zu seinem „Laokoon" veranlaßt, in dem aber die Musik nicht behandelt wird. Grillparzer eröffnete seine „Studien zur Musik" 1819 mit dem Vorsatz: „Ein Gegenstück zu schreiben zu Lessings Laokoon".
5 Franz Grillparzer, Studien zur Musik, in: Gesmmelte Werke, hrsg. von Edwin Rollett und August Sauer, Band 7, S. 339.
6 Hans Georg Nägeli, Vorlesungen über Musik mit Berücksichtigung der Dilettanten, 1826, S. 24.
7 vgl. S. 61 f.
8 Hermann Lotze, über Bedingungen der Kunstschönheit, 1847, in: Kleine Schriften, II, S. 231.

[9] Rezension von Eduard Hanslick, „Vom Musikalisch-Schönen", Göttinger gelehrte Anzeigen, 1854, abgedruckt in: Kleine Schriften III, S. 213.
[10] VMSch/4.
[11] Glatt, aaO., S. 47 ff.
[12] Baumgarten, Ästhetik, 1750, § 104, 441, 513. vgl. dazu auch: Hugo Goldschmidt, Die Musikästhetik des 18. Jahrhunderts . . ., 1915, S. 79 und Carl Dahlhaus, Musikästhetik, Köln 1967, S. 13 ff.

1 b) Ästhetisches und pathologisches Verhalten zur Musik

Die Phantasie ist für Hanslick das ästhetische Organ sowohl des Komponisten als auch des Hörers. „Aus der Phantasie des Künstlers entsteigt das Tonstück für die Phantasie des Hörers."[1] Das Musikwerk ist somit ein Vermittler zwischen den beiden Phantasieträgern; darauf weist Dorothea Glatt nachdrücklich hin.[2] Hanslick führt diesen Gedanken weiter durch: auch die Phantasie nimmt bei ihm eine Mittelstellung ein: „... so wie sie ihren Lebensfunken aus den Sinnesempfindungen zog, sendet sie wiederum ihre Radien schnell an die Tätigkeit des Verstandes und des Gefühls aus." Sie steht zwischen sinnlicher Wahrnehmung und Verstand oder Gefühl. Weder Verstand noch Gefühl können somit das Schöne direkt aus der sinnlichen Wahrnehmung auffassen. Dies kann nur die Phantasie. Und was sie von ihrem Eindruck weiterleitet, ist nicht mehr das Schöne selbst.

Hanslick definiert die Phantasie als „ein Schauen mit Verstand, d. i. Vorstellen und Urteilen..." Der Verstand ist ihm also doch unentbehrlich; er vermeidet aber den Eindruck, der Verstand gehöre unmittelbar zur Phantasie, indem er das Urteilen, die Verstandestätigkeit, erläutert: „... letzteres natürlich mit solcher Schnelligkeit, daß die einzelnen Vorgänge uns gar nicht zum Bewußtsein kommen, und die Täuschung entsteht, es geschehe unmittelbar, was doch in Wahrheit von vielfach vermittelnden Geistesprozessen abhängt."[1] Urteilen ist demnach eine Folge des Schauens, es beruht auf ihm. Als solches ist es ästhetisches Urteil.

Die Phantasie selbst urteilt nicht, sie genießt. Aber sie genießt das Schöne, nicht, wie die „Gefühlsasthetik", die davon hervorgerufenen Empfindungen. Genuß ist bei Hanslick „interesselos". Hanslick spricht diesen gedanklichen Anschluß an Kant selbst nicht aus, aber Robert Zimmermann weist darauf hin. Für Zimmermann kommt es bei der Auffassung des künstlerischen Inhaltes darauf an, „sich vor Einmischung fremdartiger Vorstellungen, Gefühle und Strebungen, insbesondere alles desjenigen, was Kant mit klassischer Kürze ‚Interesse' genannt hat, zu bewahren."[3] Zimmermann wollte ein exaktes ästhetisches Urteil ermöglichen. Hanslick, der sich zu Beginn seines Buches von der naturwissenschaftlichen Methode distanziert[4], ist mehr am ästhetischen Genuß gelegen. Er führt in diesem Sinne seine Bestimmung des ästhetischen Verhaltens durch Ausgrenzung weiter: „Ausschließliche Betätigung des Verstandes durch das Schöne verhält sich logisch anstatt ästhetisch, eine vorherrschende Wirkung auf das Gefühl ist noch bedenklicher, nämlich geradezu pathologisch."[1]

Eine Interpretation dieses Satzes muß die verschiedenen Abstufungen, die er enthält, deutlich machen. Die „Betätigung des Verstandes durch das Schöne" soll lediglich nicht „ausschließlich" sein, denn Hanslick hat ja vorher vom „Schauen mit Verstand" gesprochen, eine Mitwirkung des Verstandes also gerade gefordert. Die Hauptsache ist für ihn aber das Schauen, der Verstand soll es nicht ersetzen, sondern ergänzen. Die „Wirkung auf das Gefühl" wird erst bedenklich, wenn sie „vorherrscht", wenn sie vor der Anschauung eintritt. Auch sie wird nicht völlig ausgeschlossen. Beide Möglichkeiten aber bedeuten kein ästhetisches Verhalten, sondern entweder ein „logisches" oder – durch Sperrdruck hervorgehoben – ein „pathologisches". Dieses Wort beschließt einen Abschnitt, es ist der Zielpunkt der Gedankenführung. Es ist Hanslick wichtiger als die Kennzeichnung der anderen Möglichkeit, des logischen Verhaltens, aus dem das Wort abgeleitet wurde. Das pathologische Verhalten wird nachdrücklicher abgelehnt als das logische. Das Gefühl aus dem Bereich der Ästhetik auszuschließen, und die Phantasie, das „Schauen mit Verstand", an seine Stelle zu setzen, ist ja auch eines der zentralen Ziele seiner Schrift.[5]

Die Idee, daß man sich zur Musik auf verschiedene Weise verhalten könne, und die Ansicht, ein aktives Reagieren sei ihr als Kunst angemessener als ein passives Affiziertwerden, ist alt. Schon Augustinus macht eine solche Unterscheidung zwischen „musicam capere", was er „modestissimum" nennt, und „ab ea capi", was „turpe atque indecorum" sei.[6] Doch Hanslick wird die Stelle kaum gekannt haben. Kants Kritik der Urteilskraft wird er im philosophischen Grundstudium an der Prager Universität wenigstens flüchtig kennengelernt haben. Im § 13 mit der Überschrift „Das reine Geschmacksurteil ist von Reiz und Rührung unabhängig" schreibt Kant: „Der Geschmack ist jederzeit noch barbarisch, wo er die Beimischung der Reize und Rührungen zum Wohlgefallen bedarf, ja wohl gar diese zum Maßstabe seines Beifalls macht."[7] Dem geht die Unterscheidung des Schönen vom Angenehmen voraus, die für alle folgenden Ästhetiker bedeutsam bleibt. Das ästhetische Urteil muß schon für Kant von einer „Beimischung der Reize und Rührungen" frei sein, sonst ist es nicht ästhetisch, sondern „barbarisch".

Christian Friedrich Michaelis versuchte 1795 in seiner Schrift „Über den Geist der Tonkunst. Mit Rücksicht auf Kants Kritik der ästhetischen Urtheilskraft. Ein ästhetischer Versuch", der 1800 eine weitere, „zweiter Versuch" genannt, folgte, die Übertragung der Kantischen Erkenntnisse auf die Musik. Er geht aus von Kants Unterscheidung des Schönen vom Angenehmen, wobei er das Angenehme sich durch „eine belebende Affektion der Empfänglichkeit des Gemüts", das Schöne durch „ein uninteressiertes Wohlgefallen an der Darstellung vermittelst der Anschauung"[8] auswirken läßt. Affektion und Anschauung als passives und aktives Verhalten stellt er an anderer Stelle noch einmal gegenüber: „Manche vernehmen nämlich die Musik mehr leidentlich, andere mehr selbsttätig."[9] Zwar bezieht sich für Michaelis die Selbsttätigkeit auf die Erkenntnis der dargestellten Affekte, aber die Gegenüberstellung dieser zwei Verhaltensweisen ist der Hanslickschen auch verbal schon näher als die Kantische. Hanslick hat Michaelis' Buch gekannt, denn er zitiert es am Ende seines ersten Kapitels, wenn auch als Beleg für die Existenz der „Gefühlsästhetik".[10]

Das ästhetische Verhalten zur Musik liegt für Hanslick in der Phantasie. Diese ist sowohl dem Komponisten wie dem Hörer eigen. Die „Gefühlsästhetik" habe den Komponisten ein pathologisches Verhalten unterstellt. „Nirgend erscheint die Souveränität des Gefühls, welche man so gern der Musik andichtet, schlimmer angebracht, als wenn man sie im Komponisten während des Schaffens voraussetzt, und dieses als ein begeistertes Extemporieren auffaßt."[11] Das Komponieren geschehe langsam, „schrittweis", vom ersten musikalischen Einfall zur bestimmten Gestalt. Hanslick räumt ein: „Ohne innere Wärme ist nichts Großes, noch Schönes im Leben vollbracht worden. Das Gefühl wird beim Tondichter, wie bei jedem Poeten, sich reich entwickelt vorfinden, nur ist es nicht der schaffende Faktor in ihm. Gesetzt selbst, ein starkes, bestimmtes Pathos erfüllte ihn gänzlich, so wird dasselbe Anlaß und Weihe manches Kunstwerks werden, allein ... niemals dessen Gegenstand." Und den folgenden Absatz beginnt Hanslick mit der These: „Ein inneres Singen, nicht ein inneres Fühlen treibt den musikalisch Talentierten zur Erfindung eines Tonstücks."[12]

Das Gefühl kann demnach den Komponisten zwar erfüllen, aber es ist beim Komponieren nicht souverän. Komponieren ist geistige Arbeit [13], die durch Gefühlserlebnisse angeregt werden kann, jedoch vom ersten Einfall an davon unabhängig ist. Der erste Einfall äußert sich als „inneres Singen", als musikalische Gestalt. Hanslicks späterer Gegner, Richard Wagner, war als junger Mann in diesem Punkt mit Hanslick einig, wenn er 1841 schrieb: „Diese großen Stimmungen können sich als tiefes Seelenleiden, oder als kraftvolle Erhebung, von äußeren Erscheinungen herleiten, denn wir sind Menschen und unser Schicksal wird durch äußere Verhältnisse regiert; da aber, wo sie den Musiker zur Produktion hindrängen, sind auch diese großen Stimmungen in ihm bereits zur Musik geworden, so daß den Komponisten in den Momenten der schaffenden Begeisterung nicht mehr jenes äußere Ereignis, sondern die durch dasselbe erzeugte musikalische Empfindung bestimmt."[14] Abgesehen von Wagners hier geäußerter Auffassung, das Schaffen geschehe in „Begeisterung", was Hanslick nicht akzeptiert, setzen beide die Zäsur zwischen Gefühlseinfluß und musikalischer Gestaltung an derselben Stelle an: vom Antrieb zur Produktion an arbeitet der Komponist ausschließlich mit musikalischen Elementen. Die Stimmung wird „von selbst in Tönen sprechen, ehe sie noch in Töne gebracht worden ist."[14]

Der von Hanslick als Komponist weit mehr geschätzte, ja verehrte Robert Schumann vertritt als Theoretiker einen anderen Standpunkt. Was Hanslick aus der Spezial-Ästhetik der Musik ausgrenzen wollte, bezog Schumann bewußt als wertsteigernde Komponente mit ein: „Unbewußt neben der musikalischen Phantasie wirkt oft eine Idee fort, neben dem Ohre das Auge, und dieses, das immer tätige Organ, hält dann mitten unter den Klängen und Tönen gewisse Umrisse fest, die sich mit der vorrückenden Musik zu deutlichen Gestalten verdichten und ausbilden können. Je mehr nun der Musik verwandte Elemente, die mit den Tönen erzeugten Gedanken oder Gebilde in sich tragen, von je poetischerem oder plastischerem Ausdrucke wird die Komposition sein, – und je phantastischer oder schärfer der Musiker überhaupt auffaßt, umso mehr wird sein Werk erheben oder ergreifen."[15] Das Phänomen der Synästhesie, das Schumann hier anspricht, hat auch Hanslick gesehen; er vermengt es aber mit dem pathologischen Verhalten. Daß Schumann nicht von Gefühlen, sondern von der sinnlichen Wahrnehmung analogen Eindrücken spricht, übergeht er, wenn er schreibt: „Gerade so wie der Maler Szenen und Gestalten aus den Tönen heraussieht, so legt der Zuhörer Gefühle und Ereignisse hinein. Beides hat damit einen gewissen Zusammenhang, aber keinen notwendigen, und nur mit diesem haben es wissenschaftliche Gesetze zu tun."[16] Wissenschaftlich heißt, wie der Kontext zeigt, wissenschaftlich-ästhetisch, es ist nicht allgemein gemeint; daß die Psychologie dem Phänomen wissenschaftlich nachgehen müsse, hätte Hanslick sicher bejaht.

Die Ästhetik der Musik aber soll von allen Wirkungen der Musik, die wissenschaftlich zu untersuchen sie nicht die Mittel hatte, absehen und lediglich das objektiv Gegebene des Musikwerks zum Gegenstand erhalten. Dies besteht für Hanslick aus den Tönen und den Besonderheiten ihrer Verbindung durch Melodie, Harmonie und Rhythmus. Wegen der unübersehbaren Fülle der Möglichkeiten ist eine Verbindung von Tönen zu einem Musikwerk mehr als mechanische Konstruktion, es ist ein künstlerisches Werk, das auf musikalischen Ideen beruhen muß, welche diesen anspruchsvollen Namen verdienen.[17] Hierin zeigt sich für Hanslick der Geist des Komponisten. „Es liegt eine tiefsinnige Erkenntnis darin, daß man auch in Tonwerken von ‚Gedanken' spricht, und wie in der Rede unterscheidet da das geübte Urteil leicht echte Gedanken von bloßen Redensarten. Ebenso erkennen wir das vernünftig Abgeschlossene einer Tongruppe, indem wir sie einen ‚Satz' nennen."[18]

„Echte Gedanken" als Themen und die Abgeschlossenheit einer Tongruppe, also die Qualität einer Form – dies sind die Kriterien, nach denen das „geübte Urteil" ein Musikwerk mißt. Musik zu beurteilen, ist demnach etwas von Anfang an anderes, als von ihrer Wirkung zu sprechen.[19] In diesem Punkt denkt Hanslick radikaler als Herbart, der das ästhetische Urteil definierte als das, was sich nach dem Anhören des Werks einstellt: „... wobei noch zu bemerken, daß zwar die erste Auffassung von Affekten begleitet zu sein pflegt, daß aber nach dem Aufhören des Affekts, bei wiederkehrendem Gleichmute, das ästhetische Urteil zurückbleibt."[20] Nach Hanslicks Anschauung ist die Rezeption der Musik, sofern sie ästhetisch ist, von vornherein affektfrei, und der Gleichmut braucht nicht erst wiederzukehren: „Ruhig freudigen Geistes, in affektlosem, doch innig-hingebendem Genießen sehen wir das Kunstwerk an uns vorüberziehen ..."[21]

Genießen und Urteilen sind zwei verschiedene, aber geistige Tätigkeiten – Hanslick nennt das Genießen kurz darauf ein „Sich-Erfreuen mit wachem Geiste" –; sie geschehen in unmittelbarer Verbindung. Zu der am Eingang dieses Kapitels zitierten Darstellung des Verhältnisses von Phantasie und Verstand kann der folgende Satz als Erläuterung dienen: „Nur solche Musik wird vollen künstlerischen Genuß bieten, welche dies geistige Nachfolgen, welches ganz eigentlich ein Nachdenken der Phantasie genannt werden könnte, hervorruft und lohnt."[21] Genuß und Urteil hängen direkt zusammen. Sie sind aber auch Sache des Kenners, der die theoretischen Bedingungen der Musik in das Hören einbringen kann. Hanslick setzt dies voraus, er betont es nicht eigens.

Hanslicks neue Wertung des Genusses als einer ästhetischen Tätigkeit findet sich in einer noch etwas unklaren Formulierung schon bei Urban 1823 vorbereitet: „Das Kunstwerk genießen und das Kunstwerk begreifen, sind zwei verschiedene Gegenstände. Zu dem ersten gehört Kunstgefühl, zu dem zweiten Kunstkenntnis. Der Laie bedarf nur das erste, der Künstler und echte Kunstliebhaber muß beide besitzen."[22] Urban verbindet das Genießen mit Kunstgefühl, das Begreifen mit Kunstkenntnis. Hanslicks Unterscheidung von „pathologischem" und „logischem" Hören liegt nahe. Urban teilt dem Laien das pathologische allein, dem „echten Kunstliebhaber" aber die Vereinigung von beiden zu. Diesen Gedanken hat Hanslick weitergeführt, indem er dem Genießen den Gefühlsanteil nahm und so die Verbindung von Genuß und Begreifen, bzw. Urteilen als geistige Tätigkeit herstellen konnte. Darin, daß er die alte Einteilung von gefühlsmäßigem Genießen und verstandesmäßigem Urteilen nicht übernahm und sich nicht einfach auf eine der beiden Seiten stellte, sondern dem Genießen einen neuen Rang gab und das Urteil aus ihm folgen ließ, liegt ein Teil seiner originellen Leistung für die Musikästhetik.

Anmerkungen:

[1] VMSch/5.
[2] Sie sieht hierin sogar eine Gemeinsamkeit Hanslicks mit Herder, vgl. Glatt, aaO., S. 38 f.
[3] Robert Zimmermann, Zur Reform der Aesthetik als exakter Wissenschaft, in: Kritiken und Studien, Band II, S. 259.
[4] VMSch/1
[5] Die weitere Untersuchung wird zeigen, daß Hanslick dem Gefühl dennoch einen wichtigen Platz in seiner Ästhetik einräumt. vgl. dazu S. 67 f.
[6] Augustinus, De Musica, hrsg. von G. Marzi, Firenze 1969, S. 100. Freilich meint Augustinus hier ein bewußtes Hinwenden zur Musik, das z.B. nach großen geistigen Anstrengungen erholsam sein könne. Doch der Gegensatz zum Hingerissensein ist gemeint.
[7] Ausgabe von G. Lehmann, Reclam Stuttgart 1963, S. 99.
[8] Michaelis, S. 8 f.
[9] Michaelis, S. 62.
[10] VMSch/10, 11.
[11] VMSch/53.
[12] VMSch/54.
[13] vgl. VMSch/34 f.
[14] Richard Wagner, Ein glücklicher Abend, 1841, in: Sämtliche Schriften und Dichtungen, Volksausgabe, Band 1, 6. Aufl., Leipzig o.J., S. 147.
[15] Rezension von Berlioz' Symphonie Phantastique, 1835, in: Schriften über Musik und Musiker I, S. 108 f.
[16] VMSch/43.
[17] vgl. VMSch/32.
[18] VMSch/35.
[19] Diese Unterscheidung hat auch Goethe schon gemacht, als er am 13. 6. 1796 in einem Brief an Helene Unger schrieb: „Musik kann ich nicht beurteilen, denn es fehlt mir an Kenntnis der Mittel, deren sie sich zu ihren Zwecken bedient; ich kann nur von der Wirkung sprechen, die sie auf mich macht; wenn ich mich ihr rein und wiederholt überlasse . . ." Hamburger Briefausgabe, Bd. II, S. 223.
[20] Kurze Enzyklopädie der Philosophie, 1831, in: Sämtliche Werke, hrsg. v. K. Kehrbach und O. Flügel, Aalen 1964, Band 9, S. 83 Anm.
[21] VMSch/78.
[22] Urban, Über die Musik, deren Theorie, und den Musikunterricht, Elbing 1823, S. 5.

c) Die Idee der „reinen Instrumentalmusik"

Hanslick gründet seinen „Beitrag zur Revision der Ästhetik der Tonkunst" auf einen eingeengten Begriff der Tonkunst. Nicht alle Musik ist bei ihm gleichermaßen Tonkunst, sondern diejenige, die den Begriff einer Kunst, welche mit Tönen arbeitet, voll verwirklicht. Das tut nach seiner Auffassung nur die Instrumentalmusik, die Vokalmusik nicht. Seine Einteilung geht nicht sehr tief, sie beruht in zu einfacher Weise darauf, daß die eine Art der Musik ohne Worte, die andere in Verbindung mit Text verstanden wird, was sich auf den Inhalt auswirkt. Hanslick führt sie im Verlaufe einer Widerlegung ein, mit der er die Anschauungen der „Gefühlsästhetiker", die Musik stelle Gefühle dar oder habe Gefühle zum Inhalt, an Hand einiger Beispiele aus der sinfonischen Orchestermusik als unhaltbar demonstriert. Trotz dieser beinahe beiläufigen Erwähnung ist die These, der Begriff der Tonkunst werde nur von der Instrumentalmusik erfüllt, für die ganze Schrift grundlegend. Denn alle allgemein formulierten ästhetischen Aussagen – zum Form-Inhalt-Problem, zum Verhältnis Musik-Natur, zum Gefühl in der Musik etc. – gelten für die Instrumentalmusik als die „reine, absolute Tonkunst."[1]

Die Idee, die Tonkunst könne sich mit ihren eigenen Mitteln, den Tönen, allein vollkommen verwirklichen, ohne zu ihrem Verständnis Gehalte anderer Künste hinzuzuziehen, hat eine längere Geschichte, als im Schrifttum über Hanslick bisher angenommen wurde. Hugo Goldschmidt hat das Verdienst, eine Stelle bei Johann Elias Schlegel aufgespürt zu haben, die schon auf Hanslicks Ästhetik hindeutet. Schlegel zweifelt an der alleinigen Berechtigung der Nachahmungsästhetik und stellt die für die Geschichte der Ästhetik sehr fruchtbare Frage, „ob die Töne allezeit notwendig als Ausdrücke betrachtet werden müssen, ob sie nicht zuweilen als bloße Töne, nach ihrem Verhältnis zueinander bearbeitet werden können, und auch insofern ein musikalisches Ohr zu reizen fähig sind."[2] Hanslick hat den zweiten Teil dieser Frage mehr als hundert Jahre später mit Entschiedenheit bejaht und auf der Verneinung ihres ersten Teils seine eigene Ästhetik aufgebaut.

Hatte Schlegel mit seiner Frage vor allem Hanslicks Attribut „absolut" im Sinne einer Lösung vom Affektausdruck angesprochen, so leitet sich Hanslicks zweite Bedingung der Tonkunst, die Reinheit, von einem anderen Theoretiker her. Der Schotte James Beattie verwendet das Wort „music purely instrumental" bereits 1762. Hanslick setzte der „reinen Tonkunst", der Instrumentalmusik, die Vokalmusik entgegen, bei der es sich immer um „ein untrennbar verschmolzenes Produkt"[1] von Musik, Text, auch dramatischer Situation handele, so daß die „Wirksamkeit der Töne nie so genau" von derjenigen der anderen Komponenten unterschieden werden könne. Beattie steht in einem anderen historischen Zusammenhang, er wendet sich – wie Schlegel – gegen die Nachahmungslehre. Aber seine Argumentation ist ähnlich angelegt: er hält es für ratsam, „that no imitation should ever be introduced into music purely instrumental. Of vocal melody the expression is, or ought to be, ascertained by the poetry; but the expression of the best instrumental music is ambiguous."[3] Beattie wie Hanslick gehen von der Negation bestehender Anschauungen aus, und beide führen wesentliche Unterschiede von Instrumental- und Vokalmusik ein, wobei ihnen die Instrumentalmusik für ihre Argumentation wichtiger ist. Auch darin, daß bei Vokalmusik der Text Ausdrucksträger sei, sind beide gleicher Ansicht. Auf die Erkenntnis, daß gerade bei guter Instrumentalmusik der Ausdruck nicht eindeutig sei, – Beatti nennt das „ambiguous" – hat Hanslick seine Ablehnung der überkommenen Musikästhetik aufgebaut. „Der Zusammenhang musikalischer Werke mit gewissen Stimmungen besteht nicht immer, überall, notwendig, als ein absolut Zwingendes."[4]

Es soll hier nicht übersehen werden, daß Beattie von der „music purely instrumental" lediglich zum Zweck der Unterscheidung von wortloser und textgebundener Musik spricht, während Hanslicks Satz, nur die Instrumentalmusik sei „reine, absolute Tonkunst", eine deutliche emphatische Prägung besitzt.[5]

Zwischen Beattie und Hanslick gibt es wesentliche Unterschiede, die nicht nur in dem historischen Abstand begründet sind, und Beattie als einen Vorläufer Hanslicks zu bezeichnen, wäre sicherlich unüberlegt. Aber in der Ablehnung überlieferter ästhetischer Grundanschauungen sind sie sich ähnlich. Das zeigt zum Beispiel auch der folgende Satz Beatties: „Sounds in themselves can imitate nothing directly but sounds, nor in their motions any thing but motions."[6] Töne und Bewegung sind auch die Elemente für das Musikalisch-Schöne Hanslicks, „das unabhängig und unbedürftig eines von Außen her kommenden Inhalts, einzig in den Tönen und ihrer künstlerischen Verbindung liegt.... Tönend bewegte Formen sind einzig und allein Inhalt und Gegenstand der Musik."[7]

Der Ton war für Hanslick lediglich das Material, mit dem der Komponist arbeitet. Ihn als Übermittler anderer als rein-musikalischer Gehalte zu verstehen, lag ihm fern. In Andeutungen gab es eine solche Auffassung auch schon im 18. Jahrhundert. Der Komponist und Schriftsteller Friedrich Hugo von Dalberg schrieb 1787: „Der Gegenstand der Musik ist der Ton, ihr Zweck: das Wohlgefallen des Gehörs."[8] Dalberg leitete aus der antiken Zahlenmystik einen Vergleich der musikalischen Harmonie mit der Harmonie der Seelen (= Geister) her, und in diesem Zusammenhang ist der zitierte Satz eine vorläufige Wesensbestimmung der Musik. Immerhin ist seine Aussage, daß die Musik mit Tönen „Wohlgefallen des Gehörs" bezwecke, der Hanslickschen Gegenthese zur „Gefühlsästhetik" ähnlich. Auch Hanslick stellt zunächst klar, daß die Musik eine sinnlich erscheinende Kunst sei, die sinnlich wahrgenommen werde. Allerdings baut er etwas anderes darauf auf als Dalberg, nämlich die Einbettung eines geistigen Gehaltes in die musikalische Schönheit.[9]

Am Ende des 18. Jahrhunderts, mit dem Erscheinen der theoretischen Schriften der Frühromantiker, breitete sich der Gedanke der absoluten Instrumentalmusik immer mehr aus; freilich blieb er nicht ohne Modifikationen in seiner Begründung. Daß aber zwischen Vokal- und Instrumentalmusik ein prinzipieller, wesensbestimmender Unterschied bestehe, betonten Tieck, Fr. Schlegel, später E. Th. A. Hoffmann u. a. übereinstimmend. Auch Herder, den man zwar nicht in diesen Kreis einordnen kann, vertrat in der Kalligone den Gedanken einer selbständigen Instrumentalmusik. Hanslicks Verhältnis zur romantischen Ästhetik ist schon häufiger behandelt worden. Es soll hier nur mit einigen Zitaten andeutend geschildert werden, damit in der Darstellung der Tradition von Hanslicks Ideen keine zu großen Lücken bleiben.

Ludwig Tiecks Beiträge zu den Schriften Wackenroders bergen eine Fülle von Impulsen, die noch für Hanslick wirksam waren, der ja auch an entscheidender Stelle in seiner Schrift eine Gedichtzeile Tiecks paraphrasiert, um die Besonderheit des musikalischen Gehaltes zu verdeutlichen.[10] Wie eng verwandt Tiecks Anschauungen mit denen Hanslicks sind, zeigen folgende Sätze des Dichters: „Mir scheint die Vokal- und Instrumentalmusik noch nicht genug gesondert und jede auf ihrem eigenen Boden zu wandeln ... Daher kommt es auch, daß die Musik selbst oft nur als Ergänzung der Poesie betrachtet wird ... Beide Arten können rein und abgesondert für sich bestehen ..., wie die Instrumentalmusik ihren eigenen Weg geht und sich um keinen Text, um keine unterlegte Poesie kümmert, für sich selbst dichtet und sich selber poetisch kommentiert."[11] Gerade der letzte Gedanke, daß die Instrumentalmusik „sich selber poetisch kommentiert", mußte Hanslick zutiefst sympathisch sein, denn er erkannte der Verarbeitung eines Themas, seiner bereichernden Durchführung wertentscheidende Bedeutung zu.[12]

Aber Hanslick stimmte nicht völlig mit Tieck überein, wie sich an der folgenden Passage Tiecks zeigt: „ ... die eigentliche Vokalmusik muß vielleicht ganz auf den Analogien des menschlichen Ausdrucks beruhen ... Diese Kunst scheint mir aber bei alle diesem immer nur eine bedingte Kunst zu sein; sie ist und bleibt erhöhte Deklamation und Rede. In der Instrumentalmusik aber ist die Kunst unabhängig und frei, sie schreibt sich nur selbst ihre Gesetze vor, sie phantasiert spielend und ohne Zweck und doch erfüllt und erreicht sie den höchsten, sie folgt ganz ihrem dunklen Triebe und drückt das Tiefste, das Wunderbarste mit ihren Tändeleien aus."[11] Der Trennung Tiecks von Vokal- und Instrumentalmusik hat Hanslick zugestimmt, aber daß die Musik ganz „ihrem dunklen Triebe" folge und „Tändelei" sei, wäre ihm – zumindest in dieser Formulierung – zu sachfremd gewesen. Für ihn war das bewußte Arbeiten des Komponisten, der seinem Werk seinen Geist eingibt, ein zentraler Punkt. Hanslick sah „dunkles" nur noch in den Beziehungen der gegebenen Elemente untereinander, aber nicht im Verlauf eines komponierten Werkes. „Die Phantasie des geistreichen Künstlers wird nun aus den geheim-ursprünglichen Beziehungen der musikalischen Elemente und ihrer unzählbar möglichen Kombinationen die feinsten, verborgensten entdecken, sie wird Tonformen bilden, die aus freister Willkür erfunden und doch zugleich durch ein unsichtbar feines Band mit der Notwendigkeit verknüpft erscheinen."[13]

Friedrich Schlegel versuchte 1798 das Wesen der reinen Instrumentalmusik durch einen Vergleich mit dem Philosophieren zu umschreiben. Er nennt es einen „platten Gesichtspunkt", daß die Musik lediglich „Sprache der Empfindung" sein solle, und meint, wer die Musik ernsthaft betrachte, der werde „eine gewisse Tendenz aller reinen Instrumentalmusik zur Philosophie an sich nicht unmöglich finden. Muß die reine Instrumentalmusik sich nicht selbst einen Text erschaffen? und wird das Thema in ihr nicht so entwickelt, variiert und kontrastiert, wie der Gegenstand der Meditation in einer philosophischen Ideenreihe?"[14] Merkmale des Philosophierens sind nach Schlegel die selbständige

Setzung des Themas sowie seine methodisch konsequent durchgeführte Diskussion. Hanslicks oben zitierte Darstellung der Phantasietätigkeit entspricht diesen Merkmalen weitgehend; die Erfindung des Themas als eine dem kunstvollen Verarbeiten ebenbürtige Tat des Komponisten – Schlegel sagt „sich selbst einen Text erschaffen" – war auch ihm wesentlich. Die Auffassung Schlegels, die Instrumentalmusik habe „eine gewisse Tendenz" zur Philosophie, hat Hanslick aber nicht geteilt. Die Eigenständigkeit der „reinen, absoluten Tonkunst", die er mit seiner Ästhetik durchsetzen wollte, ließ sich mit einem Hinstreben zu einer anderen Kunst oder Wissenschaft nicht vereinen. Schlegel spricht im Zusammenhang der zitierten Sätze von den „wunderbaren Affinitäten aller Künste und Wissenschaften", geht also von einer Vorstellung aus, die Hanslick überwinden wollte.

Herder, der im Vierten Kritischen Wäldchen 1769 die Instrumentalmusik „dunkel" genannt hatte, weil sie frei von Nachahmung sei, wandte sich in der Kalligone dagegen, sie als Empfindungsrede zu verstehen: „Eine schwätzende Empfindung wird unerträglich." Er sah das Wesen der Musik in den Verbindungen und Beziehungen der Töne. „Töne dürfen sich verfolgen und überjagen, einander widersprechen und wiederholen, das Fliehen und Wiederkommen dieser zauberischen Luftgeister ist eben das Wesen der Kunst, die durch Schwingung wirket." Im folgenden Satz verknüpft er die Idee der absoluten Musik mit der anderen von der Musik als einer Kunst sui generis: „Ohne Worte, bloß durch und an sich, hat sich die Musik zur Kunst ihrer Art gebildet."[15] Die historische Dimension dieses Satzes war für Hanslick nicht mehr verbindlich, er sah es als zeitlos gültig an, daß die Musik „nun einmal als Musik aufgefaßt sein" wolle, „nur aus sich selbst verstanden, in sich selbst genossen werden" könne.[16]

Als letzten in der Reihe der romantischen Schriftsteller, die die Instrumentalmusik als die reine Verwirklichung der Musik ansahen, sei noch kurz auf E. Th. A. Hoffmann hingewiesen, der in seinem Aufsatz über „Beethovens Instrumentalmusik" fragte: „Sollte, wenn von der Musik als einer selbständigen Kunst die Rede ist, nicht immer nur die Instrumental-Musik gemeint sein, welche, jede Hilfe, jede Beimischung einer andern Kunst (der Poesie) verschmähend, das eigentümliche, nur in ihr zu erkennende Wesen dieser Kunst rein ausspricht?"[17]

Es hat sich gezeigt, daß Hanslick mit seiner Idee, die Instrumentalmusik sei die „reine, absolute Tonkunst", nur besonders prägnant ausgesprochen hat, was schon viele vor ihm für richtig hielten. Der Gedanke hat sich langsam gebildet und ist in verschiedenem Zusammenhang jeweils mit anderer Akzentuierung vorgetragen worden. Zum ersten Mal wurde er 112 Jahre vor Hanslicks ästhetischer Schrift von Johann Elias Schlegel in Form einer impulsgebenden Frage laut. Eine noch längere Tradition hat der Gegensatz der zwei Verhaltensweisen gegenüber der Musik, den Hanslick mit den Wörtern „pathologisch" und „ästhetisch" bezeichnete: in anderem Zusammenhang, aber ähnlichem Sinn begegnen wir ihm bereits bei Augustinus, also rund fünfzehn Jahrhunderte früher. Auch die Auffassung, die Musik sei eine Kunst sui generis, die sich am klarsten erkennen lasse, wenn man sie ausschließlich unter ihren eigenen Gesichtspunkten betrachte, findet sich nicht bei Hanslick zum ersten Mal; sie hat allerdings im Vergleich zu den anderen die kleinste Vorgeschichte.

Sowohl Hanslicks Zentralbegriffe als auch die Ideen, die ihn zu seiner Ästhetik veranlaßt haben, sind historisch schon vor ihm, teilweise weit früher, nachweisbar. Dennoch gilt seine ästhetische Schrift als originelle Tat. Keiner der hier zitierten Autoren hat in der Musikästhetik ein solches Aufsehen erregt und eine solche Vielzahl von Gegenschriften erhalten wie Hanslick.[18] Eine Kompilation von überlieferten Gedanken und Begriffen hätte diese Wirkung sicherlich nicht hervorgerufen. Es ist nicht das Thema dieser Arbeit, Hanslicks Originalität zu analysieren. Aber diese Einleitung kann nicht abgeschlossen werden, ohne wenigstens an einigen Beispielen gezeigt zu haben, was an Hanslicks Buch 1854 neuartig war. Der folgende Vergleich mit der Gegenschrift von August Wilhelm Ambros soll dazu dienen.

Anmerkungen:

1 VMSch/20. Auf das Verhältnis von Instrumental- und Vokalmusik wird zu Beginn des Kapitels über die Vokalmusik näher eingegangen. vgl. S. 120.
2 Joh. Elias Schlegel, Abhandlung von der Nachahmung, zuerst gedruckt 1742, zit. nach Goldschmidt, Musikästhetik . . . S. 134.
3 vgl. K.H. Darenberg, Studien zur englischen Musikästhetik des 18. Jahrhunderts, Hamburg 1960, S. 44.
4 VMSch/8.
5 Dennoch ist es keine Wertung zu Gunsten der Instrumentalmusik, sondern nur eine Eingrenzung zur klaren Bestimmung des Wesens der Tonkunst. vgl. dazu die Einleitung des Kapitels über die Vokalmusik, S. 120 ff.
6 zit. nach Darenberg, aaO., S.44.
7 VMSch/32.
8 Blicke eines Tonkünstlers in die Musik der Geister, Mannheim 1787, S. 16.
9 vgl. VMSch/34.
10 VMSch/102 f.
11 Wackenroder, Werke und Briefe, ed. Fr. von der Leyen, Band 1, S. 303–306. Eine ausführliche Zusammenstellung von Tiecks Ausführungen bringt Rudolf Schäfke, Geschichte der Musikästhetik, Tutzing 2/1964, S. 346 ff.
12 vgl. VMSch/41.
13 VMSch/41 f.
14 Athenäumsfragmente, 1798, zit. nach Gatz, aaO., S. 353.
15 Herder, Werke, ed. Suphan, XXII, S. 185–187. Die Idee der Musik als einer Kunst sui generis spricht Herder somit schon früher aus als die im ersten Kapitel genannten Autoren.
16 VMSch/34, auch 44. vgl. hierzu auch das Kapitel „Hanslicks Stellung zur Musikgeschichte" dieser Arbeit.
17 E.Th.A. Hoffmann, Werke, Insel-Ausgabe, Frankfurt a.M. 1967, Band I, S. 36.
18 Man vergleiche die Aufstellung bei Arthur Seidl, Vom Musikalisch-Erhabenen, Leipzig 2/1907, S. 181–190.

d) Ambros' Stellungnahme im Vergleich zu Hanslicks Position

August Wilhelm Ambros war neun Jahre älter als Hanslick. Als sie sich Anfang der vierziger Jahre kennenlernten, war Ambros bereits Doktor der Rechte und Finanzbeamter. Hanslick begann seine berufliche Laufbahn einige Jahre später ebenso. Auch die nebenberufliche Tätigkeit als Kritiker hatten beide gemeinsam, Ambros war in den vierziger Jahren Musikreferent der Prager Zeitung „Bohemia". Er war für Hanslick anfangs fast ein väterlicher Freund, der Hanslick häufig zu musikalischen Veranstaltungen mitnahm: „Durch mehrere Jahre genoß ich alle bedeutenden Musikaufführungen in Prag doppelt und dreifach, indem ich sie mit Ambros hörte."[1] Auch in Ambros' Prager „Davidsbündler" – Kreis, in dem neue Kompositionen vierhändig gespielt und diskutiert wurden, wurde Hanslicks Gesichtskreis erweitert, der zuvor in den Kontrapunktstudien bei Tomaschek sehr eng gehalten worden war. Hanslick bewunderte Ambros zunächst rückhaltlos, nach seiner Übersiedlung nach Wien 1846 gewann er mehr Distanz. Aber auch in seiner Autobiographie schildert er Ambros noch voller Bewunderung: „Wer Ambros lediglich aus seinen Schriften, nicht aus persönlichem Umgang kannte, der besaß kaum die Hälfte von dieser hochbegabten, originellen, dabei stets heiteren und gutmütigen Persönlichkeit. Er war ein Talent, eigentlich eine Talentsammlung merkwürdigster Art: tüchtiger Musiker und vortrefflicher Zeichner, gleich kundig in der schönen Literatur, wie in der Rechtswissenschaft. Den Jean Paul wußte er auswendig, wie das bürgerliche Gesetzbuch. Seine Auffassung war ebenso schnell und lebhaft, wie sein Gedächtnis allseitig und von lebenslänglicher Treue."[2]

In der Charakterisierung Ambros' wird aber nicht nur Hanslicks Bewunderung deutlich, sondern es klingt auch seine kritische Distanz an einigen Stellen durch. So gibt er einen Brief von Ambros wieder, in dem dieser sich zu seinem Selbstverständnis als „Flamin, der letzte Davidsbündler" bekennt.[3] Hanslick nennt seinen eigenen Davidsbündler-Namen „Renatus" nur einmal kurz und mehr als Kuriosum. Von dem in diesem Kreis herrschenden Enthusiasmus hat er sich selbst in Wien schnell distanziert.[4] Auch schon in Prag gab es Meinungsunterschiede, z. B. über Gluck oder Jean Paul, „in deren Vergötterung ich es Ambros nicht gleichtun konnte. Er war eine enthusiastische Natur; ja, er hatte immer ein Bedürfnis nach Enthusiasmus, vielleicht mehr als gut ist für den Kritiker."[5] Hanslick legte Wert auf klaren, wohlüberlegten Stil, auf geistige Disziplin, was er bei Ambros vermißte: „auch in seinem Kopfe sprangen (wie Heine von Jean Paul sagt) die Ideen wie erhitzte Flöhe durcheinander." Und im folgenden beschreibt Hanslick indirekt den Stil, den er selbst für gut hielt: „Er schrieb nicht eine Seite in ruhiger, gleichmäßiger Beleuchtung, ohne humoristische Seitensprünge, ohne gute und schlechte Witze, Bilder und Hyperbeln."[6]

Ambros und Hanslick, die Herkunft, Studium und berufliche Tätigkeit sowie Nebentätigkeit miteinander gemeinsam hatten, zudem befreundet waren, unterschieden sich im Alter, in der Streuung der Interessen und der Vielseitigkeit der Bildung sowie im Temperament. Hanslick, der neunundzwanzigjährige schrieb seine ästhetische Schrift und forderte den neununddreißigjährigen Ambros zu einer spontanen Gegenschrift heraus, die dieser schon ein halbes

Jahr später fertiggestellt hatte.[7] Ambros schrieb die erste Hanslick-Kritik in Buchform, vorher waren nur Zeitschriftenrezensionen erschienen. Man kann aus der Spontaneität und der schnellen Fertigstellung schließen, daß Ambros von Hanslick provoziert wurde, seinen eigenen Standpunkt, den er schon vorher hatte, nun seinerseits niederzuschreiben.

Ein Vergleich der Titel und Untertitel beider Bücher ist schon aufschlußreich: „Vom Musikalisch-Schönen" – „Die Grenzen der Musik und Poesie".[8] Hanslick wollte das Spezifische der Musik, die er als Kunst sui generis ansah, ergründen, das Schöne, das Musik als Musik darstellt, herausfinden. Dazu mußte er die Musik von den anderen Künsten, besonders der Dichtkunst, abgrenzen. Dieses Bestreben greift Ambros mit seinem Titel auf, das Wort „Grenzen" hat bei ihm jedoch einen anderen Sinn, er geht von der Gemeinsamkeit aller Künste aus: „Wir wollen uns im Vorhinein erinnern, daß den Lebensäther aller Künste die Poesie bildet, eben jenes verklärende Idealmoment – und daß sie, die Poesie, uns endlich als eigene, selbständige Kunst entgegentritt – ähnlich wie die Philosophie nicht bloß die Grundlage aller einzelnen Wissenschaften ist, sondern auch als abgegrenzte Wissenschaft für sich allein erscheint."[9] Das also steht für Ambros fest: die Künste sind untereinander verbunden durch den einheitlichen „Lebensäther", die Poesie, was auf dieser Ebene das allgemein Künstlerische im Sinne Schumanns bedeutet. Eine Grenze zwischen den Künsten tritt erst dort ein, wo sich die Poesie zur Dichtkunst spezialisiert. Im „Idealmoment", worauf später noch näher eingegangen wird, sind alle Künste poetisch. „Poesie" bedeutet bei Ambros also zweierlei[10], im Titel seines Buches meint er jedoch nur die Dichtkunst. Ambros sah es als einen Fehler Hanslicks an, diese Voraussetzung aller Künste übergangen und sofort bei der Spezialisierung angesetzt zu haben. Er stand auf dem Boden der romantischen Kunstauffassung[11]; er gab seinem Buch den Untertitel „Eine Studie zur Ästhetik der Tonkunst", im Gegensatz zu Hanslicks „Beitrag zur Revision der Ästhetik der Tonkunst." Ambros war an der „Revision", die Hanslick anstrebte, nicht gelegen. Er wollte auch keine Streitschrift speziell gegen Hanslick vorlegen, zumal er selbst bekennt, von Hanslicks „Abhandlung ... die reichsten Anregungen erhalten" zu haben, auch wenn er dagegen von seinem Standpunkt aus „oft bestreitend auftreten" müsse.[12]

Ausgehend von der Überzeugung, daß alle Künste denselben „Lebensäther" haben, stellt Ambros hinsichtlich der Abhängigkeit von der Materie, der individuellen Bedeutung des Autors und der geistigen Bedeutung des Werks eine Klimax der Künste auf, in der die Musik jedoch fehlt. Die Musik besitzt für ihn eine Sonderstellung die er folgendermaßen begründet: „Sie ist einerseits eine architektonisch-formelle Kunst, andererseits eine Kunst poetischer Ideen – ja bis zu einer, weiterhin näher zu bestimmenden Grenze, gegebener Stoffe. Die architektonische Form und die poetische Idee müssen sich in ihr durchdringen – allerdings aber kann das eine oder das andere Element mehr oder minder entschieden vorwalten. Sie ist weniger materiell als selbst die Malerei, aber materieller als die ganz entkörperte Poesie ... Sie ist endlich eine künstlerische Erweiterung der Persönlichkeit ihres Schöpfers, daher sein geistiges Abbild."[13] Der letzte Satz taucht ganz ähnlich auch bei Hanslick auf: „Da nun die Tonverbindungen ... durch freies Schaffen der Phantasie gewonnen werden, so prägt sich die geistige Kraft und Eigentümlichkeit dieser bestimmten Phantasie dem Erzeugnis als Charakter auf."[14] Freilich wollte Hanslick nicht vom Charakter des Werks auf die Person des Komponisten zurückschließen – für ihn galt allein das Kunstwerk als ästhetischer Gegenstand[15] –, während Ambros als Historiker dies reizvoll fand: er spricht von der „Persönlichkeit" des Komponisten, Hanslick nur von der „Phantasie".

Auch Ambros faßt das Verhältnis von Form und Inhalt als eine „Durchdringung" beider Faktoren auf, doch Inhalt ist für ihn die „poetische Idee". Hanslick hatte postuliert: „Jede Kunst hat zum Ziel, eine in der Phantasie des Künstlers lebendig gewordene Idee zur äußeren Erscheinung zu bringen. Dies Ideelle in der Musik ist ein tonliches; nicht etwa begriffliches, welches erst in Töne zu übersetzen wäre."[16] Für Hanslick ist Musik von Anfang an Tonkunst, für Ambros wird sie es erst als spezielle Realisation der „Poesie". Ambros spricht deshalb auch von „architektonischer Form", und glaubt, Form oder Inhalt könnten „vorwalten". Hanslick charakterisierte diese Auffassung schon vor Ambros als irrig: „Sie stellt sich die kunstreich zusammengefügte Form als etwas für sich Bestehendes, die hineingegossene Seele gleichfalls als etwas Selbständiges vor und teilt nun konsequent die Kompositionen in gefüllte und leere Champagnerflaschen. Der musikalische Champagner hat aber das Eigentümliche: er wächst mit der Flasche."[17] Ambros argumentiert im wesentlichen mit der von Hanslick abgelehnten Auffassung, er nimmt Hanslicks Vorschläge zur „Revision" nicht an.

In einem sind sich Hanslick und Ambros einig: die Musik besitzt unter den Künsten eine Sonderstellung. Während aber Hanslick deshalb unmittelbar von dem Spezifischen der Musik ausgeht und auch im Verlaufe seines Buches jede Vergleichsmöglichkeit mit anderen Künsten ausschließt, sieht Ambros das Besondere darin, daß die Musik mit jeder der anderen Künste Gemeinsamkeiten aufweise. Die Einigkeit beider ist nur scheinbar, in Wirklichkeit stehen beide auf einem prinzipiell verschiedenen Standpunkt. Rudolf Schäfkes These, Hanslick habe mit seinem Buch eine neue Richtung in die Musikästhetik eingeführt, die als „Ästhetik des Spezifisch-Musikalischen" unabhängig sowohl vom Formalismus als auch von der Ausdrucksästhetik sei[18], bestätigt sich bei einem Vergleich Hanslicks mit Ambros, den Schäfke nicht durchgeführt hat: Ambros, der nach Schäfkes Unterscheidung zu den Ausdrucksästhetikern zu rechnen wäre, mißversteht Hanslick nämlich, indem er ihn kurzerhand einen Formalisten nennt.

In einer längeren Passage, in der er sich offensichtlich mit Hanslick auseinandersetzt, auch wenn er seinen Namen nicht nennt, spricht er beispielsweise von denjenigen, „welche ... den Inhalt mit der Form völlig zusammenfallen lassen und nur aus dem Formenspiel als solchem und der ‚elementaren Kraft der Töne' die ganze Wirkung der Musik vollständig herleiten – das heißt mit anderen Worten, die Wirkung eines Gedichtes aus der grammatikalischen und syntaktischen Sprachrichtigkeit, der Reinheit der Reime, dem rhythmischen Fall des Versmaßes und dem elementaren Wohlklang einer Sprache ..."[19] Hanslick wird hier eingereiht in eine Gruppe; dies wird ermöglicht durch vergröbernde Darstellung seiner Thesen. Hanslick ließ Inhalt und Form nicht „völlig zusammenfallen", er sah sie nur als Kategorien an, die nicht losgelöst voneinander beurteilt werden können. Er bemühte sich darum, ihnen für die Musik eine eigene Bedeutung zu geben, die ihre gegenseitige Abhängigkeit einleuchtend erscheinen ließ, was ihm allerdings nicht gelang, wie er später eingestand.[20] Auch in seiner ästhetischen Schrift deutete er schon an, daß diese Begriffe der Musik im Grunde inadäquat seinen.[21] Dies wird von Ambros mit mit seiner Formulierung „völlig zusammenfallen lassen" sehr vereinfacht wiedergegeben.

Hanslick leitet auch nicht „die ganze Wirkung der Musik" „nur aus dem Formenspiel als solchem und der elementaren Kraft der Töne" her, er zählt die Wirkung überhaupt nicht zu dem ästhetischen Wesen der Musik.[22] Dies ist vielmehr das „Formenspiel", genauer: die Schönheit der geformten Musik. Ambros stellt Hanslick unrichtig dar, indem er „Formenspiel", „elementare Kraft der Töne" und „Wirkung der Musik" miteinander in Verbindung bringt. Sein Vergleich mit der Interpretation eines Gedichts auf Grund von Grammatik und Syntax beweist schließlich, daß er Hanslicks Formbegriff, der Form nur als geformten Inhalt meint, nicht verstanden hat. Zudem ignoriert dieser Vergleich Hanslicks These von der Unvergleichlichkeit der Musik mit anderen Künsten.

Freilich hat auch Hanslick, sogar an ganz wesentlichen Stellen seiner Abhandlung, Vergleiche mit anderen Künsten angestellt, so den besonders häufig zitierten mit der Arabeske. Ambros greift ihn mehrmals auf, z. B. in der temperamentvollen Anklage: „Ihr Formenphilosophen, ihr Männer ‚der tönenden Arabeske', denen sich der Geist nicht zeigt, weil ihr an ihn nicht glaubt, oder ihn in dem organischen Gefüge mit dem groben Skalpell des Anatomen aufsuchen wollt ..."[23] Hanslick hat die Arabeske nicht mit einer Partitur gleichgesetzt, sondern den Vergleich differenziert: die Arabeske sei, wenn man sie sich im Entstehen begriffen vorstelle, als ein kunstvolles Korrespondieren von geschwungenen Linien, „als tätige Ausströmung eines künstlerischen Geistes, der die ganze Fülle seiner Phantasie unablässig in die Adern dieser Bewegung ergießt"[24], dem Höreindruck eines Musikwerkes „sehr nahekommend". In späteren Auflagen sprach er sogar nur noch von „einigermaßen nahekommend".[25] Ihm war auch bewußt, daß die Arabeske als Ornament nur Bestandteil eines Ganzen ist, daher rückte er wenig später den Vergleich noch weiter zurecht: „Der Arabeske gegenüber ist dennoch die Musik in der Tat ein Bild, allein ein solches, dessen Gegenstand wir nicht in Worte fassen und unseren Begriffen unterordnen können."[26] Damit hat er die Unvergleichlichkeit der Musik wieder hergestellt; die Arabeske diente ihm nur zur Verdeutlichung dafür, daß es schöne Formen ohne Affektinhalt geben kann.

Musik war für Hanslick keine „tönende Arabeske", sie war vor allem nicht geistlos. Hanslick anerkannte „keine Schönheit ohne Geist".[27] Ambros' Vorwurf, Hanslick glaube nicht an den Geist und könne ihn deshalb nicht erkennen, übergeht diese wichtige Bedingung aber nur, weil ihm ein anderer Begriff von Geist zugrunde liegt. Ambros meint die individuelle Geisteshaltung des Komponisten, seine gesamte Lebenseinstellung, die sich in seinen Werken ausdrückt. Ambros hält es zum Verständnis Beethovenscher Werke für unerläßlich zu wissen, was Beethoven innerlich bewegte, als er seine Werke komponierte. Für Ambros ist „Musik mehr, weit mehr ... als geistreiches Amusement an Tonspiel und Wohlklang", sie ist „eine sittliche und sittigende Macht."[28] Ambros genügt also nicht das Werk als Gegebenes, sondern er bezieht den gesamten historischen und geistesgeschichtlichen Umkreis mit ein, kurz er betreibt das, was Hanslick Kunstgeschichte nannte und von der Ästhetik trennen wollte. Hanslick wollte damit über den Hegelschen Standpunkt, den er einen „vorwiegend kunstgeschichtlichen" nennt, hinauskommen. Ambros folgt ihm dabei nicht und erklärt Hanslicks Anschauung für unzureichend. Hanslicks Versuch „der Revision der Ästhetik" wird von Ambros nicht akzeptiert.

Ambros besaß ein ästhetisches Grundkonzept, das er gegen Hanslick verteidigte. Es war für ihn allgemeingültig und umfaßte alle Künste. Wichtigster Grundsatz war, „daß der Mensch mit dem, was ihn eben zum Menschen macht, der einzige und eigentliche Gegenstand derselben [der Kunst] ist. Dieser Abglanz des menschlichen Wesens ist es, was eben das Idealmoment bildet, der Mensch will das, was aus seinem tiefsten Innern auftaucht, ‚in dauernden Gedanken befestigt' in schöner Form verkörpert, außer sich erblicken – was einen Teil seines Ich ausmachte, soll sich in einen bildsamen Stoff senken und nun – wie ein Individuum, das die vernünftigen Bedingungen und Grenzen seiner Existenz in sich selbst trägt – wie ein Fremdes – wie ein Nicht-Ich ihm gegenüberstehen, ein Fremdes und doch sein Bild."[29]

Ambros steht auf starkem philosophischem Grund, wie sich hier zeigt. Er ist beeinflußt von Hegels Grundsatz: „Das Prinzip der Musik macht die subjektive Innerlichkeit aus."[30] Innerlichkeit ist bei Hegel „eine ‚Region', in der ‚substantieller Gehalt' erscheint, eine Weise, in welcher er lebendig wird."[31] Ambros beschreibt „die Weise, in welcher er lebendig wird" in dem gegebenen Zitat, unterscheidet sich von Hegel jedoch dadurch, daß er für alle Kunst gelten läßt, was bei Hegel ein Spezifikum der Musik war.

Besonders deutlich wird Ambros' Hegelnachfolge in seiner Sicht des geistigen Gehaltes im Kunstwerk. Er nennt ihn das „Idealmoment." „Wo das Idealmoment, der aus dem höheren Leben des Menschen nicht dem bloß physiologisch tätigen Leben seines körperlichen Organismus, sondern aus seinem geistigen Leben geholte Anteil an einem Kunstwerke fehlt, haben wir noch kein fertiges ganzes Kunstwerk – wir haben erst eine Entwicklungsstufe desselben vor uns. Das geistige Moment des Kunstwerkes, das Idealmoment ist der vom Himmel geholte, zündende Prometheusfunke, der dem wohlgeformten, aber leblosen Tonbilde erst Leben gibt."[32] Hegel formuliert das kürzer: „Erst wenn sich in dem sinnlichen Element der Töne und ihrer mannigfaltigen Figuration Geistiges in angemessener Weise ausdrückt, erhebt sich auch die Musik zur wahren Kunst ..."[33]

Für Ambros muß das Kunstwerk einen geistigen „Anteil" haben, um Kunstwerk zu sein; ohne ihn ist es ein „wohlgeformtes, lebloses Tonbild". Hanslick kennt keine Wohlgeformtheit ohne Geist, für ihn äußert er sich schon und ausschließlich in der Formung, dem Schaffensakt. Der Geist ist auch bei ihm belebende Kraft, das Schaffende im Sinne der Romantik [34], freilich ohne die universale Weltschau eines Novalis oder Friedrich Schlegel. Hanslick verzichtet auf den philosophischen Grund und betrachtet den Geist lediglich als musikalische Schöpferkraft, als die Lebenskraft der Phantasie. Er bezieht sich dabei auch auf Hegel, allerdings nicht auf die eben zitierte Bedingung, Musik sei Kunst nur durch den Geist, sondern auf eine andere Stelle: „Musik ist Geist, Seele, die unmittelbar für sich selbst erklingt."[35] Hieraus klammert er die „Seele" aus, um die Gefühlsseite aus der Ästhetik ausschließen zu können. Hegel wird er damit natürlich nicht gerecht, aber er wollte sich auch teilweise von ihm absetzen. Hegels Anschauung des Sinnlichen als eines bloßen Elements erschien Hanslick unzutreffend, Musik „webt"[36] für ihn im Sinnlichen. Indem er die Einteilung in eine niedere, sinnliche und eine höhere, geistige Schicht, die er Hegel vorwirft, ablehnt und Sinnlichkeit und Geist als miteinander verwobene, gleich wesentliche Eigenschaften der „Tonkunst" einschätzt, greift er teilweise in die Ästhetik des 18. Jahrhunderts zurück. Damals hatte schon Johann Elias Schlegel den Gedanken geäußert, Musik bestehe aus den Tönen, die künstlerisch geformt seien.[37]

Der Geist betätigt sich für Hanslick im Komponieren, im Formen von Tonverhältnissen; diese sind durch seine Wirkung nicht leere, schematisch angewendete Hülsen, sondern jeweils individuelle künstlerische Gestalten. Der Geist sitzt nicht hinter den Formen, er muß nicht spekulativ aufgesucht werden, sondern er ist in ihnen, macht sie lebendig, zu „tönend bewegten Formen". Geist ist nicht allgemeiner „Weltgeist", sein philosophischer Hintergrund wird von Hanslick unbeachtet gelassen. Hanslick engt den Begriff rigoros ein auf die schöpferische Kraft in der Musik. Er sieht den Geist als die „Energeia" der Form [38], als dasjenige, was den musikalischen Formen „Schönheit" verleiht. Geist, Form und Schönheit sind in seinem Begriff des „Musikalisch-Schönen" aufs engste miteinander verbunden.

Hanslick wollte die Musikästhetik revidieren, indem er ihr das philosophische Spekulieren versagte und sie direkt auf das Gegebene, das komponierte Musikwerk verwies. Das Wesen der Musik wollte er nicht abstrakt ergründen, sondern in der Anschauung der Kompositionen. Nur die reine Instrumentalmusik schien ihm dafür geeignet. Ambros geht auf Hanslicks These, nur die Instrumentalmusik sei „reine, absolute Tonkunst", nicht ein und spricht sowohl von Vokal- wie von Instrumentalmusik.

Der wichtigste Unterschied zwischen Ambros und Hanslick liegt aber in der Bedeutung, die beide der Wirkung der Musik beimessen. Hanslick, der sich gegen die „Gefühlsästhetik" wandte, verstand unter Wirkung der Musik vor allem die Gefühlserregung, die er strikt ablehnte. Er konnte sie nicht einfach leugnen, daher erklärte er sie für ästhetisch irrelevant. Er war dadurch gezwungen, die Wirkung der Musik generell aus dem Bereich der Ästhetik auszugrenzen. Sein Gegensatzpaar ästhetisches – pathologisches Verhalten ist überspitzt, es läßt keine Zwischenstufen zu. Ambros' Grundidee, alle Künste seien durch den einen „Lebensäther", die Poesie, verbunden, ließ ihn einen Berührungspunkt zwischen Musik und Dichtung suchen. Er fand ihn im „Erregen von Stimmungen".[39] Ambros' Ästhetik ist somit auf Wirkungen aufgebaut, Hanslicks auf „reiner Anschauung" des Gegebenen. Für Hanslick gehörte die Wirkung ebenso wie die Spekulation über den geistigen Ursprung der Kunst zum Umkreis, der das Zentrum, das Kunstwerk, nicht klären half. Er lenkte die Ästhetik unter rigoroser Abtrennung alles Umgebenden direkt auf das Werk. Dem älteren und vielseitiger gebildeten Ambros ging dabei zuviel Wesentliches verloren, das er gegen Hanslicks Angriff verteidigte. Daß Ambros vieles, was Hanslick zu sehr zuspitzte und von der Realität des Kunstlebens zu sehr entfernte, auf eine wirklichkeitsnähere Ebene zurückführte, sei hier nur kurz erwähnt. So war es ihm z. B. möglich, auch weniger gute Musik differenziert zu beurteilen; Hanslicks System dagegen war nur auf die besten Werke anzuwenden. Es ist notwendig, dies zu betonen, damit nicht der Eindruck entsteht, als beschränkte sich Ambros in seinem Buch auf eine schlichte Wiederholung des von Hanslick bekämpften Standpunktes.

Ambros zeichnet sich vor den anderen Rezensenten von Hanslicks ästhetischer Schrift dadurch aus, daß er weder ein eigenes System hatte, in das er Hanslick einzuordnen suchte wie Zimmermann [40], noch ein ausgesprochener Parteigänger war wie Brendel, der Hanslick als den Gegner der Neudeutschen kritisierte. Ambros war zudem – wie Hanslick – in der Lage, die Musik als Fachmann zu betrachten, im Unterschied zu den philosophischen Ästhetikern, wie Hegel oder Vischer. An seiner Stellungnahme läßt sich erkennen, was an Hanslicks Schrift neuartig war. Daß einige von Hanslicks Ideen schon von verschiedenen Denkern vor ihm gedacht wurden, haben die ersten drei Kapitel gezeigt. Aber die Rigorosität, in der er die Ideen anwandte und die Ästhetik auf eine unspekulative Ästhetik des komponierten Werkes einengte, auch die unbedenkliche Verwendung von Teilgedanken anderer, z. B. Hegels, für seine eigene Darstellung, sowie die polemische Schärfe seiner Thesen waren in dieser Verbindung im ästhetischen Schrifttum noch nicht dagewesen. Hinzu kam der gewandte, allgemein verständliche, feuilletonistisch gewürzte Stil, der der Schrift ihre rasche Verbreitung eintrug. Doch hierin steht Ambros Hanslick kaum etwas nach. Die unterschiedliche Nachwirkung beider Abhandlungen muß somit an der Originalität ihres Inhalts liegen.

Anmerkungen:

[1] AML I/41 f.
[2] AML I/42.
[3] AML I/47.
[4] vgl. seine Bemerkung über seine Kritik von Berlioz' Symphonie Phantastique, die er zu Berlioz' Besuch in Prag schrieb und später „unreif", „exaltiert" und „unerlaubt jugendlich" nannte. AML I/59.
[5] AML I/48.
[6] AML I/49.
[7] vgl. die Datierung der Vorwörter: 11. 9. 1854 bei Hanslick, Mai 1855 bei Ambros.
[8] Prag 1856. Im folgenden zitiert als: „Ambros" mit Seitenangabe.
[9] Ambros, S. 12 f.
[10] Auch Hanslick konnte sich nicht eindeutig für die Bedeutung Poesie = Dichtkunst entscheiden, wie sich noch zeigen wird.
[11] Zur romantischen Kunstauffassung vgl. W. Wiora (3).

[12] Ambros, S. IX.
[13] Ambros, S. 20 f.
[14] VMSch/36.
[15] vgl. VMSch/37.
[16] VMSch/36.
[17] VMSch/37.
[18] Rudolf Schäfke, aaO., Leipzig 1922, S. 22.
[19] Ambros, S. 45 f.
[20] vgl. AML I/244.
[21] vgl. VMSch/96 f.
[22] vgl. VMSch/80 f.
[23] Ambros, S. 106.
[24] VMSch/33.
[25] 8. Auflage, S. 75.
[26] VMSch/35.
[27] VMSch/34.
[28] Ambros, S. 107.
[29] Ambros, S. 21.
[30] Hegel, Vorlesungen über die Ästhetik, hrsg. von F. Bassenge, Frankfurt/Main 1965, Band II, S. 320. vgl. hierzu besonders A. Nowak, Hegels Musikästhetik, Regensburg 1971, S. 145–153; C. Dahlhaus, Musikästhetik, S. 71–78.
[31] C. Dahlhaus, Musikästhetik, S. 72.
[32] Ambros, S. 21.
[33] Hegel, aaO., S. 271.
[34] vgl. Glatt, aaO., S. 46 f.
[35] Hegel, aaO., S. 308; Nowak, aaO., S. 150.
[36] VMSch/33.
[37] vgl. S. 24.
[38] vgl. Dahlhaus, Musikästhetik, S. 79.
[39] Ambros, S. 52. Das Erregen von Stimmungen erfordert beim Hörer weder ein „ästhetisches" noch ein „pathologisches" Verhalten im Hanslickschen Sinne, sondern eine Zwischenstufe. Ambros deckt damit eine Lücke bei Hanslick auf.
[40] Zimmermann tat das auch mit Erfolg, wie einige Änderungen, die Hanslick in der 2. Auflage anbrachte, beweisen. vgl. dazu Schäfke, Eduard Hanslick und die Musik-Ästhetik, S. 28–31.

Hanslicks Musikanschauung in allen seinen Schriften

Vorbemerkung

Innerhalb der Geschichte der Musikästhetik nimmt „Vom Musikalisch-Schönen" eine bedeutende Stellung ein, daran hat es nie einen Zweifel gegeben. Der Autor wurde durch sie berühmt und erhielt, nachdem sein Buch als Habilitationsschrift anerkannt worden war, 1856 einen Lehrauftrag für „Geschichte und Ästhetik der Musik" an der Wiener Universität, der 1861 in eine außerordentliche Professur umgewandelt wurde. Dies stellte für Österreich ein Novum dar.[1] Zu dieser Zeit war „Vom Musikalisch-Schönen" noch Hanslicks einzige Veröffentlichung in Buchform. 1854 war er allerdings schon sechs Jahre lang als Kritiker tätig gewesen, zunächst an der „Wiener Zeitung"[2], ab 1853 an der „Presse"[3].

Hanslick war also von Anfang an, noch vor dem Erscheinen seines ersten Buches, Kritiker und blieb es auch nach seiner Emeritierung. Mehr als fünfzig Jahre widmete er sich dieser nebenberuflichen Tätigkeit ohne größere Unterbrechungen. Für die Erkenntnis seiner ästhetischen Anschauungen wird man also seinen Kritiken sehr viel Aufmerksamkeit schenken müssen, wenigstens ebenso viel, wie seinem eigens als solchem auftretenden Beitrag zur Ästhetik. Dieses kleine Buch, in der ersten Auflage 104 Seiten stark, vermochte es andererseits, von Anfang an das Interesse der gesamten Fachwelt auf sich zu lenken und die Schriften über Hanslick – mit wenigen Ausnahmen – auf sich allein zu konzentrieren. Es wurde von vornherein als wichtiger, teilweise auch als epochemachender Beitrag zur ästhetischen Erkenntnis gewertet. Sein Autor erhielt anerkennende und teilweise zustimmende Zuschriften von Ferdinand Hiller, David Strauß und Friedrich Theodor Vischer. Letzterer erwog sogar ernsthaft den Musikteil seiner Ästhetik Hanslick anzuvertrauen.

Hier soll es nun darum gehen, Hanslicks Musikanschauung, seine ästhetischen Impulse und Grundüberzeugungen aus beiden Teilen seines schriftstellerischen Werkes gleichermaßen herauszuarbeiten. Geordnet nach Problemen, werden jeweils Zitate aus der Prinzipienschrift sowie aus den Kritiken, Studien, Aufsätzen und der Autobiographie herangezogen, und erst nach einem Vergleich und einer abwägenden Beurteilung aller Aussagen wird versucht, ein Ergebnis zu formulieren. Dies Ergebnis wird allerdings in einigen Fällen in der Feststellung von Widersprüchen bestehen müssen.

Anmerkungen:

[1] vgl. AML I/274 ff.
[2] ab 1. 1. 1848. AML I/104. Er zeichnete seine Kritiken anfangs mit seinem Davidsbündler-Namen „Renatus".
[3] bis 1864, als die „Neue freie Presse" gegründet wurde. AML I/233 f.

I. Hanslicks Auffassung der Ästhetik und ihres Verhältnisses zur Geschichte

Über Hanslicks Bedeutung für die Musikästhetik besteht allgemeine Einigkeit. Aber war er ein Ästhetiker? Daß seine Prinzipienschrift keine systematische Abhandlung war, hat Hanslick immer zugegeben. Er nannte sie selbst „nur eine Art Skizze oder Unterbau"[1]; doch kann ein Unterbau Träger eines Systems werden, und eine Skizze enthält die wichtigsten Bestandteile des späteren Gemäldes. „Ich hatte natürlich die Absicht, meine Abhandlung ... mit der Zeit zu einer eigentlichen Ästhetik der Tonkunst zu erweitern und auszuführen." Doch im nächsten Satz nennt er die zweite, wichtige Komponente, die den Charakter seines Buches mitbestimmte: „ihr negativer polemischer Teil", der den „positiven, systematischen an Umfang und Schärfe" übertraf.[1] Sowohl Polemik wie Systematik lagen also in der Intention des Autors.

Ein Kritiker hebt häufig das, was ihm wichtig scheint, dadurch hervor, daß er das Gegenteil übertrieben darstellt und damit ad absurdum zu führen versucht. Hanslick hatte sich 1854 seinen Stil als Musikkritiker erworben, und daß er sich dieser Methode auch in seinem ersten Buch bedient, ist nicht verwunderlich. So beginnt das erste Kapitel mit einem Exkurs „Unwissenschaftlicher Standpunkt der bisherigen musikalischen Ästhetik"[2]. Von den sieben Kapiteln seines Buches bestehen fünf vorwiegend in negierender Kritik, nur zwei beginnen sogleich mit positiven Ausführungen eigener ästhetischer Ideen.

Hanslick kommt zur Darstellung seiner eigenen Lehre auf dem Weg über die Polemik; das ist ein wichtiges Charakteristikum seiner Schrift. Indem er polemisierend die bekämpfte Meinung überspitzt wiedergibt, muß er aber seine eigene Anschauung dann ebenso zugespitzt vortragen. Der pointierte, journalistische Stil, der seinem Buch den großen Erfolg einbrachte, läßt eine vorsichtig abwägende Argumentation nur begrenzt zu. Schlagkraft war es, was Hanslick sich von seinem Buch erhoffte, daher formulierte er seine Hauptthesen so kurz und alles andere ausschließend. Man sollte also nicht unbedingt nur eine doktrinäre Haltung in ihnen sehen, sondern zumindest auch die Lust eines jugendlichen kritischen Geistes – Hanslick war 1854 neunundzwanzig Jahre alt – am Gefecht mit geschliffenen Waffen. Hanslicks eigene Schilderung seiner Vorbereitung auf das Buch kann diese Auffassung stützen. Er hat mehrere Jahre hindurch in der Wiener Hofbibliothek im Selbststudium etliches Schrifttum durchgearbeitet. „Die Lektüre so vieler Bücher musikästhetischen Inhalts, die alle das Wesen der Musik in die durch sie erregten ‚Gefühle' setzten, und ihr eine sehr bestimmte Ausdrucksfähigkeit zuschrieben, hatten längst Zweifel und Opposition in mir wachgerufen."[3]

Ein ausgewachsenes ästhetisches System hat Hanslick also nicht geschaffen, wohl aber Ansätze dazu. Doch sind diese, da sie aus „Opposition" heraus entstanden sind, als Gegenthesen zu verstehen, die bewußt zugespitzt wurden.

Ihr journalistischer Charakter überwiegt den wissenschaftlichen. Immerhin aber hat Hanslick seine Vorstellungen von der „revidierten" Ästhetik der Tonkunst [4] entwickelt. Wie die „moderne Wissenschaft" überhaupt auf das Objektive der untersuchten Gegenstände abhebe, so solle das nun auch die Ästhetik tun. Die Wissenschaft dränge auf „objektive Erkenntnis der Dinge"[5], was zunächst einmal nicht mehr heißen soll, als daß sie nicht die „subjektive Empfindung" des Kunstrezipienten, sondern das Kunstwerk selbst untersucht, das „schöne Objekt"[6]. Soweit ist die allgemeine Ästhetik nach Hanslicks Darstellung mit ihren „jüngsten Spitzen"[5] gekommen. Er meint damit offenbar Vischer und dessen Satz von der Objektivität des Ästhetischen.[7]
Nun sei das schöne Objekt aber in jeder Kunst auf eine „spezifische Art"[6] verwirklicht. Die Ästhetik habe sich dementsprechend jeweils auf den Schönheitsbegriff der einzelnen Kunst zu gründen, und dies nicht „durch ein bloßes Anpassen des allgemeinen Schönheitsbegriffs"[5], sondern als Spezial-Ästhetik für jede Kunst mit einem eigenen Begriffssystem. Allen Spezial-Ästhetiken gemeinsam dürfe nur die Richtung auf das schöne Objekt und das völlige Beiseite-Lassen des aufnehmenden Subjekts sein. Auch mit der etymologischen Wurzel des Wortes bricht er: die „Philosophie des Schönen" ist nicht mehr „eine Tochter der Empfindung (*αἴσθησις*)"[8]. Diese Gleichsetzung von „Empfindung" und *αἴσθησις* folgt der kantischen Bestimmung der „Sinnesempfindung"[9]. Doch Kant sah die „Philosophie des Schönen" nicht als „Tochter der Empfindung" an, sondern als Philosophie des Geschmacksurteils. Die Denker aber, deren Ästhetik Hanslick vielleicht als „Tochter der Empfindung" bezeichnen könnte, verstanden Empfindung nicht als *αἴσθησις*, sondern als bewußtes Wahrnehmen einer Herzensregung; man denke an Schubart[10] oder Herder[11]. Hanslick hat mit seiner Bestimmung der Empfindung als Sinneswahrnehmung vorgegriffen auf seine eigene Unterscheidung von Empfindung und Gefühl, die er kurz darauf einführte. Das Gefühl, welches das „Bewußtwerden einer Förderung oder Hemmung unseres Seelenzustandes"[12], also eine höhere, reflexive Stufe sei, dürfe mit der Empfindung =*αἴσθησις* nicht mehr verwechselt werden. Aus der Ästhetik aber seien beide auszuschließen; an ihrer Stelle führt Hanslick die Anschauung als die eigentliche ästhetische Tätigkeit ein. Damit gerät er allerdings in einen Widerspruch, denn Anschauung ist in seinem Sinn zwar etwas anderes als pure Sinneswahrnehmung, nämlich ein „Schauen mit Verstand, d. i. Vorstellen und Urteilen"[13], aber sie ist unmöglich ohne vorhergehende „Empfindung", wie er sie selbst definiert hat. Hanslick muß seine anfangs erhobene Forderung nach einer objektiven Ästhetik also im folgenden differenzieren, und er tut dies auch. Er handelt sehr ausführlich vom richtigen musikalischen Hören und der Phantasie als der auf das Objekt gerichteten ästhetischen Instanz.

An diesem Beispiel läßt sich Hanslicks Vorgehen erkennen. Er malt zunächst ein abschreckendes Bild der von ihm bekämpften „Gefühlsästhetik", und bringt sie auf die kurze Formel „subjektiv". Unter Hinweis auf eine allgemeine Entwicklung der modernen Wissenschaft, in die er sich einreiht, stellt er dem die ebenso kurze Formel „objektiv" entgegen. In der Entfaltung dieses zunächst nur schlagwortartigen Programms differenziert er zwar, doch er läßt das Schlagwort als Überschrift bestehen, obwohl er mehr meint, als dieses fassen kann. Einstieg ist ihm die Polemik, daraus folgt der Zwang zur ebenso schlagkräftigen Gegenmeinung. Diese braucht aber mit seiner tatsächlichen Anschauung nicht identisch zu sein.

In dem „Kontrast von ‚Gefühl' und ‚Verstand'"[13], der die Ästhetiker bisher auf einen der zwei Pole festgelegt hat, scheint er – so kann man nach der Lektüre der ersten Seiten annehmen – auf der Seite des Verstandes zu stehen, jedenfalls nicht auf der des Gefühls. Schon auf Seite 4 aber nennt er diesen Kontrast „nahezu merkwürdig", „als läge nicht die Hauptsache gerade inmitten dieses angeblichen Dilemmas". Bei einer genaueren Untersuchung seines Standpunktes, die über die Hauptthesen hinausgeht, stellt sich eben dies heraus: auch Hanslicks wirklicher Standpunkt liegt „inmitten" der Pole.

Als ästhetisches Organ gilt Hanslick die Phantasie. Diesen Begriff übernimmt Hanslick von Vischer, auf dessen Ästhetik (§ 384) er als seine Quelle verweist – einer der seltenen Fälle, in denen Hanslick Quellenangaben macht. Er weiß diesen Begriff allerdings nicht recht in sein System zu übernehmen. Er setzt ihn praktisch gleich mit „Anschauung". Diesen Begriff hat er etwas früher eingeführt. Phantasie definiert Hanslick als „die Tätigkeit des reinen Schauens"[14] und weiterhin als „Schauen mit Verstand, d.i. Vorstellen und Urteilen"[15]. Direkt im folgenden Satz spricht er von der übertragenen Bedeutung des Wortes „Anschauung" als dem „Akte des aufmerksamen Hörens"[15]. Und dann springt er wieder zur Phantasie über; es scheint also, als ob er Phantasie und Anschauung synonym verwendet. Anschauung trifft das Gemeinte genauer, Phantasie dagegen ist ein anspruchsvollerer Gegenbegriff zu dem Gefühl der „Gefühlsästhetiker".

Durch die auf das Objekt gerichtete Anschauung erhält die Ästhetik Wissenschaftscharakter. Die Gefühlsästhetik – auch hier wieder die Ableitung aus dem Negativen – war unwissenschaftlich, sofern sie die Wirkung der Musik auf das Individuum untersuchte, denn diese besaß „weder die Notwendigkeit, noch die Stetigkeit, noch endlich die Ausschließlichkeit, welche eine Erscheinung aufweisen müßte, um ein ästhetisches Prinzip begründen zu können."[16]. Kriterien für Wissenschaftlichkeit sind also Notwendigkeit, Stetigkeit und Ausschließlichkeit, und objektiv ausgerichtete Anschauung kann diese Kriterien nach Hanslicks Auffassung erfüllen. Daß hinter dieser Vorstellung das Ideal einer exakten Wissenschaft steht, liegt auf der Hand.

Im Positiven heißt wissenschaftliche Ästhetik für Hanslick eine Disziplin, die ihr Objekt isoliert von allem, was seinen Umkreis bildet. In der Musikästhetik ist dies Objekt allein das Musikwerk. „Es ist ästhetisch gleichgültig, ob sich Beethoven allenfalls bei seinen sämtlichen Kompositionen bestimmte Vorwürfe gewählt, wir kennen sie nicht, sie sind daher für das Werk nicht existierend. Dieses selbst ohne allen Kommentar ist's was vorliegt, und wie der Jurist aus der Welt herausfingiert, was nicht in den Akten liegt, so ist für die ästhetische Beurteilung nicht vorhanden, was außerhalb des Kunstwerks lebt."[17] Mit diesem Argument will er den Einwand entkräften, daß Beethoven beim Komponieren oft philosophische oder humane Ideen vorgeschwebt haben. Hanslick wertet diese lediglich als Hilfsmittel oder Vorstufe zum eigentlichen

Komponieren, welches einzig und allein Musik hervorbringt. Das fertige Werk ist für ihn der Notentext, analog dem Juristen hat der Ästhetiker nur hierauf zu achten. Anschauung wäre demnach also Analyse der gedruckten Noten. Das steht aber im Widerspruch zur Definition der Anschauung als dem Akt des aufmerksamen Hörens. Wer nämlich ein Werk aufmerksam hört, der hört es beispielsweise auch auf seinen Titel hin.

Doch nicht nur mögliche gedankliche Vorstellungen des Komponisten, sondern alle historischen Bezüge sind nach Hanslick für die ästhetische Untersuchung unmaßgeblich, seien es Vergleiche mit anderen Werken, Komponisten, Erklärungen aus Zeitereignissen, biographischen Einzelheiten oder bekannten Charakterzügen heraus. Hanslick verwirft diese Methoden zwar keineswegs: „Die Betrachtung und Nachweisung dieses Zusammenhangs an einzelnen Tonkünstlern und Tonwerken ist demnach wohl berechtigt und ein wahrer Gewinn. Doch muß man dabei sich stets in Erinnerung halten, daß ein solches Parallelisieren künstlerischer Spezialitäten mit bestimmten historischen Zuständen ein kunstgeschichtlicher, keineswegs ein rein ästhetischer Vorgang ist ... der Ästhetiker hat sich lediglich an die Werke dieser Männer zu halten, zu untersuchen, was daran schön sei und warum?"[18] Es geht Hanslick also um eine scharfe Trennung der einzelnen Wissenschaftszweige. Die historische Methode wird nicht als solche, sondern nur als Ersatz oder als Hilfsmittel für die ästhetische Untersuchung abgelehnt.

Nun ist es sicherlich eine ungerechtfertigte Vorentscheidung, schon vor Beginn der ästhetischen Untersuchung alles außerhalb des Notentextes Liegende auszuschließen. Gegenbeispiele, bei denen biographische Einzelheiten auch in die ästhetische Beurteilung unbedingt einzubeziehen sind, müßten auch Hanslick schnell eingefallen sein: etwa Schumanns „Carnaval", dessen Thema Schumann aus den Buchstaben des für ihn bedeutsamen Ortsnamens Asch bildete, zugleich den einzigen musikalisch verwendbaren Buchstaben seines eigenen Familiennamens.

Der Kontext nimmt dem Zitat allerdings etwas von seiner Schärfe. Es fehlt ihm oben ein Halbsatz, der erläutert, was hier unter historischen Fakten verstanden wird: Der Historiker, „eine künstlerische Erscheinung im Großen und Ganzen auffassend", erblicke „in Spontini den ‚Ausdruck des französischen Kaiserreichs', in Rossini die ‚politische Restauration'"[18]. Als Gegensatz zu solch summarischer historischer Einordnung von Komponisten erscheint die Forderung, der Ästhetiker habe sich allein mit den Werken zu beschäftigen, in einem weniger absoluten Licht. Im weiteren Verlauf der Argumentation wird sie zunehmend abgemildert, schließlich endet der ganze Abschnitt in der Warnung: „Die Gefahr der Übertreibung ist bei Annahme dieses Prinzips außerordentlich groß."

Nächster Angriffspunkt ist Hegel, dem Hanslick vorwirft, „in Besprechung der Tonkunst oft irregeführt" zu haben, indem er kunstgeschichtliche Methoden mit ästhetischen „verwechselt" habe. Und hier folgt wieder die klare Trennung: „‚Einen Zusammenhang' hat der Charakter jedes Tonstücks mit dem seines Autors gewiß, allein er steht für den Ästhetiker nicht zu Tage." Bei der Trennung von „historischem Begreifen" und „ästhetischem Beurteilen"[19] bleibt es also. Ästhetik ist nach Hanslicks Bestimmung eine nicht-historische Wissenschaft.

An diese Eingrenzung des Untersuchungsfeldes der Ästhetik hat Hanslick sich auch als Kritiker gebunden, indem er die Kritik den „praktischen Ausläufer"[20] der Ästhetik nannt. Doch hat er sich als Kritiker auch daran gehalten? Vier Auszüge aus Kritiken geben vier voneinander abweichende Antworten.

In einer Kritik von Spontinis Oper „Vestalin" nimmt Hanslick Stellung zu der um 1880 verbreiteten Meinung, diese Oper sei eine Verherrlichung Napoleons und seines Reiches. Er ist nicht dieser Meinung und beschließt seine Kritik mit dem Satz: „Nach dem vielen Guten, was die geistreichen Kulturhistoriker geleistet, und dem vielen Schlimmen, was sie verschuldet haben, scheint es uns recht sehr an der Zeit, in der Kritik die ästhetischen Grenzen wieder zu respektieren und das bleibende Schöne eines Kunstwerks unbehelligt zu lassen von den Zufälligkeiten seiner Entstehung."[21] Der Gegensatz Kulturhistorie – Ästhetik wird hier deutlich ausgesprochen. Die „Zufälligkeiten der Entstehung" einer Oper gehören in den Bereich der Kulturhistorie. Die Kritik dagegen muß die „ästhetischen Grenzen" einhalten, innerhalb derer allein das Schöne eines Kunstwerks beurteilt wird. Das Adjektiv „bleibend" zu „das Schöne" unterstützt die nicht-historische Betrachtungsweise, auf die Hanslick Wert legt. An dieser Stelle bleibt er seinem Prinzip aus der ästhetischen Schrift treu.

Etwa zehn Jahre später bespricht Hanslick Bruckners f-moll-Messe. Dabei schreibt er die folgenden Sätze: „Sowohl die Kirchenmusiken wie die Symphonien Bruckners enthalten großartige Anläufe und geniale Züge. Was wir darin vermissen, ist die musikalische Logik, das schöne Maß, vor allem die Einheit des Stils."[22] Bis hierher kritisiert er getreu seinen ästhetischen Prinzipien. Alle drei Begriffe (musikalische Logik, schönes Maß, Einheit des Stils) sind ästhetische Kriterien im Sinne der Prinzipienschrift. Nun folgt aber noch ein Satz: „Manches erklärt sich aus Bruckners eigenartigem Bildungsgang." Bei der folgenden Beschreibung des Bildungsganges legt Hanslick besonderen Wert auf die Tatsache, daß Bruckner erst relativ spät angefangen hat, Kompositionsunterricht zu nehmen. Für unseren Zusammenhang ist wichtig, daß dieser Satz eine historische Erklärung bringt. Hanslick versucht zu begründen, warum Bruckner seiner rein ästhetischen Kritik nicht standhalten könnte. Er weicht damit ab vom Postulat der nicht-historischen, abstrakten Werkkritik. Diese Kritik ist kein „praktischer Ausläufer" der Ästhetik.

1881, also etwa gleichzeitig mit der Spontini-Kritik, schrieb Hanslick über einen Abend mit Beethoven-Liedern. Er vergleicht Beethoven mit Schubert, der ständig Lieder komponierte und systematisch Gedichte zur Vertonung suchte, während Beethoven seine Lieder mehr als Zufallsprodukte, „so nebenbei komponierte. So entstanden einige herrliche Beethovensche Lieder, mehrere einfach gefällige und ziemlich viel unbedeutende, denen niemand ihre musikalische Herkunft ansehen würde. Aber selbst diese möchten wir als kleine charakteristische Züge in dem geliebten Bildnis nicht missen; sie sind uns biographisch wertvoll."[23] Ästhetik als objektive Beurteilung von Kunstwerken ist es nicht, was hier betrieben wird. Zwar wird auch geurteilt, aber sehr pauschal und ohne

Begründung. Wichtig ist der biographische Bezug auf die Lebensgeschichte des Komponisten. Es hat einen Eigenwert, Musik in Bezug auf ihren Komponisten zu hören, auch wenn die Musik selbst nicht gut ist. Die Person des Komponisten und die Qualität seiner anderen Werke rechtfertigt dies.

Auch der Charakter eines ganzen Oeuvres kann dazu verlocken, aus der Musik auf das Leben des Komponisten zu schließen. Hanslick verspürte diesen Anreiz bei der Musik Chopins: „Wer liebte es nicht, aus den Dichtungen eines Poeten oder Musikers sich Lebensumstände und Charakterzüge desselben zusammenzuraten? Wir möchten bei fesselnden Tondichtungen auch gern zwischen den Notenzeilen lesen, was wohl aus dem Leben des Komponisten in seine Musik eingeflossen sein mag. Und desto zwingender wird der Reiz dieser Neugierde, je eigentümlicher, beziehungsreicher, individueller die Kompositionen klingen. Tondichter von so geheimnisvoll anziehender Physiognomie wie Chopin machen uns nach biographischer Aufklärung fast noch begieriger, als jene klassischen Meister, deren Persönlichkeit gleichsam hinter ihren monumentalen Werken verschwindet."[24] Dies schrieb Hanslick kurz vor der Jahrhundertwende, am Ende seiner Kritikertätigkeit. Er gibt damit indirekt seiner Einsicht Ausdruck, daß Musik nicht ausschließlich „ästhetisch" aufgenommen werden darf, wie er 1854 postuliert hatte, sondern daß ein gefühlsfreies „Genießen", ein Erkennen der rein-musikalischen Besonderheiten geradezu ein historisches Interesse hervorzurufen vermag. Seine Sicht des Verhältnisses von Ästhetik und Geschichte hat sich somit stark gewandelt.

Er erläutert das in seiner Autobiographie. Im Zusammenhang mit der schon zu Beginn dieses Kapitels herangezogenen Kritik an seiner ästhetischen Schrift begründet er, weshalb er diese „Skizze" nicht zu einer systematischen Ästhetik der Tonkunst ausgebaut habe. Wegen seines Berufs im Staatsdienst und der nebenher ausgeübten Tätigkeit als Kritiker sei ihm dafür keine Zeit geblieben. „Als ich dann im Herbst 1861 meine Anstellung als Ministerialbeamter mit der eines außerordentlichen Professors vertauschte, da gewann ich allerdings freiere Zeit für meine Studien, aber diese selbst hatten allmählich eine andere Richtung genommen. Ich hatte ein paar Jahre lang so viele „Ästhetiken" studiert, so viele Abhandlungen über das Wesen der Tonkunst, zuletzt über meine eigene Schrift gelesen, daß ich übersättigt war von diesem Philosophieren über Musik, müde des Arbeitens mit abstrakten Begriffen. Ich fand dagegen eine Rettung und einen unerschöpflichen Genuß in der Geschichte der Musik. Dieses Studium brachte mir die Überzeugung, daß eine wirkliche fruchtbare Ästhetik der Tonkunst nur auf Grundlage eindringlicher geschichtlicher Erkenntnis, oder doch nur Hand in Hand mit dieser möglich sei. ... Je mehr ich mich in historisches Musikstudium vertiefte, desto vager, luftiger zerflatterte die abstrakte Musikästhetik ... vor meinen Augen."[25]

Hanslick schildert hier eine entscheidende Änderung seiner wissenschaftlichen Orientierung. Die Ästhetik, wie er sie bislang verstanden hatte, verlor für ihn an Interesse, ja er wurde ihrer überdrüssig.[26] Was er zunächst als ihre besondere, notwendige Eigenschaft angesehen hatte, erkannte er allmählich als Mangel: sie war historisch nicht fundiert und traf nicht für alle Zeiten in gleicher Weise zu. Er gewann die „Überzeugung", daß nur eine historisch bezogene und differenzierende Ästhetik wirklich fruchtbar sein könne. Man kann diese Aussage als Widerruf seiner These aus „Vom Musikalisch-Schönen" werten. Was er dort als Bedingung für Wissenschaftlichkeit postuliert hatte, nennt er hier "vage" und „luftig", also unwissenschaftlich.

Noch einen anderen, nicht weniger wesentlichen Schluß kann man aus diesem Zitat ziehen: Hanslick war kein verbissener Mann, der an einem einmal aufgestellten Leitsatz sein Leben lang festhielt. Er hatte die geistige Flexibilität, von einer als Irrtum erkannten Meinung abzurücken, und die charakterliche Stärke, dies auch vor der Öffentlichkeit, wenigstens in der indirekten Form dieses Zugeständnisses innerhalb der Selbstbiographie, auszusprechen.

Direkter an die Öffentlichkeit gerichtet waren seine Kritiken, die aus diesem Blickwinkel noch einmal kurz betrachtet werden müssen. Die vier genannten Zitate sind alle späteren Datums, als Hanslick seinen Wandel in der ästhetischen Grundkonzeption ansetzt. Dennoch plädiert er in der Spontini-Kritik noch 1881 dafür, die ästhetischen Grenzen auch innerhalb der Kritik wieder zu respektieren und sich nicht von der Kulturhistorie beeinflussen zu lassen. Er spricht von Kultur-, nicht von Kunsthistorie, wie in seiner ästhetischen Schrift. „Zufälligkeiten der Entstehung" eines Kunstwerks sind in diesem Fall die Umstände, die Spontini zur Zeit der Komposition der „Vestalin" in Frankreich umgaben. Gegen die Meinung, die Oper stelle eine Verherrlichung des Napoleonischen Kaiserreichs dar, man sollte sie daher nicht mehr aufführen, wendet sich Hanslick in seiner Kritik. Er erkennt dies nicht als Argument an, sondern ist der Meinung, in seiner Zeit zähle allein der musikalische Wert der Oper, der von den Zeitereignissen ihrer Entstehung unabhängig sei.

Erinnern wir uns an die Unterscheidung von „historischem Begreifen" und „ästhetischem Beurteilen", dann wird deutlich, daß er zwar das letztere auch hier meint, aber nicht im Gegensatz zum „historischen Begreifen", denn als solches kann man das Vorurteil der Wiener um 1880 wohl kaum bezeichnen. Man kann also aus diesem Spontini-Zitat nur so viel ableiten: auch nachdem Hanslick die nicht-historische Ästhetik als Irrtum erkannt hatte, fordert er noch die rein ästhetische Kritik, aber nicht die generell von allem Historischen absehende, sondern lediglich deren Verzicht auf die Einbeziehung von politischen Zeitumständen in das ästhetische Urteil. Eine reine Bestätigung des früheren Standpunktes und damit einen klaren Widerspruch zur Schilderung aus der Selbstbiographie kann man demnach in dieser Passage nicht entdecken.

Die anderen Zitate widersprechen dem noch weniger. In der Besprechung von Bruckners f-moll-Messe erfährt ein ästhetisches Urteil eine zusätzliche historische Erklärung, Ästhetik und geschichtliche Erkenntnis gehen „Hand in Hand"; noch enger ist die Verbindung von Ästhetik und Historie in der Chopin-Kritik. Die Beethoven-Lieder werden nur historisch gewürdigt, bei ihnen unterbleibt eine eingehende ästhetische Beurteilung. Dieses Zitat zeigt auch, daß die ausschließliche Bindung der Kritik an die Ästhetik den Erfordernissen der Realität nicht entspricht. Denn ein Kritiker kann sich nicht in jedem Fall damit zufrieden geben, in einem Zeitungsartikel eine Komposition für schlecht zu erklären, zumal wenn es sich um Werke eines großen Komponisten handelt.

Er muß in diesem Fall auf andere Aspekte ausweichen und eine Würdigung der Musik versuchen. Er würde sonst seinen Lesern überheblich, unkundig und geistlos erscheinen.

Nach diesem ersten Blick auf Hanslicks Gesamterscheinung läßt sich schon so viel feststellen: gehört zu einem Ästhetiker systematisches und philosophisches Denken, dann war Hanslick kein Ästhetiker im vollen Maß, auch nicht um 1854, als er seine einzige primär ästhetisch gemeinte Schrift verfaßte. Für ein System hat er neue Ansätze geliefert, an die er sich in seinem Leben aber nicht immer gleich eng hielt. Sein zentrales Interesse galt der lebendigen Musik, über die nur zu theoretisieren ihn nicht befriedigte. Dennoch wirkte er als praktischer Ästhetiker, der sein Leben lang über Musik urteilte, allerdings nicht nur aus dem abstrakten Werk heraus. Er bezog immer wieder auch historische Fakten in sein Urteil mit ein. Die Musikkritik erhielt von ihm starke Impulse in Richtung auf eine sachliche, am Kunstwerk selbst geübte Kritik. Aber seine Anschauung von der Musik umfaßt mehr Aspekte als ausschließlich ästhetische.

Anmerkungen:

1 AML I/242
2 VMSch, Inhaltsverzeichnis (ohne Seitenzahl).
3 AML I/236.
4 vgl. Untertitel der Schrift.
5 VMSch/1.
6 VMSch/2.
7 vgl. Rudolf Schäfke, Geschichte der Musikästhetik, S. 378.
8 VMSch/2.
9 Kritik der Urteilskraft, § 39, Ausgabe von Gerhard Lehmann, Stuttgart 1963, S. 210.
10 Chr. Fr. Daniel Schubart, Ideen zu einer Ästhetik der Tonkunst, Wien 1806, Nachdruck Darmstadt 1969, S. 374.
11 Werke, Band XXII, S. 65, auch XXIII, S. 75. vgl. hierzu W. Wiora, (5), S. 42–45.
12 VMSch/4.
13 VMSch/5.
14 VMSch/4.
15 VMSch/5.
16 VMSch/9.
17 VMSch/44.
18 VMSch/45.
19 VMSch/46.
20 VMSch/2. Hanslick sagt allerdings nicht, die Kritik sei ausschließlich angewandte Ästhetik.
21 M. O. III/149.
22 M. O. VII/280.
23 CCV/328.
24 M. O. IX/241.
25 AML I/242 f.
26 Im folgenden spricht er sogar von einer „bis zum Widerwillen gesteigerten Übersättigung". Diese Äußerung läßt Zweifel zu, ob Hanslick während der Arbeit an VMSch, also 7 Jahre früher, ein unmittelbares Interesse an einer systematischen Ästhetik hatte, oder ob sein Hauptantrieb nicht tatsächlich der Revision der weithin anerkannten Gefühlsästhetik galt. Ein systematisch Interessierter wird schwerlich auf vertiefendes Studium mit Widerwillen reagieren.

II. Allgemeine Probleme der Ästhetik und Kritik

1. Das Verhältnis von Form und Inhalt

Wem Hanslick als Formalist gilt, für den stehen seine Aussagen über das Form-Inhalt-Problem im Zentrum der Schrift „Vom Musikalisch-Schönen". Die Thesen zu diesem Problem sind es auch, die am berühmtesten geworden sind. Sie werden allgemein als der Kern von Hanslicks „Doktrin" verstanden. Hanslick hat sie hervorgehoben, indem er sie in den beiden Kapiteln (vier und sieben) abhandelte, die als einzige ausdrücklich „im Positiven" seine Anschauung darlegen. Es darf dabei aber nicht verkannt werden, daß er, wenn auch mehr nebenbei, noch viele andere Aspekte der Ästhetik anspricht, die für seine Musikanschauung insgesamt von ebenso großer Bedeutung sind. Auch die Thesen zu Form und Inhalt aber, die sich um den berühmten Satz von den „tönend bewegten Formen" gruppieren, dienen zunächst nur zur Klärung des Vorfeldes; eigentliches Thema des dritten Kapitels ist das „Musikalisch-Schöne". Erst das siebte Kapitel behandelt „Die Begriffe ‚Form' und ‚Inhalt' in der Musik."[1]

Es ist bemerkenswert, daß Hanslick diese zwei Kapitel, die inhaltlich eng zusammengehören, so weit auseinandergezogen hat. In einer systematisch aufgebauten Abhandlung hätte zuerst die Begriffssprache geklärt, es hätte definiert werden müssen, was unter „Form" und „Inhalt" in der Musik zu verstehen ist. Im Anschluß daran wäre die These „Tönend bewegte Formen sind einzig und allein Inhalt und Gegenstand der Musik"[2] sehr viel weniger mißverständlich gewesen. In der gegebenen Reihenfolge aber wird die Methode Hanslicks, zunächst zu provozieren und erst später auszuführen, was er meint, ein weiteres Mal deutlich.

Auch die Formulierung der These zeigt ihre provokative Tendenz. Seine neue Wortprägung „tönend bewegte Formen" stellt Hanslick wie ein Signal an den Anfang und hebt sie zudem durch Sperrdruck hervor. Über „Inhalt und Gegenstand der Musik" haben schon viele vor ihm nachgedacht. Die Verbindung beider Teile des Satzes – des neuen Gedankens mit der traditionellen Fragestellung – durch die emphatischen Wörter „einzig und allein" gibt dem Satz seine Schärfe. Außerdem bildet er einen Absatz für sich und wird so auch optisch aus dem Zusammenhang gehoben.

Um den Satz nicht auch wieder mißzuverstehen, muß man wissen, was „tönend bewegte Formen" sind. Hanslick hat es weiter vorn schon erklärt, nur schaltet er zwischen Erklärung und These zwei Absätze, die den zweiten Bestandteil der These, den Inhalt der Musik, vorbereiten. Diese partielle Loslösung aus dem Zusammenhang hat viel zur Mißverständlichkeit beigetragen. Man hat „tönend bewegte Formen" mehr oder weniger mit Formen im Sinne der Formenlehre gleichgesetzt, ein Umstand, den gerade die provokative Formulierung der These natürlich unterstützt hat.

„Tönend bewegte Formen" sind genau das, was Hanslick als das „Musikalisch-Schöne" in die Ästhetik einführen will. „Darunter verstehen wir ein Schönes, das unabhängig und unbedürftig eines von Außen her kommenden Inhaltes einzig in den Tönen und ihrer künstlerischen Verbindung liegt [tönend]. Die sinnvollen Beziehungen in sich reizvoller Klänge, ihr Zusammenstimmen und Widerstreben, ihr Fliehen und sich Erreichen, ihr Aufschwingen und Ersterben [bewegt], – dies ist, was in freien Formen vor unser geistiges Anschauen tritt und als schön gefällt." [Formen][3]

Musik hat demnach keinen Inhalt als die „sinnvollen Beziehungen" ihrer Elemente.[4] Ihre Formen sind frei, d. h. nur durch die Notwendigkeit der Elemente bestimmt, nicht von einem „von Außen" hereingebrachten Gedanken- oder Gefühlsgehalt. Als solche ist Musik schön, sie gefällt dem Hörer, genauer: seinem „geistigen Anschauen". „Tönend bewegte Formen" sind nicht nur ein Teil oder eine Seite der Musik, sie sind die Musik schlechthin.

„Die Formen, welche sich aus Tönen bilden, sind nicht leere, sondern erfüllte, nicht bloße Linienbegrenzung eines Vakuums, sondern sich von innen heraus gestaltender Geist."[5] Musik ist eine Kunst, in der der Geist sich unmittelbar in ihren eigentümlichen Formen ausprägt. Der Geist ist aber auch ein spezieller, er gestaltet sich „von innen heraus", d. h. ohne jeglichen denk- oder aussprechbaren Inhalt. Er produziert aus sich selbst heraus und geht in die Musik als deren geistiger Gehalt ein. Als solcher aber manifestiert er sich ausschließlich in ihren Formen, die von ihm „erfüllt" werden.

Die Frage, ob Geist von Hanslick als allgemeines, vom Menschen unabhängig existierendes Phänomen oder als Vermögen des individuellen Komponisten verstanden wird, bleibt zunächst unentschieden. Erst am Ende der folgenden Seite heißt es: „Das Komponieren ist ein Arbeiten des Geistes in geistfähigem Material."[6] Doch das bringt auch noch keine Klärung; man könnte „geistfähig" zwar interpretieren als „geeignet zur geistigen Bearbeitung" und damit Geist als Geist des individuellen Komponisten verstehen, doch das stimmt nicht mit dem Kontext überein.

Hanslick spricht nämlich dem „Material" so etwas wie Eigengeist zu, wenn er schreibt: „Alle musikalischen Elemente stehen unter sich in geheimen, auf Naturgesetzen gegründeten Verbindungen und Wahlverwandtschaften. Diese den Rhythmus, die Melodie und Harmonie unsichtbar beherrschenden Wahlverwandtschaften verlangen in der menschlichen Musik ihre Befolgung und stempeln jede ihnen widersprechende Verbindung zu Willkür und Häßlichkeit."[6] Der Komponist kann also nicht willkürlich verfahren, er muß sich an die Eigengesetzlichkeit des „Materials" halten, wenn er nicht etwas Häßliches, sondern Schönes produzieren will. Die Elemente stehen unter sich in „Wahlverwandtschaften". Dieser etwas überraschende Begriff, den man sicherlich nicht übergehen darf, setzt eine selbständige „Entscheidungsfähigkeit" der Elemente voraus, die dafür selbst Geist besitzen müssen. Sie sind also nicht nur geistfähig, sondern selbst geistvoll. An dieser Stelle scheint noch romantische Kunstauffassung bei Hanslick durch.

Wenn aber musikalisches Material selbst Geist besitzt, dann bedeutet das zweierlei: Geist kann nur ein eigentümlicher Geist der Musik sein [7], und Geist

ist mehr als ein nur dem Menschen eigenes Vermögen. Folgerichtig setzt Hanslick als die schöpferische Kraft des Komponisten die künstlerische Phantasie ein, die nun allerdings auch geistige Kraft besitzt. Sie lenkt den allgemeinen geistigen Gehalt des Materials durch ihre Eigentümlichkeit in bestimmten Bahnen, gibt dem Werk seine individuelle Form und seinen Charakter. So gelangt musikalisch-geistiger Gehalt unmittelbar, ohne zwischendurch in verbal faßbare Begriffe transponiert zu werden, in das musikalische Werk und ist auch nur in seiner Form zu erkennen. Gehalt und Form sind eins, das eine existiert nur im anderen.[8]

Dies ist die zentrale Aussage des dritten Kapitels. Das Form-Inhalt-Problem wird mit der These „Tönend bewegte Formen ..." zwar sehr kräftig angefaßt, aber nicht ausgeführt, denn in Wirklichkeit geht es hier um den Gehalt der Musik. Dieser wird ausschließlich in der Form gesehen, d. h. in der besonderen Formung des Materials im einzelnen Werk.

Das Form-Inhalt-Problem wird eigentlich erst im siebten Kapitel behandelt. Es scheint nicht zum zentralen Anliegen Hanslicks gehört zu haben. Das läßt rein äußerlich schon die Tatsache vermuten, daß es erst im letzten Kapitel, das zudem mit knapp zehn Seiten das kürzeste des Buches ist, ausführlich zur Sprache kommt. Aber es gibt auch tiefergehende Gründe für diese Annahme. Das siebte Kapitel ist in sich nicht frei von Widersprüchen und schließt sich vor allem an das dritte, das Hauptkapitel der Schrift, nicht ohne größere Unklarheiten an.

Der Streit über die Frage, ob Musik einen Inhalt habe oder nicht, in dem auf der Seite der Inhaltlosigkeit Philosophen wie Kant, Hegel und Vischer, auf der Gegenseite hauptsächlich die eigentlichen Musiker gestanden hätten, war nach Hanslicks Meinung in einer Verwechslung der Begriffe begründet. Inhalt sei von beiden streitenden Parteien im Sinne von Gegenstand oder Sujet verstanden worden. Dies aber treffe nicht zu: Inhalt sei „im ursprünglichen Sinne, was ein Ding enthält, in sich hält."[9] Ein Musikstück bestehe aus Tönen, folglich seien diese sein Inhalt. Das werde sicher niemanden befriedigen, aber nur deshalb, weil man eben unter Inhalt mehr zu verstehen gewohnt sei als lediglich das in etwas Enthaltene. Dennoch steht für Hanslick fest: der Inhalt eines Musikstücks „ist keiner, als eben die gehörten Tonformen, denn die Musik spricht nicht bloß durch Töne, sie spricht auch nur Töne."[9] Den Inhalt bilden also nicht die Töne, sondern Tonformen. Alles andere, was bisher der Musik als ihr Inhalt zugesprochen wurde, ist nach Hanslick ein „Gegenstand", und „einen Inhalt in dieser Bedeutung, einen Stoff im Sinne des behandelten Gegenstandes hat die Tonkunst in der Tat nicht."[9]

Im Sinne von behandeltem Gegenstand sei ein Inhalt nur losgelöst von der Form denkbar. Das Spezifische der Musik aber sei gerade, daß sie „Inhalt und Form, Stoff und Gestaltung, Bild und Idee in dunkler, untrennbarer Einheit verschmolzen" besitze.[10] Sie unterscheide sich von allen anderen Künsten dadurch, daß sie einen Inhalt nur in *einer* Form behandeln könne, während die anderen Künste dies in vielen Formen könnten. Die Dichtkunst könne z. B. die Geschichte von Wilhelm Tell als Roman, als Drama oder als Ballade behandeln, in jedem Fall bleibe der *Inhalt* derselbe, mit Worten erzählbar.

Das Fragwürdige dieser sehr simplifizierenden Gegenüberstellung von Dichtung und Musik liegt auf der Hand. Ein Dichter will nicht denselben Inhalt behandeln, wenn er ein Drama oder eine Ballade schreibt. Hanslick übersieht hier die verschiedenen Ebenen der dichterischen Gattungen, die eine vorgegebene Fabel auf verschiedene Weise pointieren, so daß der Inhalt, sobald man mehr in ihm sieht als nur das Handlungsgerüst, jeweils mit anderen Schwerpunkten versehen wird. Was sich ändert, ist demnach nicht nur die äußere Form, sondern auch der geformte Inhalt.

Andererseits ist auch in der Musik ein Inhalt nicht nur in *einer* Form zu behandeln. Die Fülle von Klaviervariationen über Volkslieder oder Opernarien hat Hanslick mit Sicherheit gekannt, er mußte sie als Kritiker ja laufend in Konzerten hören. Hier wird ein Inhalt, der eine ausgeprägte, bekannte Gestaltqualität besitzt, doch unbestreitbar in verschiedensten Formen behandelt, und zwar auf „spezifisch-musikalische" Weise, ohne jeglichen begrifflichen oder gefühlsbestimmten Nebensinn. Hanslick spricht hier gegen seine eigene Erfahrung, er ist befangen in seinem abstrakten Denkschema und dem beherrschenden Willen, der „Gefühlsästhetik" in jeder Hinsicht eine eigene Anschauung entgegenzustellen.

Die „Gefühlsästhetiker" verstanden Inhalt im Sinne von Gegenstand. Hanslick wehrt sich gegen diese Auffassung, Musik hat für ihn gerade keinen Gegenstand, sondern nur Inhalt im speziellen Sinn, die Tonformen. Die berühmteste These lautet nun: „Tönend bewegte Formen sind... Inhalt *und Gegenstand* der Musik", sie setzt beides gleich, widerspricht also Hanslicks ästhetischen Grundsätzen direkt. Ihr polemischer Zweck ist damit bewiesen: sie behauptet im Vokabular der „Gefühlsästhetik" das genaue Gegenteil von dem, was diese besagt. Sie ist in sich widersprüchlich, doch das wird in Kauf genommen für die nur so zu erreichende Schlagkraft. Hanslicks Auffassung aber gibt sie so nicht wieder. In späteren Auflagen erscheint sie in veränderter Form: „Der Inhalt der Musik sind tönend bewegte Formen."[11] Damit wurde ihr die polemische Spitze genommen, sie ist nun ästhetischer Grundsatz.

Hanslick bemüht sich im siebten Kapitel darum, seinen eigenen Begriff von Form und Inhalt in der Musik zu klären. Er wiederholt, daß Form und Inhalt untrennbar sind. In einem logisch verworrenen Absatz stellt er die Betrachtung von ganzen Werken größeren Ausmaßes, bei der Form als architektonischer Aufbau und Inhalt als verarbeitete Themen verstanden werden, der Untersuchung des einzelnen Themas gegenüber. „Bei ganzen Tonstücken wird ... ‚Inhalt' und ‚Form' in einer künstlerisch angewandten, nicht in der rein logischen Bedeutung gebraucht, wollen wir diese an den Begriff der Musik legen, so müssen wir nicht an einem ganzen, daher zusammengesetzten Kunstwerk operieren, sondern an dessen letztem, ästhetisch nicht weiter teilbaren Kerne. Dies ist das Thema, oder die Themen."[12]

Bei der Beurteilung von ganzen Tonstücken werden Inhalt und Form somit nicht in ihrer logischen Bedeutung (voneinander getrennte Kategorien), sondern in einer künstlerisch angewandten (untrennbar miteinander verbunden) verstanden. Im logischen Sinne kann man nur bei der Betrachtung des kleinsten Kerns, des Themas, von Form und Inhalt sprechen. Das Thema besitzt demnach einen von der Form losgelösten Inhalt. Das stimmt allerdings mit allen bisherigen Ausführungen nicht überein, und Hanslick hat es auch nicht gemeint, wie der dem Zitat folgende Satz beweist: „Bei diesen [den Themen] läßt sich in gar keinem Sinne Form und Inhalt trennen." Also ist gerade beim Thema in der künstlerisch angewandten Bedeutung von Form und Inhalt zu sprechen.

Genau entgegen seinen eben zitierten Ausführungen unterscheidet Hanslick für ein ganzes Werk sehr wohl dessen Form und Inhalt, indem er das Thema als Inhalt setzt, das in der weiteren Entwicklung nach „formellen Schönheitsgesetzen"[12] ausgestaltet und verarbeitet wird. Dabei schwebt ihm das klassische Sonatensatz-Schema vor, ja er rückt auch von seiner eigens eingeführten Begriffsdefinition wieder ab: Inhalt hatte er für etwas streng zu Unterscheidendes vom Stoff etwa eines Dramas erklärt. Das hindert ihn aber nicht, das Hauptthema den wahren „Stoff und Inhalt"[12] des Musikwerkes zu nennen, also beide eben nicht zu verwechselnden Begriffe nun doch wieder in einem Atemzug zu benutzen. Der Grund dafür kann nur sein, daß er auch hier noch einmal gegen den Inhaltsbegriff der „Gefühlsästhetiker" polemisieren möchte. Der Kritiker in ihm kommt auch in den abstraktesten und grundsätzlichsten Passagen seines Buches immer wieder durch.

Ebenso scheut er sich nicht, kurz nach der Definition des Themas als des Inhalts der Musik wieder von deren Inhaltlosigkeit zu sprechen. „Daraus, daß der Tondichter gezwungen ist, in Tönen zu denken, folgt ja schon die Inhaltlosigkeit der Tonkunst."[13] Hier meint er wieder den Inhalt in logischer Bedeutung, als begrifflich faßbaren. Er hält sich also nicht an seine eigene Begriffssprache, sondern schwankt je nach Zusammenhang zwischen seiner eigenen und der Sprache der Gegner.

Hanslicks eigener Beitrag zum Form-Inhalt-Problem scheint einige neue Ansätze zu bringen, die aber nicht systematisch ausgeführt werden, sondern in der Hauptsache als Gegenpositionen dienen. Hanslick hat die begriffliche Unklarheit selbst erkannt; in seiner Autobiographie äußert er sogar, daß am Form-Inhalt-Problem zur Zeit eine positive Philosophie der Musik scheitern müsse, weil die Begriffe „Form und Inhalt in der Musik nicht standhalten wollen."[14] Seinen eigenen Lösungsansatz nennt er unbefriedigend, weil er den Begriff Form nicht klar genug definiert habe. Dem muß man zustimmen, auch wenn die Inkonsequenz bei dem Gebrauch seines eigenen Inhaltbegriffs noch auffälliger ist.[15] Jedenfalls war dieses Problem für ihn „eine der allerschwierigsten Fragen, und ich ließ ab, mir daran den Kopf zu zerbrechen, als mich musikgeschichtliche Studien vollauf zu beschäftigen begannen."[16]

Dennoch enthalten auch seine Kritiken Urteile über Musik, in denen das Verhältnis von Form und Inhalt ein wichtiges Kriterium ist. Bei näherer Betrachtung dieser Urteile zeigt sich zunächst, daß seine Vorstellung, Form und Inhalt würden auseinander resultieren, nur für gute Musik zutreffen kann.[17] Es gibt einige Kritiken, in denen Hanslick ein Ungleichgewicht von Form und Inhalt feststellt und sein Urteil über das entsprechende Werk auch danach ausrichtet. Hier bleibt seine ästhetische Überzeugung also nicht abstrakt, sondern sie bewährt sich in der praktischen Anwendung durchaus als brauchbarer Wertmaßstab.

Nach der Aufführung von Max Bruchs Oratorium „Achilleus" bei dem Bonner Musikfest 1885 urteilt er über den Komponisten: „Bruch ist kein Tondichter von genialer, eminent origineller Erfindung; an ursprünglicher schöpferischer Kraft und Tiefe der Auffassung wird ihn niemand mit Brahms vergleichen, an Eigenart und spontanen glänzenden Einfällen auch nicht mit Dvorak. Aber in Bruch besitzen wir einen feingebildeten Beherrscher aller musikalischen Kunstmittel und Formen, wie deren es heute wenige gibt."[18]

Es ist klar, daß dieses Zitat nicht frei von historischen Bezügen ist. Gerade die Betonung der Formbeherrschung Bruchs resultiert aus der ständigen Begegnung mit der oft „formlosen" Programmusik und dem ebenso bewerteten Werke Wagners. Im Vergleich zu dieser Musik hat Bruchs Oeuvre für Hanslick den Vorzug, Produkt eines feingebildeten Menschen zu sein, der die Kompositionsmittel und -techniken beherrscht und damit klare und einleuchtende Formen schafft. Diesen Formen stehe allerdings der Mangel an Schöpferkraft, Tiefe und Originalität gegenüber – drei Kriterien, die der Musik zum individuell geprägten Inhalt im Hanslickschen Sinne verhelfen. Diesen kann Bruch nicht schaffen, die Formen seiner Musik sind also nicht von bedeutendem Inhalt „erfüllt", d. h. sie sind mehr „Linienbegrenzung eines Vakuums" als „sich von innen heraus gestaltender Geist."[19] Inhalt und Form resultieren nicht auseinander, sie lassen sich getrennt voneinander beurteilen, die „Formen" Bruchs sind also mehr im Sinne der Formenlehre zu verstehen. Der Inhalt aber, der ihnen fehlt, ist ein ausschließlich musikalischer.

Wem aber die Fähigkeit, solche Inhalte hervorzubringen, abgeht, der kann dennoch ein guter Musiker sein. Das geht aus einem Vergleich der Komponisten Mascagni und Leoncavallo hervor, den Hanslick anläßlich des großen Erfolges der beiden im Wien der neunziger Jahre anstellte: „Mascagni scheint mir das originellere Talent zu sein, Leoncavallo der bessere Musiker. Er hat entschieden mehr Sinn für die Form, für Abrundung der einzelnen Teile eines Musikstücks und deren harmonisches Verhältnis zueinander. Seine Musik ist weniger zerrissen und sprunghaft."[20] Hanslick nennt Mascagni zwar einen originellen Komponisten, aber seine Musik habe bizarre Eigenschaften. Der weniger originelle Leoncavallo habe mehr Formsinn, der sich in besseren Proportionen, sorgfältigerer Ausarbeitung der Einzelteile und größerer Einheitlichkeit seiner Musik äußere. Daher sei er der bessere Musiker. Für gute Musik wären demnach formale Qualitäten wichtiger als inhaltliche Vorzüge (Originalität).

Man muß sich nun hüten, aus diesen beiden Zitaten voreilig den Schluß zu ziehen, Hanslick sei als Kritiker Formalist gewesen. Gute Form allein hat ihm durchaus nicht immer genügt. Das zeigen seine Kritiken über die Werke von Anton Rubinstein, dem er meistens formales Können bescheinigt, gleichzeitig aber mangelnde Erfindungskraft vorwirft, wie beispielsweise anläßlich der symphonischen Dichtung „Die Nixe": „Schade, daß dieser formelle Vorzug hier ganz des bedeutenden, eigentümlichen Inhalts entbehrt."[21]

Ein Mißverhältnis von Form und Inhalt war es, was Hanslick an allen diesen Werken kritisierte. Seine Vorstellung der Identität von Form und Inhalt erweist sich in der Praxis als selten realisiert. Wenn er nämlich ein Übergewicht des einen oder des anderen feststellen kann, dann zeigt sich daran, daß beide Kategorien sich in der Musik eben doch trennen lassen und daß sie nur in guten Werken wirklich untrennbar sind. Der Begriff der Form läßt sich offenbar weniger im Sinn der beseelten, geistvollen Form durchhalten: wenn die Form sich verselbständigt, gerät sie immer zur leeren Hülse. Der Inhalt, wie ihn Hanslick darstellte, kann dagegen vorhanden sein und die Form erfüllen, oder er kann fehlen, er ändert aber seinen Sinn nicht; der Begriff erweist sich als tauglicher für die praktische Anwendung.

An ihm hat Hanslick auch in seinen Kritiken festgehalten. Programmusiken hat er stets danach beurteilt, ob in ihnen außer dem dargestellten Gegenstand auch musikalischer Inhalt enthalten sei. Goldmarks „Penthesilea"-Ouvertüre rezensierte er 1880 und kam zu dem Schluß: „Man sieht, daß Goldmarks Komposition mehr poetisch als musikalisch gedacht und geformt ist; dies ist der wesentlichste Vorwurf, der sie mit so vielen anderen ihr verwandten Ouvertüren trifft, im Gegensatz zu Beethovens ‚Egmont' – oder ‚Coriolan'-Ouvertüre, welche bei prägnantester dramatischer Charakteristik doch allgemein verständlich, einheitlich und in ununterbrochenem musikalischem Fluß dahinströmen."[22] Es ist nicht ohne Reiz, daß er Beethoven hier „prägnanteste dramatische Charakteristik" zuspricht, was er in seiner Prinzipienschrift an Hand der Prometheus-Ouvertüre nachdrücklich zurückgewiesen hatte.[23]

Goldmark habe also seine Musik „mehr poetisch als musikalisch gedacht und geformt"; ihr Inhalt sei nicht primär musikalisch, das wirke sich auch auf die Form aus. Programmusik kann aber auch anders sein, wie die Kompositionen „Danse macabre" und „Phaeton" von Saint-Saëns beweisen, die Hanslick 1876 besprach: „Es sind Programm-Musiken in einem fortlaufenden Satze, blendende Schilderungen, die nicht bloß durch das poetische Sujet, sondern auch durch die Einheit der musikalischen Idee und Form stramm zusammengehalten werden."[24] Solange in der Programmusik musikalischer Inhalt (Idee) und musikalische Form ein einheitliches Ganzes bilden, hat Hanslick als Kritiker gegen das Vertonen eines Sujets nichts einzuwenden, denn die Kenntnis des Sujets ist dann nicht Bedingung für das Verständnis des Werkes. Dieses ist vielmehr, weil es einen musikalischen Inhalt hat, als Musikwerk verständlich.

Die Einheit von Form und Gehalt und die von Form und Inhalt sind auch in seinen Kritiken von absoluten Musikwerken maßgebliche Kriterien. Ein besonders glückliches Beispiel für die Treue des Kritikers Hanslick zu seinen ästhetischen Überzeugungen ist die Kritik der Wiener Erstaufführung von Brahm's zweitem Klavierkonzert am 26. 12. 1880. Hanslick bespricht zunächst das Werk selbst, seinen Aufbau, seine Themen, die Proportionen von Soloinstrument und Orchester, vergleicht es dann mit dem d-moll-Konzert und den klassischen Konzerten und würdigt es schließlich als ein Stück absoluter Musik. Er wiederholt hier fast wörtlich einen Satz aus seiner Prinzipienschrift, der dort im Zusammenhang der Erörterung des musikalischen Inhalts steht: „Der Komponist dichtet und denkt. Nur dichtet und denkt er, entrückt aller gegenständlichen Realität, in Tönen."[25]

Seine Brahmskritik faßt er zusammen: „Wenn Tieck in seiner vielzitierten Strophe ‚Süße Liebe denkt in Tönen' den Nachdruck auf ‚in Tönen' legt, so schiebt ihn Brahms auf das Wort denkt. Möge er nun von süßer Liebe oder von was immer angeregt worden sein, seine Musik wird im schönsten Sinne ein Denken in Tönen, ein Denken, das die Wärme und den poetischen Schwung nicht ausschließt. Wenn wir durchaus ein Gefühl namhaft machen sollten, welches sich in Brahms' neuem Konzert unverkennbar ausspricht, so wäre es das angenehme Gefühl, neue gute Gedanken zu haben."[26]

In seiner Grundsatzschrift hatte Hanslick seinen von Tieck entlehnten Ausspruch auf das Denken *in Tönen* hin zugespitzt. Er schrieb da auch in anderem Zusammenhang, als hier bei dem Brahms-Konzert, wo er das *Denken* hervorhebt. An diesem Beispiel zeigt sich, daß Hanslick 1854 eine ästhetische Idee formulierte, die später in Brahms' Musik eine damals noch unvorhergesehene Verwirklichung fand. Die Tatsache, daß er Brahms erst acht Jahre, nachdem er seine von dessen Musik häufig bestätigte Theorie entwickelt hatte, zum ersten Mal sah und ihn noch einige Jahre später richtig kennenlernte, wird oft übersehen. Hanslick hat sein Buch nicht als Parteinahme für Brahms verstehen können; daß er später so überzeugt für ihn eintrat, ist vielmehr ein Ergebnis dieser ihn wahrscheinlich selbst überraschenden Übereinstimmung von dessen Musik mit seinen unabhängig davon vorgetragenen Anschauungen. Daß diese Übereinstimmung auch nicht immer in gleichem Maße gegeben war, wird sich bei späterer Gelegenheit zeigen. Hanslicks Freude und Genugtuung darüber, daß sich seine Prinzipien in dieser Musik bewähren, spricht deutlich aus jeder Zeile der ganzen Kritik. Er kann es sich hier leisten, in milder Ironie auf die Gefühlsbedürftigkeit seiner Gegner anzuspielen. Brahms' Musik besitzt echt musikalischen Inhalt in seinem Sinne, sie ist „gedacht" – da kann man ruhig auf mögliche Gefühlsanregungen des Komponisten spekulieren, sie sind unwesentlich. Gedachte Musik schließt Wärme und poetischen Schwung nicht aus; das hatte er auch 1854 schon betont. Außerdem hat Brahms neue, gute Gedanken, besitzt Originalität; auch dieses hatte sich in den vorher betrachteten Zitaten als wichtiges Kriterium gezeigt. Von der Form wird in der Brahms-Kritik zwar nicht ausdrücklich gesprochen, sie ist in dem Ausdruck „Denken in Tönen" aber mitgenannt.

Auf andere Weise fand er seine Grundsätze in Dvoraks Musik bestätigt. Dessen sechste Symphonie in D-Dur fand 1883 Hanslicks volle Anerkennung: „Das ist durchaus gesunde Musik, ungequält und ursprünglich. Zu der reizenden Frische und Natürlichkeit seiner früheren Werke gesellt sich nunmehr auch eine erfreuliche Beherrschung der Form. Gleich das Thema des ersten Satzes ist ein wahrer Glückstreffer: ein echtes Symphonienthema, einfach, kraftvoll, wie aus Erz gegossen. Die kunstreiche und doch nirgends trockene Verarbeitung dieses Themas mit seinem Nebengedanken verfolgen wir mit ungeteilter Freude; der Komponist bleibt siegreicher Herr seines Stoffes bis zum Schluß."[27] Soweit bespricht er den ersten Satz der Symphonie. Daß Dvoraks Musik gegenüber der von Brahms auf einer anderen Ebene steht, wird von vornherein klargestellt: die Adjektive gesund, ungequält, ursprünglich, reizend und die Substantive Frische und Natürlichkeit kennzeichnen den Charakter von Dvoraks Erfindung. Die Einfälle bilden den Inhalt, und zwar im Sinne des siebten Kapitels der ästhetischen Schrift. Besonders hervorgehoben als etwas für

Dvorak Neues wird die „Beherrschung der Form." Form ist wegen des direkten Bezuges auf das Hauptthema und seine Verarbeitung, über die der Komponist „Herr" bleibt, ebenso im Sinne des siebten Kapitels zu interpretieren: sie ist auf den Inhalt bezogen. Den immanenten Gehalt des dritten Kapitels findet man hier nur andeutungsweise berücksichtigt, nämlich in dem Adjektiv „kunstreich", mit dem Hanslick die Themenverarbeitung kennzeichnet. Die spezielle Kunst der Themenverarbeitung hatte er dort als ein Charakteristikum des musikalischen Geistes genannt, der den Gehalt einer Komposition ausmacht.[28]

Diese wenigen Beispiele aus den Konzertkritiken Hanslicks haben gezeigt, daß das Verhältnis von Form und Inhalt ein für die Beurteilung von Instrumentalmusik wichtiges, immer wieder angewendetes Kriterium darstellt. Das eigentliche philosophisch-ästhetische Problem Form-Inhalt hatte Hanslick nicht zu lösen vermocht. Es war ihm wohl gelungen, die Schwerpunkte zu verschieben, Form und Inhalt in der Musik ausschließlich aufeinander zu beziehen. Die Spaltung in die zwei Bezugspaare Form-Inhalt und Form-Gehalt hatte ihm aber Widersprüchlichkeiten eingetragen, die er nicht aufgelöst hat. Über das Verhältnis von Inhalt und Gehalt sagt er nichts. Soviel aber wird geklärt: Form ist in der Musik mehr als Hülle für einen Stoff, sie ist nicht schematisch gemeint, sondern ist das Ergebnis des in ihr entworfenen speziellen immanenten geistigen Gehaltes, der ihren Inhalt bildet. Aus der unauflöslichen Verbindung aller drei Kategorien bildet sich das Musikalisch-Schöne, wobei die Betonung auf „Musikalisch" liegt.

Ob eine Komposition als Musik schön sei, war auch die zentrale Frage des Kritikers an jedes zu kritisierende Werk. Sie wurde bejaht, wenn die Musik ein ausgewogenes Verhältnis von Form und Inhalt aufwies. Sie wurde verneint, wenn eine der zwei Komponenten einen zu geringen Anteil hatte. Dabei zeigte es sich, daß formale Mängel schwerer wogen. Für einen guten Musiker war formales Können wichtiger als Originalität (Leoncavallo). Wo Form aber einen Eigenwert erhält, entfernt sie sich von der Bedeutung „tönend bewegte Form."

Form, in „Vom Musikalisch-Schönen" als Begriff viel eindeutiger und konsequenter benutzt als Inhalt, wird in den Kritiken also nicht in einheitlicher Bedeutung verstanden. Das ergibt sich mit Notwendigkeit aus der sehr unterschiedlichen Qualität der besprochenen Kompositionen. Mit Inhalt wird dagegen im wesentlichen das gemeint, was im siebten Kapitel der ästhetischen Schrift als Begriff eingeführt worden war. Es wird allerdings seltener ausdrücklich davon gesprochen, häufiger von Originalität der Themen. Auf den Gehalt wird am seltensten eingegangen, er ist meistens nur mitgemeint.

Anmerkungen:

1 VMSch/Inhaltsverzeichnis (ohne Seitenzahl).

2 VMSch/32. A. Nowak charakterisiert die These als „polemisch verfestigte Dialektik" gegenüber der „Denkbewegung" Hegels und hat damit recht, solange er sie isoliert betrachtet. Nowak, aaO., S. 157.

3 VMSch/31 f.

4 Pfitzner formulierte das ähnlich: „... in Musik kann nur Musik vorgehen." Die neue Ästhetik der musikalischen Impotenz, München ²/1920, S. 22.

[5] VMSch/34.
[6] VMSch/35.
[7] vgl. S. 33, 34 dieser Arbeit.
[8] So hat auch Vischer das Verhältnis Gehalt-Form gesehen: „Der Gehalt ist im Schönen in die reine Form aufgehoben, aber nur in dem Sinn, daß er nicht mehr in seiner Getrenntheit, in seiner Besonderheit wahrgenommen wird; er ist als solcher nicht mehr da, nur weil er ganz in die Form übergetreten ist". Über das Verhältnis von Inhalt und Form in der Kunst, Zürich 1858, S. 14.
[9] VMSch/96.
[10] VMSch/99.
[11] 8. Auflage, S. 74.
[12] VMSch/101.
[13] VMSch/103. Auch in einer Kritik spricht er von der Musik als der „Kunst der schönen Inhaltlosigkeit". M.O.IX/141.
[14] AML I/243.
[15] Auch dem Begriff des immanenten Gehaltes der Instrumentalmusik bleibt er nicht treu, wenn er auf S. 103 den Gehalt in besonderem Maße der Vokalmusik zuspricht. Er stellt hier das Gegensatzpaar Instrumentalmusik mit *Inhalt* und Vokalmusik mit *Gehalt* auf.
[16] AML I/244 f.
[17] In anderem Sinne können auch bei schlechter Musik Form und Inhalt auseinander resultieren: eine Schulfuge führt ein schematisch gebautes Thema ebenso schematisch durch. Aber Hanslicks Formbegriff meint ausschließlich die geistvoll erfüllte Form. Sechter, der Theorie- und Formenlehrer, erhielt für seine „Bagatellen" von Hanslick eine schlechte Kritik, weil seine Stücke „nichts als reinen Satz und kontrapunktische Fertigkeiten" aufwiesen. GCW II/34. Formal waren Sechters Kompositionen sicher einwandfrei, aber Hanslick verlangte eine von einem originellen Inhalt bestimmte „innere Form".
[18] M. O.. IV/309.
[19] vgl. S. 48.
[20] M.O. VII/99.
[21] GCW II/341. Ähnlich urteilt er 1880 über eine Symphonie von Fétis. Suite/232.
[22] CCV/284.
[23] VMSch/18 f.
[24] CCV/172.
[25] VMSch/102 f.
[26] CCV/303.
[27] CCV/370.
[28] vgl. VMSch/35 ff.

2. Musik und Gefühl

Seine Auffassung der Ästhetik und des Verhältnisses von Form und Inhalt hat Hanslick 1854 in ganzen Kapiteln oder größeren Abschnitten behandelt. Das Verhältnis von Musik und Gefühl dagegen wird an vielen Stellen unter den Aspekten des jeweils zur Debatte stehenden Problems erörtert. Die Prinzipienschrift ist motiviert durch die Abwehr der „verrotteten Gefühlsästhetik" – das legt den Schluß nahe, daß Hanslick die unmittelbare Verbindung von Musik und Gefühl, wie diese ästhetische Richtung sie behauptete, für grundfalsch hielt. Damit ist seine eigene, positive Anschauung jedoch noch nicht beschrieben. Aber statt mit seinem Standpunkt zu beginnen, widmet er die beiden Anfangskapitel seines Buches der Ablehnung der „Gefühlsästhetik" und ihrer Begründung. Zu positiven Aussagen kommt er hier noch kaum.

Immerhin steht aber schon auf Seite 9 eine Erklärung, der man eine Schlüsselbedeutung für das ganze Buch zuerkennen muß: „Die starken Gefühle selbst, welche Musik aus ihrem Schlummer wachsingt, und all' die süßen, wie schmerzlichen Stimmungen, in die sie uns Halbträumende einlullt, wir möchten sie nicht um Alles unterschätzen. Zu den schönsten, heilsamsten Mysterien gehört es ja, daß die Kunst solche Bewegungen ohne irdischen Anlaß, recht von Gottes Gnaden hervorzurufen vermag. Nur gegen die unwissenschaftliche Verwertung dieser Tatsachen für ästhetische Prinzipien legen wir Verwahrung ein." Die wortreiche Schilderung der emotionalen Wirkung der Musik wirkt überraschend; zum Bild des nüchternen „Formalisten" Hanslick will sie gar nicht passen. Musik hat demnach auch für Hanslick eine sehr starke Beziehung zum Gefühl, nur sei dies kein Gegenstand der wissenschaftlichen Ästhetik, denn Ästhetik solle sich auf das Objekt, das die Gefühle verursacht, richten. Nach Hanslicks Überzeugung können dieselben Gefühle auch ganz andere Ursachen haben: Freude einen Lotteriegewinn, Trauer die Todeskrankheit eines Freundes.[1] Das Erwecken von Gefühlen ist nichts Spezifisches für die Musik; gerade dieses Spezifische aber soll die von Hanslick geforderte Ästhetik herausfinden, die „Vom Musikalisch-Schönen" handelt.

Die „Gefühlsästhetik" habe Musik und Gefühl auf zweifache Weise in Beziehung gebracht. Die Wirkung der Musik auf das Gefühl als eine Möglichkeit behandelt Hanslick im ersten Kapitel. Der Annahme, daß Musik selbst Gefühle darstelle, widmet er das zweite Kapitel.

Die Auffassung, die Musik habe Gefühle zum Inhalt, erklärt er aus der Notwendigkeit, bei philosophischer Beschäftigung mit einer Kunst deren Inhalt zu benennen. In dem Bestreben, den begrifflich faßbaren Inhalten von Dichtung und Bildender Kunst einen eigenen entgegenzusetzen, seien die Musikästhetiker aufgrund der Erkenntnis, daß Musik keine Begriffe behandele und keine Personen oder Landschaften darstelle, auf die begriffslosen Gefühle verfallen und hätten diese zum Inhalt der Musik gemacht. Konsequenz: „Was uns an einer reizenden Melodie, einer sinnigen Harmonie ergötzt und erhebt, sei nicht diese selbst, sondern was sie bedeutet: das Flüstern der Zärtlichkeit, das Stürmen der Kampflust."[2] Für Hanslick ist gerade umgekehrt nur die Melodie oder Harmonie selbst, was gefällt; was sie bedeutet, kann dagegen nur von jedem einzelnen Hörer subjektiv aufgefaßt werden, die Vielfalt der möglichen Auffassungen beweist die nur mittelbare Verbindung von Musik und „Bedeutung."

Den Fehler der „Gefühlsästhetik" sieht Hanslick schon im Ansatz. Gefühlsvorgänge gibt es für ihn gar nicht abgesondert von Vernunft- und Verstandesprozessen. Ein Gefühl wie Sehnsucht könne nur aufkommen, wenn man damit die Vorstellung einer herbeigesehnten Person oder eines Zustandes verbinde, d. h. auch seinen Verstand betätige. Gefühle ohne diesen „Gedankenapparat"[2] seinen amorph, ja es seien im Grunde keine Gefühle. Also könnten wahre Gefühle wegen ihres durchaus auch begrifflichen Gehalts nicht Inhalt einer „unbegrifflichen" – denn daran hält Hanslick fest – Kunst sein.

Diese Herleitung, die den Schein des Logischen hat, wirkt zwar unmittelbar einleuchtend, ist aber nicht stichhaltig. Die Psychologie, in deren Bereich Hanslick alles verweist, was er aus der Ästhetik ausklammern möchte, könnte ihn hier schnell widerlegen. Aber auch ohne Psychologie läßt sich sagen, daß Gefühle sehr wohl ohne begriffliche Bestimmtheit existieren können. Die Romantik hatte diese Erkenntnis zum Allgemeingut erhoben.

Einige Theoretiker haben nach Hanslicks Darstellung zwar die These, Musik könne Gefühle darstellen, aufrechterhalten, aber die begriffliche Bestimmtheit solcher Gefühle erkannt, die mit der unbegrifflichen Musik unvereinbar ist. Sie hätten daher ihre These modifiziert und behaupteten nun, daß Musik unbestimmte Gefühle erwecke und darstelle. Hanslicks Interpretation dieser Auffassung zeigt recht deutlich, wie er an dem eigentlich Gemeinten vorbei argumentiert, um seine eigene Auffassung zu stützen: „Vernünftigerweise kann man damit nur meinen, die Musik solle die Bewegung des Fühlens abgezogen von dem Inhalt desselben, dem Gefühlten, enthalten; das also, was wir das Dynamische der Affekte genannt, und der Musik vollständig eingeräumt haben. Dies Element der Tonkunst ist aber kein ‚Darstellen unbestimmter Gefühle'. Denn ‚Unbestimmtes' ‚darstellen' ist ein Widerspruch."[3]

Die Interpretation, daß mit dem Darstellen unbestimmter Gefühle „vernünftigerweise" nur die Darstellung von Bewegungsabläufen gemeint sein könne, ist nicht zwingend. Denn unbestimmte Gefühle sind nicht notwendig inhaltlos; man muß nicht das Dynamische von Gefühlsbewegungen meinen, wenn man von unbestimmten Gefühlen spricht. Inhaltlich können unbestimmte Gefühle zwar nicht intellektuell deutlich, d. h. durch Begriffe faßbar, aber sehr wohl vorhanden sein[4], so daß man nicht auf ihre abstrakte Eigenschaft des Dynamischen als einzige noch denkbare ausweichen muß. Insofern tritt Hanslick mit seiner Folgerung, daß das Dynamische ein Element der Tonkunst sei, aber „kein ‚Darstellen unbestimmter Gefühle'", die in sich einleuchtend ist, nicht das, was die angegriffenen Theoretiker gemeint haben. Sicherlich läßt sich Unbestimmtes nicht in dem Sinne „darstellen", auf den Hanslick dieses Wort einengt.

Aber vielleicht läßt es sich ausdrücken. Den Unterschied zwischen Ausdruck und Darstellung verwischt Hanslick in diesem Zusammenhang. „Derlei Grundbegriffe können nicht streng genug genommen werden", sagt er, nachdem er definiert hat, was er unter Darstellen versteht: „einen Inhalt klar, anschaulich produzieren, ihn uns vor Augen ‚daher stellen'"[5]. Im Gegensatz zu dieser geforderten Strenge läßt er aber außer acht, daß die Gefühlsästhetiker, auch die von ihm selbst zitierten, mindestens ebenso oft das Wort „ausdrücken" gebrauchen wie „darstellen".[6]

Ausdrücken ist aber nicht ein „vor Augen daher stellen". Es ist eher das, was Hanslick in anderem Zusammenhang der Musik in besonderem Maße zuerkennt: „Schöpfung eines denkenden und fühlenden Geistes hat demnach eine musikalische Komposition in hohem Grade die Fähigkeit, selbst geist- und gefühlvoll zu sein."[7] Musik enthält also Gefühle, die zwar von dem spezifisch Musikalischen nicht ablösbar sind, aber zu ihrem immanenten Gehalt gehören.

Dieser eine Satz, in dem das Wort Gefühl zwar nur adjektivisch und verbundenen mit dem im Kontext eigentlich erörterten Geist vorkommt, verdient dennoch genaue Beachtung. Hanslick spricht hier nicht nur beiläufig oder gar versehentlich vom Gefühl, einige Zeilen später wiederholt er noch einmal seine „Ansicht über den Sitz des besondren Geistes und Gefühls einer Komposition"[7]; daß Musik Gefühl in besonderer Weise enthält, ist ihm also ebenso wichtig wie, daß sie Geist besitzt. Das Zitat befindet sich an einer zentralen Stelle im dritten Kapitel, man muß es also auch entsprechend werten. Außerdem blieb es in allen Auflagen des Buches unverändert stehen.

Aus dem bisher Gesagten lassen sich folgende Konsequenzen ziehen: Hanslick löst die Verbindung von Musik und Gefühl nicht völlig auf. Er lehnt nur die ästhetische Relevanz der von Musik erregten Gefühle ab. Die Fähigkeit, im Sinne der „Gefühlsästhetik" Gefühle darzustellen, spricht er der Musik auf das entschiedenste ab.[8]

Dennoch ist Musik Trägerin von Gefühlen, ja diese bilden zusammen mit dem Geist den immanenten Gehalt der Komposition und sind für die Ästhetik von entscheidender Bedeutung. Sie äußern sich allerdings nur durch die Musik selbst, von der sie nicht abgetrennt werden können. Infolgedessen spricht Hanslick auch nicht von Gefühlsausdruck, denn das würde bedeuten, daß die Gefühle selbständig sind und die Musik dazu dient, sie zu übermitteln. Sie bleiben vielmehr der Musik immanent. Sie sind nicht im allgemeinen Sinne zu verstehen, sondern in einem spezifisch musikalischen. Eine nähere Erläuterung bleibt Hanslick allerdings schuldig.

Im vierten Kapitel, das die Überschrift „Analyse des subjektiven Eindrucks der Musik" trägt, führt Hanslick ein neues Charakteristikum des Kunstwerks ein: er nennt es eine „wirksame Mitte zwischen zwei lebendigen Kräften: seinem Woher und seinem Wohin, d. i. dem Komponisten und dem Hörer."[9] Bedeutsam ist das Adjektiv „wirksam", womit das Kunstwerk selbst als die aktive Vermittlerin zwischen Komponist und Hörer gekennzeichnet wird. Wäre es anders, dann könnte man es als passives Gefäß für die Gefühle des Komponisten ansehen, womit es seinen Eigenwert verlöre.

Hanslick fährt fort: „In dem Seelenleben dieser Beiden [Komponist und Hörer] kann die künstlerische Tätigkeit der Phantasie nicht so zu reinem Metall ausgeschieden sein, wie sie in dem fertigen, unpersönlichen Kunstwerk vorliegt – vielmehr wirkt sie dort stets in enger Wechselbeziehung mit Gefühlen und Empfindungen." Nimmt man diesen Satz wörtlich, dann liegt die Phantasie als künstlerische *Tätigkeit* im fertigen Kunstwerk in ihrer reinsten Form vor. Das ist nun allerdings nicht denkbar, denn Phantasie als Tätigkeit des „reinen Schauens", wie er sie wenige Zeilen weiter oben definiert hat, kann ein Werk nicht entfalten. Zumal es „unpersönlich" ist, was hier nur bedeuten kann: zwar von der Person des Komponisten losgelöst, aber dennoch von ihm beeinflußt. Der Phantasiebegriff wurde als Gegenbegriff von Gefühl hier überdehnt. Wichtiger für unseren Zusammenhang ist jedoch die Lokalisierung des Gefühls in den zwei Endpunkten der Bewegung, die das Kunstwerk nimmt, nicht aber in ihm selber.

Im Komponisten ist das Gefühl nicht maßgeblich am Kompositionsprozeß, sondern lediglich in mehr oder minder starker Wirksamkeit als gehobene Stimmung im Stadium der Inspiration beteiligt.

Das eigentliche Komponieren ist ein „Ausarbeiten"[10] eines Einfalls, das handwerkliches Können und vor allem Besonnenheit verlangt. Die gehobene Stimmung ist verflogen, nun wird gestaltet, und zwar ein „selbständiges Schöne".[11] Dieses läßt zwar zu, daß „die Subjektivität des in ihnen Bildenden sich in der Art seines Formens auspräge"[11], doch ist diese Eigenart dann musikalischer Art und interessiert nur noch als solche. Hanslick faßt zusammen: „Streng ästhetisch können wir von irgend einem Thema sagen: es klinge stolz oder trübe, nicht aber: es sei ein Ausdruck der stolzen oder trüben Gefühle des Komponisten."[12]

Hanslick gibt damit eine nachträgliche Erläuterung zu dem im dritten Kapitel nicht näher ausgeführten spezifischen Sinn des Gefühls in der Musik. Es kann zwar in die Musik mit eingeflossen sein, aber den Ästhetiker interessiert nicht der vermutete Ausdruck des Komponisten, sondern das komponierte Werk.

In welcher Erscheinungsweise beschäftigt er sich aber mit dem Kunstwerk, hört er es oder liest er es? Es ist eine der Schwächen seines Buches, daß Hanslick nicht völlig klarstellt, was für ihn der ästhetische Gegenstand ist, welchen Werkbegriff er hat. Zwar sagt er ganz eindeutig, daß „für den philosophischen Begriff das komponierte Tonstück, ohne Rücksicht auf dessen Aufführung, das fertige Kunstwerk" sei, doch schließt er direkt an, daß „die Spaltung der Musik in Komposition und Reproduktion, eine der folgenreichsten Spezialitäten unserer Kunst, überall zu beachten" sei.[13]

Nun ist gerade Hanslicks eigener Ästhetikbegriff ja darauf angelegt, das Spezifische jeder Kunst zu erfassen. Er wird also auf keinen Fall „eine der folgenreichsten Spezialitäten" der Musik außer acht lassen können. Dennoch bezieht er die Reproduktion nicht in das Gebiet der Ästhetik ein. Denn sie ist nur für die „Untersuchung des subjektiven Eindrucks der Musik" von Wichtigkeit. Ästhetik hat aber nach Hanslicks Grundsatz „das schöne Objekt, und nicht das empfindende Subjekt zu erforschen."[14] Sein Werkbegriff scheint sich also doch auf den Notentext zu beschränken. Das kann auch aus einer Gegenüberstellung von Komponist und Ausführendem geschlossen werden, wonach „der Komponist für das Bleiben, der Spieler für den erfüllten Augenblick" schaffen.[13] Da der Komponist, und nicht der Spieler es ist, der das Kunstwerk hervorbringt, ist dieses also für das Bleiben gemacht; bleibend ist es aber nur in seiner schriftlich festgehaltenen Gestalt.

Der Spieler, der den „erfüllten Augenblick" zum Ziele hat, kann nun in seinem Spiel seinem eigenen Gefühl freien Lauf lassen. Seine „Subjektivität wird ... unmittelbar in Tönen tönend wirksam."[13] Das Wort „unmittelbar" überrascht hier, denn der Interpret spielt ja eine Komposition und muß sich an deren Vorschriften halten, seine eigene Subjektivität kann er nur auf dem Weg über die Interpretation, aber eben des Kunstwerks, entfalten, also mittelbar. Aber Hanslick meint tatsächlich „unmittelbar", denn dem hier formulierten Einwand entgegnet er: „Freilich kann der Spieler nur das bringen, was die Komposition enthält, allein diese erzwingt wenig mehr als die Richtigkeit der Noten."[15] Die Aneignung des Kunstwerks ist für Hanslick im Reproduktionsvorgang des Spielers Tat, sie entspringt seinem Geist und seinem Gefühl. Der Gefühlsgehalt, der sich auf die Zuhörer überträgt, hat demnach seinen Ursprung im Interpreten, nicht im Komponisten oder seinem Werk.

Daß Hanslick zu diesem merkwürdigen Ergebnis kommen konnte, wird noch verwunderlicher, wenn man bedenkt, daß er 1854 schon recht ausführliche Erfahrungen als Kritiker besaß. Ein Kritiker aber kann sein Urteil über eine Interpretation nur begründen, indem er zeigt, wie sie sich zu den Forderungen und dem Charakter des Werkes verhält. Und verfehlte Interpretationen sind ja in den seltensten Fällen bloße Verstöße gegen die „Richtigkeit der Noten", sondern beruhen auf einer Aneignung des Kunstwerks, die sich nicht genügend auf dessen Geistes- und Gefühlsgehalt und zu viel auf die Subjektivität des Spielers konzentriert. Indem Hanslick also den Gefühlsgehalt erklingender Musik allein dem Interpreten zuschreibt, nimmt er sich selbst die objektiven Kriterien für die Urteile, die er als Kritiker zu fällen hatte. In seinen Kritiken allerdings benutzt er sie. Zwei kleine Beispiele mögen als Beleg dienen:

Nach einem Konzert von Alfred Grünfeld lobte Hanslick 1881 zunächst die hervorragende Technik des Pianisten, zum Vortrag von Chopin-Kompositionen merkte er aber an; „Wir vermissten nur mitunter die eigentümlich verschleierte träumerische Stimmung, den poetischen Duft der Chopinschen Musik."[16] Grünfeld hatte also nicht gegen die „Richtigkeit der Noten" verstoßen, sondern den Geist und die Stimmung der Kompositionen verfehlt. Daß es aber gerade die Wiedergabe von Geist und Stimmung des Werkes ist, was einen guten Interpreten ausmacht, wird auch in dem Lob deutlich, das Hanslick 1878 Anton Rubinstein spendete: „Wie bezaubernd spielt er den dritten Satz von Schumanns C-dur-Phantasie, wie einfach edel den variierten zweiten Satz von Beethovens-E-moll-Sonate (op. 90), wie vornehm empfindsam das Fieldsche Nocturno!"[17]

Daß Musik in besonderer Weise auf das Gefühl einwirkt, leugnet Hanslick nirgends, auch nicht in den Ausführungen über den Hörer, die einen großen Teil des vierten und das ganze fünfte Kapitel füllen. Die Gefühle des Hörers waren Ausgangspunkt und ausschlaggebendes Kriterium für die „Gefühlsästhetik"; Hanslicks ästhetischer Ansatzpunkt ist dagegen die Musik. Wie sie auf den Hörer wirkt, ist für ihn keine ästhetische Frage, sondern nur, was ihr eigenes Schönes ist. Dennoch muß er sich mit der Wirkung beschäftigen, verweist sie aber in das Forschungsgebiet der Psychologie und der Physiologie. Die besondere Intensität der Wirkung auf das Gemüt führt er auf die direkte und unabweisbare Beeinflussung des Nervensystems zurück. Dieses sei ein physiologischer Vorgang, und daher gehörten die medizinischen Heilversuche mit Musik ebenso wie die antike Ethoslehre, mit denen er sich des längeren auseinandersetzt, nicht in das Gebiet der Ästhetik, sondern der Physiologie. Auf welche Weise diese Wirkung entsteht, werde von der Physiologie zu seiner Zeit nur hypothetisch angenommen, die Ästhetik könne sich darauf nicht aufbauen. Sie habe dafür ihr eigenes Forschungsfeld, auf dem sie selbständig arbeiten könne, und das seien nicht die von Musik hervorgerufenen Gefühle, sondern die Musik selbst.

Musikhören ist aber kein rein ästhetischer, sondern auch ein physiologischer Vorgang, Gefühlseinwirkung ist daher gar nicht zu vermeiden. Hanslick findet einen Ausweg aus diesem Dilemma, indem er die Gefühlseinwirkung nicht der Musik selbst, sondern ihren Elementen zuordnet: „Das Elementarische der Musik, der Klang und die Bewegung ist es, was die wehrlosen Gefühle so vieler Musikfreunde in Ketten schlägt ... Weit sei es von uns, die Rechte des Gefühls an die Musik verkürzen zu wollen. Allein dies Gefühl, welches sich tatsächlich mehr oder minder mit der reinen Anschauung paart, kann nur dann als künstlerisch gelten, wenn es sich seiner ästhetischen Herkunft bewußt bleibt, d.h. der Freude an einem und zwar gerade diesem bestimmten Schönen."[18]

Die reine Anschauung ist für Hanslick das ästhetische Verhalten zu Musik. Das Gefühl ist damit untrennbar verbunden, es darf sich nur nicht verselbständigen, es muß abhängig bleiben von der Freude an dem bestimmten Kunstwerk, es muß sich seiner Ursache bewußt sein. Das bleibt aus, wenn nicht das Kunstwerk, sondern einzelne Bestandteile wie Klang oder Bewegung – man könnte hinzufügen: Lautstärke, Instrumentation – , direkt das Gefühl beeinflussen. Es kommt dann nicht auf das einzelne Kunstwerk an, sondern nur auf seine allgemeinen Reizqualitäten. Wer so hört, setzt seine Gefühle wehrlos, d.h. passiv und ungesteuert, nervlichen Einwirkungen aus. Diese Art von Hörern nennt Hanslick „pathologisch" und prägt dazu das berühmte Bonmot: „Eine feine Zigarre, ein pikanter Leckerbissen, ein laues Bad leistet ihnen unbewußt, was eine Symphonie."[19]

Dem ästhetisch Hörenden dagegen bereite die Musik geistigen Genuß.[20] Sie rufe auch bei ihm Gefühle hervor, die allerdings anderer Art seien als die der „Gefühlsästhetiker": „Wenn jedes hohle Requiem, jeder lärmende Trauermarsch, jedes winselnde Adagio die Macht haben sollte, uns traurig zu machen – wer möchte denn länger so leben? Blickt eine Tondichtung uns an mit klaren Augen der Schönheit, so erfreuen wir uns inniglich daran, und wenn sie alle Schmerzen des Jahrhunderts zum Gegenstand hätte. Der lauteste Jubel aber eines Verdi'schen Finales oder einer Musard'schen Quadrille hat uns noch nie froh gemacht."[21]

Die reiche Skala der Gefühle, die die Musik nach Meinung der Gefühlsästhetiker hervorrufen kann, wird hier von Hanslick verkürzt auf zwei: die Freude über gute Musik, gleich welchen Charakters, und den Ärger über schlechte.[22]

In seinen Kritiken spricht Hanslick relativ häufig von der Wirkung der Musik auf das Gefühl. Er bleibt dabei nicht immer innerhalb der selbstgesteckten Grenzen für das rein ästhetische Hören. In einer Besprechung von Brahms' Deutschem Requiem 1875 schließt er an die oben zitierte Freude am Schönen an, weitet sein Urteil aber aus: „Der Glücklichste, der nie einen Verlust erfahren, wird das 'Deutsche Requiem' mit jener inneren Seligkeit genießen, welche nur die Schönheit gewährt. Wer hingegen ein teueres Wesen betrauert, der vermesse sich nicht, bei den überwältigend rührenden Klängen der Sopran-Arie trockenen Auges zu bleiben. Aber er wird erfahren, wie verklärend und stärkend der reinste Trost aus dieser Musik fließt."[23] In das ästhetische Verhältnis der reinen Anschauung wird sich demnach nur der zu dieser Musik stellen können, der noch von keinem Trauerfall betroffen worden ist, d.h. inneren Gleichmut bewahren kann. Dies bestätigt Hanslicks Ausführungen über die besonders intensive Gefühlserregung bei Menschen, die schon von sich aus in einem Zustand ungewöhnlicher Erregung sind, wie er sie im vierten Kapitel seiner ästhetischen Schrift im Zusammenhang mit der medizinischen Anwendung von Musik gemacht hat. Neu ist an dieser Kritik, daß Hanslick zugeben muß: es gibt Musikwerke, deren starker Gefühlswirkung sich auch viele von denen nicht entziehen können, die an sich ästhetisch hören wollen, eben weil eine allgemeine menschliche Erlebnissituation unmittelbar angesprochen wird, die den meisten Menschen aus eigener Erfahrung bekannt ist. Zwar handelt es sich hier um textgebundene Musik, aber es ist doch die Musik allein, die die beschriebene Wirkung hervorruft.

Die Musik muß dazu allerdings relativ neu sein. Ein Bericht von 1873 über ein Konzert, in dem nach Bachs Kantate „Christ lag in Todesbanden" zwei Brahms-Chorlieder aufgeführt wurden, schildert die ernste Andacht des Publikums bei der Kantate und die ganz andere Aufnahme der Chorlieder: „Da war alles mit dem Herzen dabei und entzückt von dem traurigen Lied ('In stiller Nacht') wie von dem fröhlichen ('Der schönste Bursch am ganzen Rhein'). Wer möchte so unmittelbare, wohltuende Wirkung verargen? Unter den Hunderten von Zuhörern ist ja kaum einer, der nicht irgend eine weltliche Trauer oder Freude im Gemüte trägt, mitklingende Saiten, die sofort bei diesen schlichten, innigen Melodien vibrieren. Aber sehr klein ist bereits die Zahl von Konzertbesuchern, die für das 'in heißer Lieb' gebratene Opferlamm' empfinden, was seinerzeit Bach dafür empfand. Luthers Kantate mit Bachs Musik bleibt ein unvergängliches Denkmal einer längst abgeblühten, großen geistlichen Kunst ..."[24]

Alte Musik wird ehrfürchtig und andächtig bestaunt[25], bei neuen Kompositionen ist das Herz dabei. Es ist bemerkenswert, das Hanslick das Urteil über Bachs Musik hier mit einem Textzitat umschreibt, während er bei Brahms die „schlichten, innigen Melodien" hervorhebt. Beides ist textgebundene Musik, aber sie wird nach verschiedenen Kategorien beurteilt. Man muß allerdings hinzufügen, daß Hanslick die Komposition Bachs zuvor recht ausführlich besprochen hat, und zwar in formaler Hinsicht. Er bewunderte die reiche Kontrapunktik, die unerschöpfliche Variationskunst, die „Riesenarbeit in verhältnismäßig engem Rahmen". Daraus könnte man schließen, daß er der Kantate mit „reiner Anschauung" zugehört hat, daß sie ihm „geistigen Genuß" verschafft haben müßte. Dennoch fällt sein Urteil gemäßigt und distanziert aus. Die Brahmsschen Melodien, die übrigens Volksliederbearbeitungen sind, also schöpferische Arbeit des Komponisten nur in eingeengtem Rahmen darstellen, haben dagegen „wohltuende Wirkung". Was ihnen dazu verhilft, sind eindeutig Gefühlsqualitäten.[26] In das ästhetische Urteil werden hier Gefühlsfaktoren mit einbezogen, und zwar ausschlaggebend.[27]

Hanslick widerspricht sich damit aber nicht fundamental, denn in „Vom Musikalisch-Schönen" meinte er immer die reine Instrumentalmusik; daß für

Vokalmusik andere Gesetze gelten können, räumte er dort mehrmals ein. Dennoch muß festgehalten werden, daß er die Wirkung auf das Gefühl in den bisher wiedergegebenen Kritiken der Musik zuerkennt, daß er sie nicht vom Text ableitet.

Einige Auszüge aus Besprechungen von reiner Instrumentalmusik sollen folgen, um zu prüfen, wie Hanslick sich auf diesem Gebiet zu seinen ästhetischen Grundsätzen verhält. Merkwürdigerweise finden sich auch hier die auffallendsten Äußerungen gerade bei Werken von Johannes Brahms, dem Komponisten, den er von den zeitgenössischen am meisten schätzte. Das Thema einer Komposition hatte Hanslick 1854 für das Entscheidende erklärt, ja an einer schon erwähnten Stelle sogar deren Inhalt genannt. Zum ersten Satz der Klarinettensonate Es-Dur von Brahms schreibt er vierzig Jahre später: „Ein Thema, wie vom Himmel gefallen, oder richtiger, aus schönster Jugendzeit herüberduftend, voll süßer Schwärmerei und drängendem Liebesglück."[28] Nach seiner eigenen Bestimmung eines streng ästhetischen Urteils, nach der man allenfalls sagen kann, ein Musikstück *klinge* stolz oder trübe, aber nicht mehr[29], hätte Hanslick nur schreiben dürfen: Ein süß, drängend und glücklich klingendes Thema, dessen musikalische Qualitäten an bestimmten Merkmalen zu benennen sind. Metaphern („wie vom Himmel gefallen") hatte er 1854 erlaubt, aber die Formulierung „voll süßer Schwärmerei und drängendem Liebesglück" bezeichnet einen Gefühlsausdruck. Wenn ein Thema, das „voll" von direkt benannten Gefühlen ist, aber als Inhalt der Komposition definiert wird, dann enthält das ganze Stück Gefühle, und zwar nicht in Hanslicks Sinn der immanenten, spezifischen Gefühle. Hier ist vielmehr die „Gefühlsästhetik" ziemlich nah.

Daß Hanslick Brahms geschätzt hat, ist allgemein bekannt, allerdings nach verbreiteter Meinung vorwiegend wegen der formalen Qualitäten von Brahms' Musik. Folgende Beschreibung der Cellosonate op. 108 scheint auf den ersten Blick zu dieser communis opinio gar nicht zu passen: „In der Violoncellosonate ... herrscht die Leidenschaft, feurig bis zur Heftigkeit, bald trotzig herausfordernd, bald schmerzlich klagend. Wie kühn setzt gleich das erste Allegrothema ein, wie stürmisch flutet das Scherzo! Allerdings besänftigt sich die Leidenschaft im Adagio zu sanfter Trauer und klingt versöhnt aus im Finale. Aber der Pulsschlag der früheren Sätze zittert doch nach, und das Pathos bleibt der entscheidende psychologische Grundzug des ganzen Tonstücks."[30]

Die „Leidenschaft", das „Pathos" der Sonate hebt Hanslick lobend hervor. Im Anschluß an das erste Kapitel seiner ästhetischen Schrift hatte er als Beleg für die tatsächliche Existenz der von ihm bekämpften Anschauung unter anderem einen Satz von Heinse zitiert: „Der Haupt- und Endzweck der Musik ist die Nachahmung oder vielmehr Erregung der Leidenschaften."[31] Das Wort „Leidenschaften" hat Hanslick durch Sperrdruck hervorgehoben und damit in den Gefühlsbereich mit einbezogen. In der Brahms-Kritik hat Leidenschaft aber einen anderen Sinn, hier ist der Bewegungshabitus gemeint, wie aus dem Zusatz „feurig bis zur Heftigkeit", vor allem aber aus dem zweiten Satz des Zitats („Wie kühn setzt gleich ... ein, wie stürmisch flutet ...") erhellt. Wenn er aber von „schmerzlich klagend" und „sanfter Trauer" spricht, gerät er doch in den

Bereich der Gefühlsinterpretation hinein. Das sind allerdings nur kleine Abweichungen vom Haupttenor der Beschreibung, der auf den Bewegungshabitus abhebt. Somit kann man in diesem Zitat keinen Beleg für eine gefühlsbetonte Beurteilung von Musik finden; es ist aber auch keine rein ästhetische, denn dann hätte Hanslick nicht vom „psychologischen Grundzug" sprechen können. Daß er das tut, ist außergewöhnlich, auch in den Kritiken. Er stellt damit seine Beurteilung ausdrücklich in einen außerästhetischen Rahmen. Daß ihn das Wort „Pathos" als psychologischer Begriff dazu veranlasst haben könnte, ist kaum anzunehmen, denn er benutzt es oft, und zwar in objektiv-ästhetischer Bedeutung.[32]

Nach dem ersten Hören eines noch ungedruckten Streichquintetts von Brahms, des später als Opus 111 erschienenen in G-Dur, schrieb Hanslick 1890 über den Komponisten: „Immer mehr scheint sich Brahms zu konzentrieren; immer bewußter findet er seine Stärke im Ausdruck gesunder, verhältnismäßig einfacher Gefühle."[33] An früheren Werken, beispielsweise an der ersten Symphonie, hatte Hanslick bei aller Anerkennung der kompositorischen Qualität eine zu starke Kompliziertheit der Rhythmen und der Harmonik kritisiert. Daß er nun das „verhältnismäßig einfache" hervorhebt, muß vor diesem Hintergrund gesehen werden, ebenso die Wahl des Wortes „konzentrieren". Doch das Wesentliche an diesem Zitat ist die lobende Anerkennung, daß Brahms Gefühle ausdrückt. Aus den bisher angeführten Stellen konnte nur mehr oder weniger eindeutig geschlossen werden, daß Hanslick tatsächlich Ausdruck von Gefühlen meinte, hier wird es wörtlich ausgesprochen. Daß Musik dazu dienen könne oder solle, Gefühle auszudrücken, hatte Hanslick in seiner Prinzipienschrift abgestritten; hier hebt er lobend hervor, daß Brahms sich auf seine Stärke, den Ausdruck von Gefühlen, „konzentriere" – eine Sinnesänderung von Grund auf. Selbstverständlich dürfen die Adjektive „gesund" und „verhältnismäßig einfach" als Kennzeichnung der ausgedrückten Gefühle nicht übergangen werden, doch hierin steckt auch ein Seitenhieb gegen die sentimentale Gefühligkeit vieler Zeitgenossen von Brahms, gegen die Hanslick unvermindert ankämpfte.

Zwischen der Formulierung des ästhetischen Prinzips und dieser Äußerung liegen 36 Jahre, in denen der Stand der Komposition und die Kriterien zu ihrer Beurteilung sich geändert haben. Daß subjektiver Gefühlsausdruck des Komponisten für Hanslick aber auch schon viel früher als mögliches Qualitätsmerkmal fungierte, zeigen die folgenden Sätze aus einer Besprechung von Berlioz' Ouvertüre „Carneval romain" von 1855: „Die Ouverture ist in ihrer effektreichen Illustration südlichen Maskenjubels äußerlich vielleicht das glänzendste, im innersten Kern aber das kühlste Werk Berlioz. Wenn er in seinen 'Romeo', ‚Harald' ‚Lear', in der ‚Fantastique' u.a. die tiefsten und schmerzlichsten Regungen des Herzens in Tönen ausblutet, so erholt er sich gleichsam von diesen Sturmnächten der Seele in dem blendenden Bengalfeuer seines ‚römischen Carnevals'. Die Komposition bietet neben mancher bizarren und betäubenden Stelle viel Schönes, namentlich für den Musiker."[34] Es folgt dann eine Beschreibung dieser Schönheiten, die sich aber nur auf rein musikalische Einzelheiten bezieht.

In musikalischer Hinsicht also bietet die Ouvertüre viele Schönheiten. Dem ästhetisch Hörenden dürfte nur das maßgeblich sein. Dennoch vergleicht Hanslick das Stück mit einem „Bengalfeuer", nennt es das kühlste Werk des Komponisten, und zwar das „im innersten Kern" kühlste. Den Kern einer Komposition stellt nach „Vom Musikalisch-Schönen", das nur ein Jahr vorher erschienen ist, allein die musikalische Substanz, die Themen und ihre Verarbeitung, dar. Nun darf man hier nicht der stilistisch bedingten Gegenüberstellung von innerstem Kern und dem äußerlichen Klangeindruck folgen und die musikalische Substanz mit dem äußerlichen gleichsetzen, womit Hanslick auch erkennbar die „bizarren und betäubenden" Stellen meinte. Dennoch vermißt er aber an der Ouvertüre, was Berlioz in den genannten anderen Kompositionen „ausgeblutet" hat, nämlich die „tiefsten und schmerzlichsten Regungen des Herzens", die „Sturmnächte der Seele". Zu dieser Zeit hat er Berlioz noch enthusiastisch verehrt, in späterer Zeit äußerte er sich immer kühler über dieselben Werke, aber allein die Wahl dieser Worte zeigt eine Diskrepanz zu den streng auf die kompositorische Qualität verweisenden Sätzen von 1854, die staunen läßt.

In der achten Auflage seiner Prinzipienschrift fügte Hanslick eine Anmerkung ein, in der er zugibt, „in Kritiken von Vokalmusik ... der Kürze und Bequemlichkeit halber häufig die Worte ‚Ausdrücken', ‚Schildern', ‚Darstellen', von den Tönen ... arglos gebraucht" zu haben. Er fährt fort: „Man darf sie wohl gebrauchen, wenn man sich ihrer Uneigentlichkeit streng bewußt bleibt."[35] In der Berlioz-Kritik geht es nicht um Vokalmusik, auch Wörter wie „Ausdrücken" werden nicht benutzt, sondern das viel emphatischere „Ausbluten", und vor allem geschieht es nicht im Bewußtsein der „Uneigentlichkeit". Vielmehr verschafft gerade die Tatsache des intensivsten und ungehemmtesten Gefühlsausdrucks den genannten Kompositionen ihren größeren Wert „im innersten Kern" vor der Ouvertüre „Carneval romain". In den gesamten Kritiken ist diese enthusiastische Beurteilung von den Werken eines Komponisten zwar eine Ausnahmeerscheinung, doch die Tatsache, daß er ein Jahr nach einer strikten Ablehnung jeglicher Gefühlsdarstellung in der Musik die zitierten Sätze veröffentlicht hat, gibt diesen beträchtliches Gewicht.

Wenn Hanslick in seinen Kritiken, wie es häufiger geschieht, im „uneigentlichen" Sinn von Gefühlen und ihrem Ausdruck spricht, dann tut er das ungefähr so wie 1863 in einer Besprechung des Schubertschen g-moll-Quartetts, die er zusammenfaßt: „Zu tieferem Ernst faßt sich die Musik nirgends zusammen, kein Zweifel, kein Schmerz, keine Sehnsucht wird laut, es geht alles in Einer unbarmherzigen Heiterkeit fort."[36] Hier ist der Mangel an Gegensätzen im Bewegungsablauf, das einseitige Vorherrschen der heiteren Stimmung gemeint, Zweifel, Schmerz und Sehnsucht sind als Metaphern eingesetzt.

Mit gleichbleibender Schärfe griff Hanslick immer wieder die oberflächliche Darstellung von Gefühlsstereotypen an, gegen die er sich auch 1854 schon grundsätzlich ausgesprochen hatte. Die Oper „Andreasfest" des Komponisten Graumann, der eine besondere Vorliebe für die Harfe gehabt zu haben scheint, veranlasste ihn zu dem Ausruf: „O diese Harfe, diese ewige Harfe! Wie ist die jüngste Errungenschaft des modernen Orchesters bereits zur Plage geworden!... Es wird von Sehnsucht gesprochen – Harfe; von Vaterlandsliebe – Harfe; Jemand betet – natürlich Harfe und so fort."[37] Geht es in diesem Zitat vor allem um die Abnutzung eines bestimmten Instrumentaleffekts, so setzt das folgende Beispiel mehrere Details der Instrumentation in Verbindung zu möglicherweise dargestellten Gefühlsklischees. Gemeint ist der langsame Satz „Angelus" aus Jules Massenets Orchester-Suite „Scènes pittoresques": „Vier Hörner in C unisono machen das schwere Glockengeläute, dazu liefern die Flöten und Oboen in unermüdlichen Terzen- und Sextengängen die frommen Gefühle der Pilger. Die Szene verhallt pianissimo über einem gedämpften Andachtsschauer der Geigen."[38] Der Sarkasmus der Sprache ist unverkennbar. Hanslick zeigt sich verärgert über die gar zu durchsichtige Effektsuche des Komponisten, der mit bewährten Mitteln beim Publikum beliebte Gefühlswirkungen hervorzurufen versucht. Aus den „unermüdlichen Terzen- und Sextengängen" der Flöten und Oboen läßt sich entnehmen, was Hanslick vermisste: musikalische Einfälle und deren geistvolle Verarbeitung.

Die aber kann nicht das Gefühl des Komponisten, sondern einzig seine schöpferische Phantasie und seine Begabung produzieren. An der Frage, warum es so wenig komponierende Frauen gibt, läßt sich die Konstanz dieser Grundauffassung Hanslicks nachweisen. Hanslick hat sie an zwei Stellen beantwortet: in der Prinzipienschrift ist sie Bestandteil seiner Argumentation gegen das Gefühl als entscheidende Kraft beim Komponieren[39]; die Sammlung von Konzertkritiken „Concerte, Componisten und Virtuosen der letzten fünfzehn Jahre" wird abgeschlossen mit einem Bericht über Kompositionen von Fräulein Louise Adolphe Le Beau. Dies gibt Hanslick Gelegenheit, noch einmal grundsätzlich zu dieser Frage Stellung zu nehmen: „Alle Erklärungsversuche haben wenigstens das eine sichergestellt, daß das unmittelbare Gefühl, welches angeblich den Inhalt der Musik und ganz gewiß den wesentlichsten Inhalt, die Urkraft der weiblichen Seele bildet, nicht dazu hilft, irgend etwas Musikalisches zu schaffen. Selbst die Schwierigkeit und Trockenheit der musikalischen Kompositions-Lehre, zu der sich Frauen so schwer entschließen, scheint mir kein entscheidender Erklärungsgrund zu sein; denn in allem, was sich erlernen, durch Fleiß und Liebe erwerben läßt, stehen die Frauen nicht zurück, ja nur zu oft als Beispiel voran. Es fehlt nach den bisherigen Erfahrungen, meines Dafürhaltens, den Frauen geradezu an der schöpferischen Phantasie, an der musikalischen Erfindungskraft, also an der angeborenen Mitgift und Grundbedingung jedes selbständigen musikalischen Schaffens."[40]

Musik und Gefühl stehen für Hanslick – das haben die hier wiedergegebenen Zitate erwiesen – in einem mannigfach gegliederten Verhältnis. Er hat es schon in seiner Prinzipienschrift aufgefächert in drei Teile: die gefühlserregende Wirkung von Musik, die er voll zugibt, aber nicht als Thema der Ästhetik anerkennt; die Darstellung von Gefühlen, entweder bestimmt oder unbestimmt, die er ablehnt; und schließlich die Möglichkeit, daß Musik immanent Gefühle in sich birgt, sie aber nicht als Gefühle ausdrückt. Diese Eigenschaft der Musik ist konstitutiver Bestandteil seiner ästhetischen Idee.

Das erste der drei Teilprobleme erfährt noch eine Differenzierung: Musik kann auch bei dem ästhetisch Hörenden Gefühle erregen, aber nur das eine der geistigen Befriedigung und bewußten Freude am Genuß eines auf seine musikalischen Bestandteile hin gehörten Kunstwerks. Konkret zu benennende Gefühle wie Trauer, Schmerz, Andacht, kann die Musik selbst nicht bewirken.

Dies gilt für die Musikästhetik. In den Kritiken offenbart sich, daß Hanslicks am täglichen Musikleben orientierte Musikanschauung sich nicht mit seinen ästhetischen Ideen deckt, daß sie vielmehr weit darüber hinausgeht. Was er aus der Ästhetik ausgegrenzt hatte, nämlich die Wirkung der Musik auf die Gefühle der Hörer, stellt in seinen Kritiken oft ein ausschlaggebendes Kriterium dar. Hier ist die Gefühlskomponente in Einzelfällen wichtiger als die kompositorische Leistung (Bach-Brahms-Kritik), wenngleich sie nicht abgesondert von der musikalischen Qualität beurteilt wird.

Daß die Gefühlserregung einzig und allein dem Interpreten zu verdanken sei, wie in der Grundsatzschrift behauptet, findet sich in den Kritiken nicht bestätigt.

Musik ist gefühlvoll, ohne Gefühle zu äußern – diese These wird in ihrem zweiten Teil de facto widerrufen. In den Kritiken wird der Musik wiederholt zugestanden, daß sich Gefühle des Komponisten in ihr ausdrücken, doch wird der Ausdruck – Ausnahme: Berlioz – nicht verselbständigt, er bleibt Bestandteil der Musik.

Gefühlsqualitäten werden in den Kritiken nicht selten „im uneigentlichen Sinne" genannt, d.h. als analoge Charakterisierungsmittel für Stimmungs- und Bewegungsverläufe. Ihre vergleichende Funktion wird allerdings nicht grammatisch kenntlich gemacht, sie ist nur aus dem Kontext erkennbar.

Die Darstellung irgend welcher vom Komponisten erdachter, aber nicht selbst erlebter Gefühlsvorgänge im Sinne eines verschwiegenen Programms bleibt auch in den Kritiken abgelehnt, weil sie auf Kosten der musikalischen Substanz geht.

Anmerkungen:

[1] VMSch/9.
[2] VMSch/13.
[3] VMSch/24. Vischer hat Hanslick hierzu geantwortet: „Allein was in gewisser Vergleichung unbestimmt ist, kann in anderer ganz bestimmt sein und wir werden im Folgenden uns mit derjenigen Bestimmtheit beschäftigen, welche dem Gefühl in all seiner beziehungsweisen Unbestimmtheit allerdings eigen ist; Hanslick selbst deutet sie mit demjenigen an, was er treffend die reine Dynamik, die Bewegungsverhältnisse des Gefühls nennt. Dieses dynamische Gefühlsleben muß nun aber ein wirkliches Dasein haben auch abgesehen von der Musik, wiewohl wir es fast nur durch Rückschlüsse aus dieser erraten, und so ist es der Inhalt der Musik." Ästhetik V, § 749, S. 19.
Hanslicks These, die Musik könne als Kunst der Bewegung nur das Dynamische der Gefühle darstellen, drehte Vischer um: „. . . weil alles Musikalische dynamisch ist, so ist die Musik recht eigentlich die Kunst des Gefühls, denn das Gefühl setzt jeden Inhalt in eine Dynamik von Reizungsverhältnissen um." Über das Verhältnis von Inhalt und Form . . ., 1858, S. 10.

[4] Man denke nur an die bedeutenden Darstellungen unbestimmter Gefühle in der Literatur, z.B. Büchners „Woyzeck". Freilich argumentiert Hanslick allein für die Musik als Kunst sui generis. An dieser Stelle hat Paul Moos seinen Widerspruch gegen Hanslick angesetzt: er behauptet, unbestimmte Gefühle existierten, a) als Gefühle ohne bestimmtes Ziel oder Objekt, b) als Mischung verschiedener Gefühle, die sich verbal nicht fassen lasse. Philosophie der Musik . . ., Berlin 1922, S. 223.

[5] VMSch/20.

[6] vgl. VMSch/36.

[7] VMSch/36.

[8] VMSch/13: „Die Darstellung eines Gefühles oder Affektes liegt gar nicht in dem eigenen Vermögen der Tonkunst."

[9] VMSch/52.

[10] VMSch/53.

[11] VMSch/54.

[12] VMSch/55.

[13] VMSch/57. Der „philosophische Begriff" kann hier nur der wissenschaftlich-ästhetische in Hanslicks Sinn sein.

[14] VMSch/2.

[15] VMSch/57. Hostinský zitiert diesen Satz auch und weist nach, daß er im Widerspruch zu Hanslicks Theorie vom „Musikalisch-Schönen" stehe, wenn dieses sich nicht nur in den melodischen Linien, sondern auch in den detaillierten Verhältnissen der Dynamik, Agogik und Klangfärbung äußere, was man nach Hanslicks früheren Ausführungen annehmen müsse, dann könne das „Musikalisch-Schöne" sich erst im Reproduktionsakt voll realisieren, denn vieles dieser Feinheiten sei mit der Notenschrift gar nicht fixierbar. Das Musikalisch-Schöne und das Gesamtkunstwerk ..., Leipzig 1877, S. 66 f.

[16] CCV/325.

[17] CCV/231.

[18] VMSch/70.

[19] VMSch/72.

[20] „Ohne geistige Tätigkeit gibt es überhaupt keinen ästhetischen Genuß." VMSch/78.

[21] VMSch/80.

[22] Sein Urteil über Verdi hat Hanslick später revidiert. Anläßlich der Uraufführung des Falstaff besuchte H. Verdi in dessen Hotel in Rom. „Die schlichte Herzlichkeit, mit welcher Verdi – hier so gut wie unnahbar für jeden Fremden – mich empfing und begrüßte, hat mich, der ich so manche Jugendsünde gegen ihn auf dem Gewissen habe, tief bewegt." Folgt eingehende Besprechung des Falstaff. AML II/283–289.

[23] CCV/135 f.

[24] CCV/86 f.

[25] Für noch ältere Musik hat Hanslick häufig weder Ehrfurcht noch Andacht aufgebracht. vgl. das Kapitel über sein Verhältnis zur Musikgeschichte.

[26] Es ist keine Einzelerscheinung, daß Hanslick hier von „empfinden" spricht, wo er nach seiner eigenen Unterscheidung „fühlen" sagen müßte. In den Kritiken findet sich „empfinden" beinahe häufiger.

[27] vgl. auch die Besprechung von Schumanns Manfred-Musik, die „sanft das Herz zusammenpreßt und die Tränen ins Auge drängt". CCV/114.

[28] M.O. VII/313.

[29] vgl. VMSch/55.

[30] M.O. V/149 f. Eine ganz ähnliche Beschreibung der Violinsonate d-moll folgt auf den Seiten 151 ff.

[31] Heinse, Musikalische Dialoge, 1805, S. 30; bei Hanslick zitiert in VMSch/10.

[32] z.B. in einer Kritik von Beethovens früher Trauerkantate, in der er schon Beethovens „schönes, edles Pathos" erkennt. Suite/156.

[33] M.O. VI/316.

[34] GCW II/82.

[35] 8. Auflage, S. 57 f. Anm.

[36] GCW II/297.
[37] M.O. IV/54.
[38] M.O. VI/207.
[39] VMSch/53 f.
[40] CCV/446 f.

3. *„Das Schöne" als Wesenszug der Musik*

„Das selbständige Schöne", „musikalische Schönheit", die „ureigene Schönheitskraft" der Musik stellt Hanslick immer wieder in den Mittelpunkt seines ästhetischen Denkens und entgegnet damit der Auffassung, daß Gefühle des Komponisten, des Hörers oder auch vorgestellter Personen den Inhalt der Musik bilden. Das Schöne ist ihm Zentralbegriff; das zeigt schon der Titel seiner Schrift. Doch heißt dieser nicht „Vom Schönen in der Musik", sondern „Vom Musikalisch-Schönen". In dieser Zusammenziehung kommt zum Ausdruck, was schon früher erwähnt wurde, daß nämlich die Betonung auf dem Wort „Musikalisch" liegt. Das Schöne der Musik ausschließlich in ihr selbst zu suchen, von allen Erklärungen „von Außen" abzusehen, ist ja denn auch das wichtigste Ziel der von ihm geforderten neuen Ästhetik.

Was aber ist das Schöne, wie ist es definiert? Einen ersten Anhaltspunkt bietet dafür die folgende Stelle, die im Zusammenhang mit der Frage nach dem Inhalt der Kunst steht: „Das einzelne Kunstwerk verkörpert ... eine bestimmte Idee als Schönes in sinnlicher Erscheinung. Diese bestimmte Idee, die sie verkörpernde Form, und die Einheit beider sind Bedingungen des Schönheitsbegriffs ..."[1] Für das Schöne sind also wesentlich: die sinnliche Erscheinung und die darin verkörperte bestimmte Idee. Die drei genannten Bedingungen: Idee, Form und Einheit beider rücken den Schönheitsbegriff in direkte Nähe zum Hanslickschen Begriff von der Musik überhaupt, der von denselben Faktoren bedingt wird.[2] Nach dieser Definition ist ein schönes Werk im Grunde identisch mit dem Musikwerk, es werden keine unterschiedlichen Wertungskriterien genannt. Gibt es für Hanslick Qualitätsmerkmale eines dieser drei Faktoren, die ein Werk zusätzlich als schön qualifizieren können? Oder fällt beides in jedem Fall zusammen?

„Das Ideelle in der Musik ist ein tonliches; nicht etwas begriffliches, welches erst in Töne zu übersetzen wäre."[3] Damit stellt Hanslick die eine Bedingung des Schönheitsbegriffs, die Idee, klar als etwas von Anfang an aus Tönen Bestehendes. „Wir anerkennen keine Schönheit ohne Geist"[4] setzt den Geist als die formende und Einheit stiftende Kraft in unauflösliche Beziehung zur Schönheit. Der Geist also bringt durch die Phantasie das Schöne als etwas von Anfang an in Tönen Existierendes und in Tönen Geformtes hervor. Er kann aber nicht ein ganzes Kunstwerk gleichsam in einem Zug kreieren; das hier gemeinte Schöne kann also nur ein Motiv oder ein Thema sein. In diesem Sinn wird es auch noch etwas ausführlicher erläutert: „Das Schöne eines selbständigen einfachen Themas kündigt sich in dem ästhetischen Gefühl mit jener Unmittelbarkeit an, welche keine andere Erklärung duldet, als höchstens die innere Zweckmäßigkeit der Erscheinung, die Harmonie ihrer Teile, ohne Beziehung auf ein außerhalb existierendes Drittes. Es gefällt uns an sich ..."[5]

Mit dem in seiner Begriffssprache an sich paradoxen, jedenfalls unvereinbaren „ästhetischen Gefühl"[6] meint Hanslick – das geht aus dem Zusammenhang hervor – die Phantasie als ästhetisches Organ, und zwar offenbar sowohl des Komponisten wie auch des Hörers. Weitere wesentliche Merkmale des Schönen werden hier genannt: Selbständigkeit, Einfachheit, Unmittelbarkeit, innere Zweckmäßigkeit im Sinne von harmonischer Zusammensetzung und Beziehungslosigkeit nach außen, Gefallen an sich selbst. Vor allem aber wird das Schöne am Thema wahrgenommen.

Das Thema aber kann die genannten Merkmale eigentlich nur besitzen, wenn es die Eigenschaft aufweist, die Hanslick zuoberst stellte: wenn es melodiös[7] ist. Die Melodie nennt er die „Grundgestalt musikalischer Schönheit"[8], und zwar scheint er damit eine regelmäßig gegliederte („Harmonie ihrer Teile", „selbständig") und einprägsame („einfach", „gefällt uns an sich", „Unmittelbarkeit") zu meinen. Ein unmelodiöses Thema dagegen gefällt nicht an sich, sondern bezieht seine Qualität allenfalls aus der Tauglichkeit zur Verarbeitung.

Einige zusätzliche Erläuterungen Hanslicks vertiefen den bisher dargestellten Schönheitsbegriff, teilweise modifizieren sie ihn auch. Es ist nicht allein die einstimmige, unbegleitete Melodie, die für ihn die Bedingung musikalischer Schönheit darstellt, sondern die komplexere Gestalt von Melodie, Harmonie und Rhythmus. Das Verhältnis der drei Komponenten kann sehr unterschiedlich ausfallen, ohne daß die Schönheit davon beeinträchtigt würde. Die „geistige Schönheit"[9] beruht auf dem jeweils verschiedenen, harmonischen Verhältnis der Komponenten. Der Geistesanteil ist jedoch nicht nachprüfbar, sondern spontan: „Die Kamelie kommt duftlos zutage, die Lilie farblos, die Rose prangt für beide Sinne – das läßt sich nicht übertragen, und ist doch jede von ihnen schön!"[10] Schönheit wird unmittelbar wahrgenommen, sie „gefällt an sich". Mit diesem Bild wird jedoch indirekt die Dominanz der Melodie betont, die – wie bei den Blumen der optische Sinneseindruck – in jedem Fall vorhanden ist, während Harmonie und Rhythmus nach Maßgabe der Melodie stärker oder schwächer ausgebildet sind.

Die abstrakte Darstellung des Schöpfungsvorgangs, bei dem das Schöne in einem einzigen Akt gleich vollständig empordringt, erfährt eine Modifikation, als Hanslick konkret den Schaffensakt schildert, um damit „den sichersten Einblick in das Eigentümliche des musikalischen Schönheitsprinzips" zu geben: „Diese schaffende Tätigkeit ist eine durchaus analytische. Eine musikalische Idee entspringt primitiv in des Tondichters Phantasie, er spinnt sie weiter – es schießen immer mehr und mehr Krystalle an, bis unmerklich die Gestalt des ganzen Gebildes in ihren Hauptformen vor ihm steht, und nur die künstlerische Ausführung prüfend, messend, abändernd hinzuzutreten hat."[11] Den ersten Satz dieses Zitats hat Hanslick in den späteren Auflagen gestrichen. Er charakterisiert Hanslicks Vorstellung recht deutlich: zwar ist der musikalische Einfall zunächst noch primitiv, aber alle Änderungen, Zusätze und Verzierungen wurden aus ihm entwickelt, sie treten nicht von außen hinzu, sondern waren schon in ihm enthalten.[12]

Nach der Streichung des ersten Satzes ändert sich das Verständnis der ganzen Stelle: jetzt wird nirgends mehr kenntlich gemacht, daß die Idee gleichsam sich selbst vervollständigt, sondern nun erscheint es so, daß der Komponist additiv immer neue Veränderungen anbringt, bis aus dem „primitiven" ersten Einfall das fertige, mit dem ersten Stadium möglicherweise nur noch entfernt verwandte Thema geworden ist. Daß diese Darstellung an Beethoven orientiert ist, liegt auf der Hand.

Offenbar schien Hanslick die Deutung der Schaffenstätigkeit als einer analytischen später, als er historische Studien getrieben hatte, der historischen Vielfalt nicht zu entsprechen. Seinem eigenen abstrakten Gedanken von der ursprünglichen Vollständigkeit der musikalischen Idee entsprach sie allerdings besser.

Es sei noch darauf hingewiesen, daß er die künstlerische Ausführung, das Ausarbeiten, dem er an anderer Stelle den Hauptanteil am Schaffensvorgang eingeräumt hatte (vgl. S. 55), hier so darstellt, als sei es erst die letzte Station in der Entstehung des Werkes und nicht mehr zum eigentlich Schöpferischen zu rechnen.

Das Musikalisch-Schöne ist nicht an eine bestimmte Epoche gebunden; es läßt sich sowohl an Bachs wie an Mozarts, Beethovens oder Schumanns Musik genießen.[13] Allerdings spricht Hanslick – wie überhaupt in seinem Buch, so auch hier – nicht von der Musik vor Bach. Daraufhin könnte man vermuten, daß er mit der Feststellung: „Man kann von einer Menge Kompositionen, die hoch über dem Alltagstand ihrer Zeit stehen, ohne Unrichtigkeit sagen, daß sie einmal schön waren"[14] die Musik Palästrinas, Schütz', Lassos meint. Das scheint aber nicht zuzutreffen, denn er spricht im Kontext davon, daß sich viele kompositorischen Techniken wie Kadenzen, Modulationen innerhalb von dreißig oder fünfzig Jahren „abnützen", so daß die Komponisten zu neuen Erfindungen gezwungen seien. Dies sind Bedingungen des Stilwandels, und der Schönheitsbegriff wäre damit doch historisch gebunden, und das sogar in sehr eng gezogenen Grenzen: der Stil der Mozartzeit wäre danach „einmal schön gewesen".

Was das Musikalisch-Schöne ist, wird also in der Schrift, die davon handelt, nicht in jeder Hinsicht klar. Die Tatsache, daß die hier behandelten wenigen Stellen sämtliche Ausführungen über das Schöne darstellen, in denen dies nicht nur genannt, sondern beschrieben, gekennzeichnet oder definiert wird, verdeutlicht im Vergleich zu der Vielzahl der Äußerungen über das Gefühl, daß Hanslick mit seiner Schrift das Ziel verfolgte, das Schöne allein in der Musik zu lokalisieren, das Schöne selbst im Sinne einer systematischen Ästhetik aber nicht behandelte.

Dazu würde auch gehören, daß das Häßliche als Gegenteil des Schönen, seine mögliche Funktion in einem Kunstwerk und die Frage seiner Berechtigung abgehandelt würden. Abgesehen von einem kurzen Seitenhieb auf Richard Wagner, dessen Kompositionen nach Bedeutung streben, „während sie in der Tat nichts bedeuten, als Unschönheit"[15], wird vom bewußt Unschönen in der Kunst aber gar nicht gesprochen.

Als Kritiker wurde Hanslick dagegen zu Stellungnahmen gezwungen. Seine Urteile fallen dann oft sehr streng aus, manchmal erscheinen sie dem heutigen Leser kaum verständlich. So traut man die folgenden Sätze über den Stoff von Verdis Rigoletto, der immerhin von Victor Hugo stammt, dem erfahrenen, weltoffenen und literarisch gebildeten Kritiker Hanslick kaum zu: „Von Stoffen dieser Art sollte die Musik ihre zum Schönen und Harmonischen drängende Natur reinhalten. Verdi'sche Musik vollends kann das moralisch und poetisch Widerwärtige nur noch abstoßender machen."[16] Ein Komponist soll also nur Stoffe zur Vertonung auswählen, die schöne und harmonische Musik erfordern, denn dazu drängt die Musik ihrer Natur nach. Daß das „moralisch und poetisch Widerwärtige" eines Stoffes künstlerische Bedeutung haben kann, erkennt Hanslick an anderen Stellen durchaus an, das wird nur hier nicht gesagt. Aber der Musik wird hier als Kunst die Möglichkeit abgesprochen, die Schattenseiten des Lebens auf der Ebene der Kunst darzustellen; für die großen dramatischen Gattungen wie das bürgerliche Trauerspiel Schillers oder Lessings fehlen der Musik die Entsprechungen[17], denn Musik soll eben nichts Abstoßendes darstellen.

Sein Urteil über Verdis Musik hat Hanslick zwar später geändert, aber Verdis Stoffwahl mißfiel ihm auch weiterhin. Das Sujet des Othello fand er „unsympathisch. Unter allen tragischen Leidenschaften ist die Eifersucht die am wenigstens ideale, am wenigsten musikalische ... Das Häßliche, das in der Musik doch nur als kontrastierendes Moment, als durchgehende Note Berechtigung findet, muß in einem solchen Stoff zu peinlicher Voherrschaft gelangen."[18] Immerhin erhält das Häßliche hier eine gewisse Berechtigung, wenn auch nur als Kontrastmittel, das man sparsam einsetzen muß. Daß die Natur der Musik zum Schönen, Harmonischen drängt (s. Rigoletto-Kritik), ist nur ein anderer Ausdruck für dasselbe ästhetische Prinzip. Leidenschaften meint Hanslick in mehr und weniger „musikalische", d.h. zur musikalischen Verarbeitung geeignete, einteilen zu können. Die Eifersucht findet er am wenigsten geeignet, weil sie keine Möglichkeit für schöne Musik biete. Nun könnte man aber nach seiner im Zusammenhang mit den Gefühlen entwickelten Theorie, daß es Analogien von Gefühlscharakteren und Bewegungarten in der Musik gebe, andererseits auch annehmen, daß das Rasende, Wilde und Unbeherrschte der Eifersucht sich ausgezeichnet in musikalischer Bewegung wiedergeben ließe.

Aber dies könnte nur mit unschönen Wendungen, abgerissenen Rhythmen und dissonanten Harmonien geschehen. In der Ablehnung des Unschönen in der Musik steht Hanslick auf dem Standpunkt, den hundert Jahre zuvor Mozart in seinem Brief über die „Entführung aus dem Serail" formuliert hatte: „... weil aber die Leidenschaften, heftig oder nicht, niemals bis zum Ekel ausgedrückt sein müssen, und die Musik, auch in der schaudervollsten Lage, das Ohr niemalen beleidigen, sondern doch dabei vergnügen muß, folglich allzeit Musik bleiben muß ..."[19] Die Darstellung des Häßlichen, Kranken, des Leids, die im 19. Jahrhundert mit Schuberts „Winterreise" einen bedeutenden Zweig der Komposition begründete, fand bei Hanslick kein Verständnis.

Liszts „Mephisto-Walzer" stellt sicherlich ein besonders ausgeprägtes Beispiel für diesen Kompostionszweig dar. Hanslick schrieb dazu: das Stück „beginnt gleich mit so teuflischen Dissonanzen, daß dem Hörer eine Schlangenhaut über den Rücken läuft und die Zähne wehtun. (Die Bässe spielen durch 24 Takte die leere Quinte $\genfrac{}{}{0pt}{}{h}{e}$, über welcher zuerst die Quinte $\genfrac{}{}{0pt}{}{cis}{fis}$, dann zusammen die beiden Quinten $\genfrac{}{}{0pt}{}{fis}{h}$ und $\genfrac{}{}{0pt}{}{a}{d}$ angeschlagen werden und schließlich in schneidendstem Sforzando wiederholt der gräßliche Quinten-Aufbau e h fis d a e sich erhebt!) Liszt stellt einfach die musikalischen Naturgesetze auf den Kopf, und unfähig, aus eigenen Mitteln Schönes zu schaffen, ersinnt er mit Absicht das Häßliche."[20] Es sind also die „gräßlichen" Dissonanzen und ihre ständige Wiederholung, die das Häßliche ausmachen. Der starke physiologische Einfluß auf den Hörer wird von Hanslick mit sehr bildkräftigen Ausdrücken beschrieben, er bestätigt seine These von der direkten Einwirkung der Musik auf das Nervensystem. Liszt verstößt in Hanslicks Sicht gegen die „musikalischen Naturgesetze" nicht nur, indem er die Regeln der Harmonielehre mißachtet, die es verbieten, leere Quinten zu kombinieren, die nicht verwandt sind, und die harmonische Progression vorschreiben, nicht aber Stillstand über 24 Takte. Naturgesetz ist es auch, daß Harmonie und Rhythmus nicht allein herrschen dürfen, sondern daß sie sich nach den Notwendigkeiten der Melodie auszurichten haben. Von Melodie spricht Hanslick in dieser Kritik gar nicht, ihr Fehlen ist mitverantwortlich dafür, daß der Mephisto-Walzer in die Kategorie „Häßlich" fällt.

Und häßliche Musik ist für Hanslick ein Widerspruch in sich. Das spricht er am deutlichsten aus in einer Kritik über die Oper „Mefistofele" von Boito, deren Titelpartie durch das Bemühen des Komponisten, den Teufel auch teuflisch singen zu lassen, d.h. entgegen allen menschlichen Schönheitsgesetzen, Hanslicks grundsätzlichen Widerspruch provoziert: „Die Musik kann nicht schlechtweg lügen und verneinen; das absolut Häßliche jedoch, wollte man sich dessen bedienen, ist in der Tonkunst zugleich ein absolut Widersinniges. Will der Komponist den Satan singen lassen, so muß er sich zu Konzessionen an das Menschliche, was hier das Musikalische ist, entschließen; er darf den Teufel nur an die Wand malen."[21] Häßliches kann nur als Relatives, d.h. als Kontrast zum Schönen, als „Durchgangsnote", in der Musik einen Sinn haben, das absolut Häßliche ist absolut widersinnig, denn die Musik hat den Sinn, schön zu sein. Dramatischer Notwendigkeit in der Oper darf sie sich nur beugen, solange sie selbst noch schön bleibt. Hanslick nennt zwei andere Teufelsgestalten der Oper, Gounods Mephisto und Meyerbeers Bertram, als positive Gegenbeispiele: „Beide sind vollkommene Teufel, aber sie sind wenigstens bessere Musiker und Sänger ..."[21] Denn sie sind „nur an die Wand gemalt", die ästhetische Distanz bleibt gewahrt. Der Komponist muß die Eigengesetze seiner eigenen Kunst, die auf das Schöne hinauslaufen, immer höher achten als die Erfordernisse der anderen, mitbeteiligten Künste.

Auf eine ganz knappe Formel bringt Hanslick seine Anschauung in einer Besprechung von Richard Strauss' „Don Juan", wo er auf die damals vieldiskutierte Frage, ob Strauss ein großes Talent besitze, antwortet: „Ein großes Talent für falsche Musik, für das musikalisch Häßliche."[22] Damit ist klar: häßliche Musik ist falsche Musik.

Falsche Musik hält sich nicht an die Gesetze, die Hanslick für zeitlos gültig hält. „Wann werden unsere Tondichter aufhören, für einen Zopf zu halten, was eine ewige Wahrheit, ein Urgesetz ist: daß die Melodie der oberste Wille sein muß in jedem Gesangsstück!"[23] schreibt er anläßlich eines Stückes von Stavenhagen, in dem die Instrumentation sehr geschickt gemacht ist, in dem für Hanslicks Empfinden aber nicht genügend Substanz für den farbigen Orchesterklang vorhanden ist. Er verlangt melodischen Reichtum ebenso auch von reinen Instrumentalkompositionen: ein Orchesterwerk von Mendelssohn beispielsweise läßt ihn die „eigentliche musikalische Kerngestalt, die melodische Erfindung"[24], vermissen.

Auch einige Qualifikationen der guten Melodie lassen sich zusammenstellen. Richard Wagner wirft Hanslick immer wieder Mangel an Melodie vor. Die Wagnerianer entgegneten ihm, es sei vielmehr in Wagners Gesangswerken alles Melodie. Hanslick: „Auch recht; das sagt mit anderen Worten nur dasselbe. Ein ‚unendliches' Melodisieren ist eben noch keine Melodie, so wenig als das Denken ein Gedanke, Bauen ein Gebäude, Malen ein Gemälde ist."[25] Das Moment des in sich Geschlossenen, Fertigen, erkennbar Geformten darf also nicht fehlen. „Selbständige, symmetrisch gegliederte Melodie"[26] nennt er es ganz trocken in einer Verdi-Kritik, in der er zuvor die Themen aus Othello denen aus Aida, Traviata, Maskenball gegenübergestellt und dabei geschwärmt hatte: „Wieviel unmittelbarer strömt da die musikalische Erfindung, wie können diese schmerzlich süßen Melodien uns verfolgen, auch wenn wir gar nicht an ihren Zusammenhang mit der Oper denken!" Das Kriterium „unmittelbar", das Hanslick schon in seiner Prinzipienschrift als ein wesentliches Merkmal der Schönheit angeführt hatte, tritt hier wieder auf. (vgl. S. 72) Ebenso auch die Selbständigkeit der Melodie, die sich hier in ihrer Lösbarkeit aus dem Zusammenhang der Oper erweist. Die Melodien können „uns verfolgen", auch das ist ein Kriterium der Schönheit: man muß sie behalten und innerlich nachsingen können.

Eben dies vermißt Hanslick bei Wagner, besonders im Tristan, über dessen Gesangspartien er urteilt: „Durch ihre immer gegen den Strich gebogenen Intonationen, ihre vorherrschende Chromatik und Enharmonik, ihr rastloses, nirgends abschließendes Modulieren sind diese Partien im höchsten Grade uneinpräglich, müssen von den Sängern taktweise, mechanisch, wie eine wildfremde Sprache memoriert werden. Einpräglichkeit galt bisher stets als ein Zeichen für die echte Schönheit eines Gedichtes wie eines Gesangsstückes, die Musik vollends ist fester als jede andere Kunst an die Grundbedingungen des Gedächtnisses geknüpft."[27]

Daß Einprägsamkeit nicht im anspruchslosen Sinne der Berliner Liederschule gemeint ist, klärt der Bezug auf die Berufssänger, die die Partien lernen mußten. Über die „Grundbedingungen des Gedächtnisses" kann sich die Musik nicht hinwegsetzen aus Gründen, die in ihrem innersten Wesen liegen: weil einzelne musikalische Gestalten nur mit Hilfe des Gedächtnisses erfaßt werden können, weil sie nicht in einem Augenblick vollständig präsent sind. Mit dieser Aussage gibt Hanslick die am stärksten ästhetisch fundierte Auskunft über das Wesen des Schönen in der Musik.. Außerdem muß danach Schönheit einen bestimmten Grad von Bekanntheit oder Vertrautheit besitzen, man darf ihr nicht entgegentreten müssen „wie einer wildfremden Sprache". In der Musik bedeutet das: es müssen bestimmte Anhaltspunkte harmonischer oder metrischer Art gegeben sein, an denen sich Sänger und Hörer orientieren, nach denen sie die Musik gliedern können. Die melodische Linie darf nicht durch übermäßigen Gebrauch von alterierten Intervallen unkenntlich werden.

Auch das Prädikat „interessant" erteilt Hanslick nur solchen Werken, die seinem Schönheitsbegriff nicht entsprechen. Zu der Violinsonate von Goldmark merkte er 1881 an: „Das Interessante, dessen Begriff immer eine Ablenkung, Abweichung vom einfach Schönen involviert, ist so recht die Schutzpatronin und Lieblingsheilige unserer modernen Komponisten."[28] Das „einfach Schöne" verzichtet auf harmonische Komplikationen, es gefällt „an sich". Interessant wird Musik durch überlegt eingesetzte Abweichungen vom erwarteten Verlauf. Hanslick nennt dies auch „geistreiche" Musik.[29]

Das Schöne ist für Hanslicks Musikanschauung nicht ein Qualitätsmerkmal neben anderen, er kann nicht ein Werk gut komponiert und zusätzlich auch noch schön finden. Musik hat für ihn den Sinn, schön zu sein, d.h. sie ist entweder schön, oder sie ist nicht gut, ja sogar falsch. Schönheit ist ein absoluter Begriff, sie ist das Grundelement der Musik, sie macht die Musik zur Musik. Schönheit erweist sich in erster Linie an der Melodiosität. Die Kriterien für eine gute Melodie hat Hanslick von 1850 bis 1900 unverändert beibehalten: Einfachheit, Selbständigkeit, Unmittelbarkeit, Faßlichkeit. Eine Melodie gefällt „an sich", textliche oder handlungsmäßige Bezüge sind lösbar, ohne daß die Schönheit der Melodie beeinträchtigt wird. Die zentrale Bedeutung der Melodie für seinen Schönheitsbegriff hat Hanslick in seiner Prinzipienschrift nur angedeutet, in den Kritiken dann immer wieder klar ausgesprochen. Hier kommt auch die totale Ablehnung häßlicher Musik neu hinzu. Sie ergibt sich bruchlos aus Hanslicks Idee der Musik, wonach diese als selbständige Kunst ihre Gesetze einzig aus sich selbst schöpft. Sie darf sich den Erfordernissen des Textes oder des Opernstoffes nicht bis zur Selbstaufgabe beugen, bestimmte literarische Bereiche finden infolgedessen in der Musik keine Entsprechung. Die Ablehnung des Musikalisch-Häßlichen ist ein Beispiel für die fruchtbare Weiterentwicklung ästhetischer Ansätze der Prinzipienschrift in den Kritiken.

Hanslicks Schönheitsbegriff ist der Kern seiner Musikanschauung, der über fünfzig Jahre hinaus konstant geblieben ist.

Anmerkungen:

1 VMSch/12. Hegel liegt hier sehr nahe, wenn auch Hanslick die Hegelsche Differenzierung der Einheit von Form und Idee nicht nachvollzogen hat. vgl. A. Nowak, aaO., S. 157.
2 vgl. die auf S. 48 zitierte Definition des Musikalisch-Schönen.
3 VMSch/36.
4 VMSch/34.
5 VMSch/36.
6 Robert Zimmermann nennt das ästhetische Wohlgefallen ein „Urteil", Hanslick bleibt bei dem Wort "Gefühl". Zu der hier gegebenen Interpretation vgl. die zwei dieses Zitat einrahmenden Sätze. vgl. auch die Interpretation Hostinskýs in seiner Schrift „Das Musikalisch-Schöne und das Gesamtkunstwerk . . .", S. 46 f.
7 Dieses Wort wird auch von Hanslick häufig verwendet, es ist im wörtlichen Sinne, als Adjektiv zu Melodie, gemeint.
8 VMSch/32. In dieser Wertung der Melodie stimmt Hanslick mit so unterschiedlichen Männern wie Mattheson, Nägeli und Hegel überein. Auch E. Th. A. Hoffmann stellte fest: „Das Erste und Vorzüglichste in der Musik . . . ist die Melodie." Werke, Insel-Ausgabe, Band I, S. 268.
9 VMSch/40.
10 ebenda.
11 VMSch/40 f.
12 Idee versteht Hanslick hier ganz unphilosophisch als Einfall; diese Stelle muß man kennen, um auch die vielen anderen Verwendungen des Wortes richtig zu würdigen,

wo Hanslick z. B. den ewigen, großen Ideen, die die Musik widerspiegele, seine eigene Auffassung entgegenstellt, nach der "das Ideelle" der Musik ein tonliches sei, oder die Musik „die Idee des Anschwellenden, des Absterbenden, des Eilens, des Zögerns" darstelle. VMSch/14.

[13] vgl. VMSch/44.

[14] VMSch/41.

[15] VMSch/50.

[16] M.O. I/229.

[17] Gerade Verdi erfuhr aus diesem Grund häufig eine Ablehnung von Hanslick, beispielsweise auch für seine Oper „Louise Miller" nach Schillers „Kabale und Liebe".

[18] M.O. IV/324.

[19] Brief vom 26. September 1781, in: Mozart, Briefe und Aufzeichnungen, Gesamt-Ausgabe, hrsg. von der Internat. Stiftung Mozarteum Salzburg, Band III: 1780–1786, Kassel 1963, S. 162.

[20] CCV./78.

[21] M.O. III/17.

[22] M.O. VII/180.

[23] M.O. VI/324.

[24] GCW II/378.

[25] M.O. IV/22.

[26] M.O. V/72 f.

[27] M.O. IV/25.

[28] CCV/306.

[29] vgl. S. 80 f.

4. *Originalität als Kategorie der Kritik*

Das Wort „Originalität" kommt in „Vom Musikalisch-Schönen" überhaupt nicht vor, das Adjektiv „originell" lediglich einmal ganz beiläufig. In den Kritiken dagegen erscheint Originalität sehr häufig als wichtiges Kriterium. Es wäre sicherlich voreilig, daraus zu schließen, daß Hanslick 1854 etwas später als wichtig Erkanntes unberücksichtigt gelassen habe. Denn immerhin hat er in der ästhetischen Schrift einige Ausführungen gemacht, aus denen man herauslesen kann, daß Originalität ihm als wertentscheidendes Kriterium bewußt war. Dazu gehören die bereits im vorangegangenen Kapitel zitierten Passagen über den Schaffensvorgang, über die Unmittelbarkeit und das „Gefallen an sich" eines musikalischen Einfalls. Auch der Satz aus der ästhetischen Schrift, in dem das Wort „originell" zum einzigen Mal vorkommt, behandelt die Wertfrage: „Nur dies macht eine Musik gut oder schlecht, daß ein Komponist ein geistsprühendes Thema einsetzt, der andere ein borniertes, daß der Erstere nach allen Beziehungen immer neu und bedeutend entwickelt, der Letztere seines wo möglich immer schlechter macht, die Harmonie des einen wechselvoll und originell sich entfaltet, während die zweite vor Armut nicht vom Flecke kommt, der Rhythmus hier ein lebenswarm hüpfender Puls ist, dort ein Zapfenstreich."[1]

Eine gute Musik muß demnach folgende Eigenschaften aufweisen: sie muß geistsprühend, neu und bedeutend, wechselvoll und originell, lebenswarm sein. Originell ist hier nur ein Adjektiv unter anderen, die sich aber ihrerseits alle unter den Oberbegriff „originell" einordnen ließen, zu dessen Erläuterung angeführt werden könnten. Sie bringen keine überraschend neuartigen Elemente für eine mögliche Begriffsbestimmung und können dies auch nicht, da Hanslick innerhalb seiner ästhetischen Schrift gar nicht die Intention verfolgte, sich mit dem Begriff Originalität zu befassen. Originalität war innerhalb seiner Unternehmens, das Forschungsfeld einer neuen, wissenschaftlichen Ästhetik von den Gefühlsfaktoren weg ausschließlich auf die komponierte Musik zu konzentrieren, kein Angriffspunkt, an dem er hätte ansetzen müssen. Hätte er seinen Vorsatz, eine systematische Ästhetik zu verfassen, ausgeführt, wäre ein Abschnitt über Originalität wohl unumgänglich gewesen.

Um zu erkennen, wie wichtig ihm die Forderung nach Originalität war, muß man daher seine Kritiken untersuchen. „Das echt Empfundene und ungesucht Geistreiche unserer Zeit anzuerkennen,"[2] halte er für die Pflicht des Kritikers: so äußerte er sich in einem Gespräch mit Theodor Billroth über die Musikkritik, das er an den Schluß seiner Autobiographie stellte. Nach diesem Grundsatz verfuhr er tatsächlich als Kritiker. Ausdrücklich von Originalität sprach er allerdings nur, wo die genannten Qualitäten fehlten.

Das „ungesucht Geistreiche" vermißte er besonders oft, obwohl es an geistreich komponierten Stücken zu seiner Zeit nicht mangelte. Franz Liszt erhielt für seine „Graner Messe" das Lob: „Das Rühmenswerte und Anziehende des Werkes ruht in den einzelnen durch Reflexion vermittelten Pointen, sei es der Textauffassung, sei es des musikalischen Effekts. Hier ließ sich von Liszts Geist und Bildung eine Reihe feiner Apercus erwarten, und er hat diese Erwartung auch in jedem Satz reichlich erfüllt."[3] Rühmenswertes und Anziehendes bietet die Messe also genügend; daß Hanslick dennoch nicht befriedigt ist, daß ihm etwas fehlt, steht deutlich zwischen den Zeilen. Das Geistreiche von Liszts Musik besteht in „durch Reflexion vermittelten Pointen". Liszt hat die Pointen überlegt und planmäßig eingesetzt, und das ist genau das Gegenteil des „ungesucht Geistreichen", das Hanslick in der ästhetischen Schrift auch das „Geistsprühende" nannte.

Wagners Prinzip der „dramatischen Polyphonie" (eine Wortschöpfung Hanslicks) in den Meistersingern fand Hanslick auch aus diesem Grund verfehlt, es war für ihn ein „Produkt der Reflexion". Begründung: „Die zauberische Macht des ‚Unbewußten', welche in der Konzeption jedes Kunstwerks das erste Wort sprechen soll, weicht vor solchem Verstandes-Absolutismus scheu zurück."[4] Die an die Sprache E.Th.A. Hoffmanns anklingende Ausdrucksweise in diesem Satz ist auffällig. Ein irrationales Moment wird hier eingeführt: Musik entspringt im Unbewußten; der Verstand darf nicht absolut herrschen, seine Funktion liegt im Ausarbeiten, aber nicht im Erfinden.

Das Erfinden ohne die sofortige Beteiligung des Verstandes, das Unbewußte, vom Willen nicht Steuerbare ist für Hanslick die Keimzelle, aus der die Musik entspringt. Fehlt es hieran, kann alles nachträgliche Arbeiten im Grunde nichts erreichen. Das kommt besonders deutlich in einem Nachruf auf Johann Herbeck zum Ausdruck, der in stilistischer Hinsicht ein schönes Beispiel für den gerechten, abwägenden, aber auch kompromißlos urteilenden Kritiker Hanslick darstellt: „Kombinations-Talent und geistreiche Behandlung des Technischen, namentlich der Instrumentierung, überwiegen in Herbecks Kompositionen weit die Originalität und die schöpferische Kraft. Wir empfangen davon nicht sowohl den Eindruck organischen Werdens und Lebens, sondern den einer sehr geschickten mosaikartigen Zusammenfügung. Weder kleinlich noch spielend, haben diese Werke sogar einen Zug von Größe, von Energie - war ja der spätere Beethoven ihr Vorbild – aber es ist eine Energie des Wollens, oft des krampfhaft aufgestachelten Wollens, nicht des musikalischen Vollbringens."[5]

Ehrgeiz und technisches Können, das „geistreich" angewandt wird, machen sich in einer Komposition, der die Originalität abgeht, selbständig und werden als solche demaskiert, während sie in einer schöpferisch erfundenen Komposition zur Ausarbeitung des Einfalls unentbehrlich sind und diese erst zu einem vollständigen Kunstwerk machen. Dieses vermittelt dann den Eindruck von etwas organisch Gewachsenem, etwas Lebendigem, während es im anderen Fall wie ein lebloses, künstliches Mosaik erscheint. Ein Kunstwerk, das originell erfunden ist, hat den Anschein des Natürlichen. Künstlich zu wirken, ist demnach für ein Kunstwerk verhängnisvoll.

Mit anderen, eleganteren Worten spricht Hanslick 1878 denselben Gedanken aus. Es handelt sich um eine Kritik von Kammermusikwerken zeitgenössischer französischer Komponisten. „Es blinken recht geistreiche graziöse Momente aus diesen Kompositionen von Lalò, ..., Massenet, Widor, ..., an Geschicklichtkeit fehlt es fast Keinem, aber das alles ist nicht Musik von der Quelle, sondern abgeleitete, durch Röhren geführt, filtriert. Wir bleiben durstig dabei und wollen doch nicht weitertrinken."[6] Musik von der Quelle ist einem Bach vergleichbar, der sich seinen Weg entsprechend den Gegebenheiten der

Natur selbst bahnt; in ihm fließt das Wasser aus der Quelle, und es bleibt im weiteren Verlauf Quellwasser. „Künstliche" Musik dagegen erscheint wie ein Wasserlauf, dem die Qualität der Natürlichkeit fehlt, dessen Wasser sich nach technischen Notwendigkeiten richtet, dem durch Filter einige Bestandteile entzogen werden. Ein weiteres Element des „Künstlichen" wird hier neu eingeführt: es befriedigt nicht und widersteht dem Genießenden bald. Einzelne Reize wie „geistreiche graziöse Momente" und „Geschicklichkeit" gefallen nur vorübergehend.

„Geistreiche" Musik ist nicht reich an dem Geist, der in Hanslicks Prinzipienschrift den immanenten Gehalt der Musik ausmacht. Hier ist vielmehr der Geist im Sinne von Feingeistigkeit und feiner Bildung gemeint, der der Musik nachträglich Glanz verschaffen soll. Er wird bewußt eingesetzt, während Hanslick das „ungesucht Geistreiche", das „Geistvolle" verlangt.

Wer als Komponist in alten Formen arbeitet, hat nicht immer Hanslicks Sympathie. Ignaz Brüll, der Komponist der Oper „Das Goldene Kreuz", muß sich vorhalten lassen: „Das Wichtigste bleibt immer: im Alten neu zu sein. Und hier ... liegt der schwache Punkt von Brülls Komposition: es fehlt ihr ... der Stempel der Originalität, die schöpferische Kraft und Eigenart."[7] Also nicht nur auf der Suche nach Neuem, sondern auch bei der bewußten Rückwendung zu traditionellen Formen darf Originalität nicht fehlen. „Eigenart" ist hier notwendig, die sich bei festen, überkommenen Formen kaum anders als in eigenständiger Melodik und einer neuartigen Modifikation der Form äußern kann.

Originalität erweist sich für Hanslick tatsächlich vorwiegend an der Melodik. „Musik von der Quelle" nannte er originelle Musik in der Kritik der französischen Kammermusik. Die Quelle ist für ihn die Phantasie. Ihr entspringt der erste Einfall, der auch über die Schönheit der Musik entscheidet, und der, wie im vorangegangenen Kapitel gezeigt werden konnte, das Thema mit Dominanz der Melodie hervorbringt. Zu der Oper „Barbier von Bagdad" sagte Hanslick: „Ein starkes, ursprüngliches Musikgenie vermag ich ... in Cornelius nicht zu erkennen, am wenigsten ein in der Melodie originelles und erfindungsreiches."[8] Im übrigen wird die Oper sehr freundlich besprochen, Hanslick findet einiges Lobenswerte daran, er hebt sogar ausgesprochene „Perlen" hervor. Daß er das Wort „Musikgenie" hier benutzt, hat sicherlich nichts mit der Geniebewegung des 18. Jahrhunderts zu tun; auch eine ironische Anspielung auf das geniale Gehabe der Liszt-Jünger, zu denen Cornelius zum Zeitpunkt dieser Kritik nicht mehr gehörte, liegt wohl nicht vor, dafür ist die ganze Rezension zu sachlich geschrieben. Genie heißt hier wohl nichts anderes als Begabung (ingenium). Die drei Wörter „Musikgenie" im unemphatischen Sinn, „originell" und „erfindungsreich" zusammen mit der Melodie, bei der sie sich in erster Linie erweisen, fassen recht treffend zusammen, was Hanslick unter Originalität verstand: die nicht erlernbare Begabung, gute eigenständige, melodisch klar erfassbare Einfälle zu haben, zu erfinden. Allein in diesem ersten Stadium der Komposition kann sich Originalität bewähren.[9] Spätere Zutaten, seien sie auch noch so gekonnt, geschickt oder effektvoll, fallen unter die Kategorie des (gesucht) Geistreichen oder fein Gebildeten und werden von Hanslick zwar durchaus gewürdigt, können aber den Wert der Komposition als „Musikalisch-Schönes" nicht mehr beeinflussen. Sie werden zudem nur dann als solche erkannt, wenn keine originelle Erfindung ersichtlich wird. Ist diese aber gegeben, erwächst alles später Dazugekommene „organisch" aus dem ersten Einfall.

Originell erfundene Musik hat den Schein des Natürlichen, ihr Gegenteil wirkt dagegen künstlich. Hier zeigt sich der enge Zusammenhang mit dem Begriff des Schönen: weil nur das Musikalisch-Schöne Musik im eigentlichen Sinne ist, dieses sich aber am ersten Einfall entscheidet, kann auch das Originelle natürlich wirken, eben weil nur es dem Wesen der Musik entspricht. Daraus folgt völlig konsequent die Bindung der Originalität an die Melodie.

Im Gegensatz zum Schönen ist Originalität bei Hanslick ein Begriff, der erst in den Kritiken auftaucht und ästhetische Bedeutung erhält. Er wird offensichtlich nur dort angewendet, wo die Qualität des Originellen nicht gegeben ist. Im Positiven spricht Hanslick nicht von Originalität, sondern dort lobt er die melodische Erfindungskraft des Komponisten, seinen Einfallsreichtum und seine Eigenart. Das „echt Empfundene", wie er es in dem Billroth-Gespräch formulierte, findet sich in den Kritiken, soweit das Originelle einer Komposition gemeint ist, als echt Erfundenes wieder.

Anmerkungen:

[1] VMSch/41.
[2] AML II/308.
[3] GCW II/155.
[4] M.O. I/305.
[5] Suite/45.
[6] M.O. II/162 f.
[7] M.O. II/314.
[8] M.O. VI/120 f.
[9] vgl. hierzu auch die Äußerung über die Ursache dafür, daß es so wenig komponierende Frauen gibt. Hanslick spricht damit dem weiblichen Geschlecht indirekt musikalische Originalität ab vgl. S. 67.

5. Natur und Natürlichkeit in der Musik

Das Verhältnis der Kunst zur Natur war seit dem 18. Jahrhundert ein Zentralproblem der Ästhetik. Hanslick widmet ihm aber weniger auf Grund dieser Tatsache ein eigenes Kapitel, sondern weil er sich an die „moderne Forschung" anschließen will, durch die sich „ein so starker Zug nach der Naturseite aller Erscheinungen" ziehe, „daß selbst die abstraktesten Untersuchungen merklich gegen die Methode der Naturwissenschaften gravitieren."[1] Für sein Verständnis ist das Verhältnis der Musik zur Natur ein Grundproblem, es erschließt „die wichtigsten Folgerungen für die musikalische Ästhetik. Die Stellung ihrer schwierigsten Materien, die Lösung ihrer kontroversesten Fragen hängt von der richtigen Würdigung dieses Zusammenhanges ab."[2] Die „kontroversesten Fragen" sind nun zweifellos die, die er zuvor schon behandelt und kontrovers zu der vorherrschenden Auffassung in seiner Zeit beantwortet hat: die Bedeutung des Gefühls und darüber hinaus die Frage nach dem Inhalt der Musik.

Hanslick setzt nicht auf der physikalischen Ebene an, auf der akustische Versuche einige Grundlagen bieten, aber keine Möglichkeit des Übergangs von den Grundlagen zum Wesen der Musik als Kunst erkennen lassen, sondern auf einer tieferen Stufe. Er fragt: Was liefert die umgebende Natur der Musik? Seine Antwort: Nichts als das „Material zum Material", d.h. das Rohmaterial zur Hervorbringung von Tönen, also Holz, Felle, Därme. Das Material der Musik sei der meßbare Ton, ohne ihn sei Musik keine Kunst, sondern eine Naturerscheinung. Der meßbare Ton sei aber kein Produkt der Natur, sondern des menschlichen Geistes. Daher sei Musik von grundauf Geisterprodukt und habe in der Natur keine Grundlagen.

Für Melodie, Harmonie und Rhythmus gebe es in der Natur keinerlei Vorbilder. Alles, was man immer wieder dafür ausgab, erfüllte die Grundbedingung der Musik nicht: kommensurabel zu sein. Eine Sonderstellung habe der Rhythmus; er komme auch in der Natur in regelmäßiger, meßbarer Form vor. Dennoch lasse er sich nicht mit dem musikalischen Rhythmus vergleichen, denn dieser trete nie allein, sondern immer zusammen mit Melodie und Harmonie auf.[3]

In diesem Zusammenhang tut Hanslick eine Äußerung, die seine Befangenheit in seinem abendländisch-neuzeitlichen Musikbegriff enthüllt. Er nennt das rhythmische Trommeln der Südsee-Insulaner, zu dem diese ein „unfaßliches Geheul ausstoßen", „natürliche Musik, denn es ist eben keine Musik."[4] Er äußert noch mehrmals seine Verachtung der Musik der Naturvölker, in die er übrigens auch die asiatischen Kulturen einbezog. Diesen Standpunkt behielt er auch noch bei, als die musikethnologische Forschung erste Ergebnisse brachte.

Europäische Volksmusik ist für Hanslick dagegen keine „natürliche Musik", sondern baut auf den elementaren Errungenschaften der Kunstmusik auf.[5] Sie ist abhängig vom Tonsystem. Dies hat eine Geschichte, es ist langsam entwickelt worden. Es ist eine Kulturerscheinung, kein Naturprodukt. Es ist in diesem Sinne künstlich. Ähnlich wie die Sprache beruht es auf einer Konvention, es ist „ϑέσει", nicht „φύσει". Es ist vom menschlichen Geist „mit Vernünftigkeit, aber nicht mit Notwendigkeit unbewußt ersonnen" worden.[6] Die Möglichkeit, daß sich das System im Laufe der Zeit verändert, etwa durch Einführung der Vierteltöne, räumt Hanslick ausdrücklich als denkbar ein, meint allerdings, daß das gegenwärtige System noch genügend Spielraum biete, um eine Veränderung auf geraume Zeit unnötig erscheinen zu lassen.[7]

Die Musik erhält ihr Material nicht aus der Natur, und sie bezieht ihre Inhalte auch nicht aus ihr. Darin unterscheidet sie sich nach Hanslick von allen anderen Künsten. Die Malerei bildet ab, was ihr die Natur vor Augen stellt – dazu gehören auch die Menschen, geschichtliche Ereignisse und alles andere, was auf Gemälden zu sehen sein kann. Ebenso die Dichtkunst, die ihre Stoffe aus Vorgefundenem, Wahrnehmungen oder Überlieferungen auswählt. Die Musik hat keinerlei solche Vorlagen: „Es gibt kein Naturschönes für die Musik."[8] Die vielfältigen Naturlaute wie Vogelstimmen oder Wasserrauschen, die immer wieder als Vorbilder für die musikalische Nachahmung angesehen wurden, erfüllen die Grundbedingung, kommensurabel zu sein, nicht und können nicht als Einwand gegen diese These akzeptiert werden. In einer sehr zugespitzten Formulierung faßt Hanslick diesen Teil seiner Ausführungen zusammen: „Nicht die Stimmen der Tiere, sondern ihre Gedärme sind uns wichtig, und das Tier, dem die Musik am meisten verdankt, ist nicht die Nachtigall, sondern das Schaf."[9]

Der Musiker kann also nichts in der Natur Gegebenes nachbilden, er kann aber Anregungen von ihr in seine Komposition einarbeiten. Hanslick nennt dies „Umbilden" und spricht damit den Zusammenhang der Inspiration durch äußere Eindrücke an, der nicht schon hier, sondern erst im Kapitel über Programmusik behandelt werden soll. An dieser Stelle sollte dargelegt werden, daß Hanslick in seiner ästhetischen Schrift zwischen Natur und Musik keine direkten Beziehungen sieht, daß er die Grundgesetze der Musik nicht aus der Natur ableitet, sondern als kulturelle Konventionen ansieht, die der menschliche Geist mit Vernunft und unbewußt in einem langen Entwicklungsprozeß hervorgebracht hat. Die Möglichkeit einer Änderung dieser Grundgesetze erklärt er für theoretisch gegeben, wenn auch kein aktueller Anlaß bestehe, darauf näher einzugehen.

„Man hüte sich vor der Verwechselung, als ob dieses (gegenwärtige) Tonsystem selbst notwendig in der Natur läge."[10] So drückt Hanslick sich 1854 aus. „Die einfachen Grundgesetze der Harmonie sind in der Natur begründet, und ebenso unverletzlich wie in der Sprache die Gesetze der Deklination und Konjugation."[11] Dieser Satz steht in seiner Kritik von Mascagnis Oper „Freund Fritz" und bezieht sich auf die vielen harmonischen Alterationen, die Hanslicks Mißfallen erregten. Die einfachen Grundgesetze der Harmonie sind zwar nicht gleichzusetzen mit dem gegenwärtigen Tonsystem als Ganzem, aber sie bilden einen Teil seines Gerüsts. Hanslick beruft sich in dieser Kritik auf ein Fundament der Musik, das auf Naturgesetzen beruhe; eben dieses hatte er sich 1854 als nicht gegeben nachzuweisen bemüht. Der Widerspruch scheint aber nicht auf einer Sinnesänderung zu beruhen, vielmehr erfolgt die Berufung auf die Natur in der vierzig Jahre später verfaßten Kritik entgegen der eigenen Einsicht. Dieser Eindruck wird verstärkt durch den Vergleich mit den Gesetzen der Sprache, den Hanslick hier einführt, und den er 1854 gerade zur Untermauerung seiner radikalen Trennung der Musik von der Natur schon einmal geführt hatte. Damals hatte er Jacob Grimm zitiert, der die Sprache ebenso wie die Kunstmusik „freie Menschenerfindung" nannte.[12] Der Sinneswandel müßte also fundamental sein. In diesem Fall wäre es aber unerklärlich, daß Hanslick in den späteren Auflagen seines Buches seinen Standpunkt, Musik und Natur seien unvereinbar, nicht nur beibehielt, sondern sogar in einer Anmerkung auf die hiermit übereinstimmenden Ausführungen von Helmholtz in dessen „Lehre von den Tonempfindungen" hinwies.[13] Der zitierte Satz aus der Mascagni-Kritik ist also nicht als grundsätzliche Abweichung von seiner ästhetischen Lehre zu werten, wozu es wohl auch einer sonst noch zu erkennenden Sinnesänderung bedurft hätte.

Hanslick beruft sich in seinen Kritiken häufig auf die Natur wie auf eine objektive Instanz, die sein eigenes Urteil über eine Komposition über die Subjektivität hinaushebt. Allerdings benutzt er das Wort in wechselnder Bedeutung. Die Musik von Wagners „Ring des Nibelungen" erscheint ihm nicht als eine Bereicherung oder Erweiterung der Kompositionstechnik wie vielen Zeitgenossen, sondern als „ein Umdrehen und Umzwängen der musikalischen Urgesetze, ein Stil gegen die Natur des menschlichen Hörens und Empfindens. Man könnte von dieser Tondichtung sagen: sie hat Musik, aber sie ist keine."[14] Hier ist die Natur in Zusammenhang gebracht mit dem menschlichen Hören und Empfinden. Aber nicht seine naturgegebenen, also physiologischen Eigenschaften, sondern nur die langsam entstandenen, historischen Hörgewohnheiten können gemeint sein. Die Natur wird somit zu einer kritischen Instanz gemacht, obwohl das nicht Hanslicks ästhetischem Grundsatz entspricht. In Bezug auf die Musik spricht Hanslick hier etwas zurückhaltender von „Urgesetzen", was zwar auch den Anschein des Naturgegebenen hat, genau genommen aber nur die von Anfang an innerhalb der Musik bestehenden Gesetze meint. Diese brauchen aber nicht von außerhalb in die Musik übertragen zu sein.

Es geht Hanslick in dieser Kritik auch gar nicht darum, außermusikalische Prinzipien zu Hilfe zu nehmen, sondern um eine rein musikimmanente, hier allerdings grundlegende Frage: die musikalischen Urgesetze, wie er sie versteht, werden von Wagner gewaltsam pervertiert. Das lasse sie für den geübten Hörer, der anhand der bisher gekannten Musik ein System von erlernten Hörtechniken besitze, unverständlich erscheinen. Er stelle zwar Elemente der Musik fest, könne aber nicht spontan sagen, dies sei Musik, wobei er unbewußt hinzufüge: wie er Musik bisher zu hören gewohnt sei. Er müßte diese Musik hören lernen, die „Natur" seines Hörens erweitern. Dafür sieht Hanslick aber keinen zwingenden Grund, denn in derselben Kritik schreibt er, für ihn bestehe „die größte Wahrscheinlichkeit: daß der Stil von Wagners ‚Nibelungen' nicht die Musik der Zukunft sein wird, sondern höchstens e i n e von vielen. Vielleicht auch nur ein Gärungsferment für neue, zum Alten wieder rückgreifende Entwicklungen." Diese Entwicklung wünscht er herbei: einen Rückgriff auf das Alte („im Alten neu zu sein" war eine seiner Definitionen der Originalität, vgl. S. 81), zu den musikalischen „Urgesetzen", die der „Natur" des menschlichen Hörens Rechnung trage.

In diesem Sinne äußert er sich auch am Schluß seiner Parsifal-Kritik von 1882: „Die Menschen werden sich solange an ‚Nibelungen' und ‚Parsifal' erfreuen, bis sie es eines Tages überdrüssig sind, sich von bloß ‚unendlicher' Melodie herumschaukeln und von stereotypen Leitmotiven leiten zu lassen. Zur selben Zeit erscheint dann wohl für die Oper ein neuer, ‚reiner Thor', d.h. ein naiver Tondichter von genialer Naturkraft, vielleicht eine Art Mozart, welcher Meister über den ‚Meister' wird und die lange dramatisch gemaßregelte Menschheit zur Abwechslung wieder musikalisch beherrscht."[15] Den Charakteristika „unendliche Melodie", „stereotype Leitmotive", „dramatisch gemaßregelt" stellt Hanslick gegenüber: „neuer, reiner Thor", „naiver Tondichter", „geniale Naturkraft", „musikalisch beherrscht". Diese Charakteristika konnten in ganz ähnlicher Weise am Schluß des vorangegangenen Kapitels als Bedingungen für Originalität, respektive deren Gegenteil festgehalten werden. Dort erschien auch die Qualität des Natürlichen schon in Verbindung mit der Melodiosität; diese wiederum wird hier unausgesprochen der unendlichen Melodie entgegengehalten.

Das Wort Natur erscheint in den Kritiken in vielfach wechselnder Bedeutung: in diesem Fall unter dem Aspekt der originellen, unreflektierten und unmittelbaren oder naiven Kreativität. Sie wird als Gabe der Natur verstanden. Die Natur ist also nicht selbst in der Musik wirksam, sondern mittelbar, sie gibt dem Komponisten die Begabung. Insofern ist die Trennung von Musik und Natur in diesem Zusammenhang nicht aufgehoben, ein Widerspruch zum ästhetischen Prinzip liegt nicht vor.

Das „Natürliche" hat in Hanslicks Kritiken geradezu die Funktion einer ästhetischen Kategorie. Es taucht zwar vorwiegend in Opernrezensionen auf, ist aber nicht darauf beschränkt. Unnatürlich zu sein, wird vor allem Wagners Musik vorgeworfen, die Hanslick auch „gekünstelt" nennt. Was er damit meinte, läßt sich besonders klar am Gegenteil erkennen, wie es in der Kritik über den „Trompeter von Säkkingen" von Neßler hervorgehoben wird: „Dieser Vorzug Neßlers ist die Rückkehr zu einfacher, übersichtlicher Form, zu vorherrschender Gesangsmelodie, zu natürlichem, gemütlichem Ausdruck."[16] Aus dem Zusammenhang geht deutlich hervor, daß Hanslick diese Oper an sich für wertlos hielt; er schrieb freundlich über sie, weil sie nicht im Wagnerstil komponiert war, wie die meisten anderen Neuerscheinungen dieser Zeit. Die Verbindung der Adjektive natürlich und gemütlich ist bezeichnend. Hanslick meint mit gemütlich das, was heute gemütvoll heißt. Was aber dem Gemüt des Menschen, seinem Seelenleben entspringt, das ist nicht reflektiert, „gekünstelt", sondern natürlich. Der Verstand darf nicht hervorscheinen, er muß unmerklich bleiben. Daß er aber durchaus eine wichtige Rolle beim Komponieren spielt, nur eben nicht spürbar werden darf, daß das „Natürliche" also eine Scheinqualität ist, zeigt der folgende Satz aus einer Kritik von Brahms' Violoncello-Sonate e-moll, op. 38 aus dem Jahr 1874: „Noch unmittelbarer, einschmeichelnder wirkt der Menuett mit seiner stattlichen, ganz leicht ans Rokoko streifenden Haltung und seinem gesangvollen Trio, alles frei und natürlich, die ‚Kunst' kaum zu merken."[17]

Anmerkungen:

[1] VMSch/83.
[2] VMSch/84.
[3] Damit behält Hanslick auch im Zeitalter der Schlagzeug-Kompositionen noch recht, denn in diesen Stücken wird angestrebt, die Klangqualitäten des Schlagzeugs auszubilden, es also von seiner rein rhythmischen Funktion zu lösen.
[4] VMSch/86.
[5] Ein Tiroler Bauer „meint freilich, er singe wie ihm der Schnabel gewachsen ist: aber damit dies möglich wurde, mußte die Saat von Jahrhunderten wachsen." VMSch/86.
[6] VMSch/87.
[7] vgl. VMSch/87 f.
[8] VMSch/91. Mit diesem Satz überträgt Hanslick Vischers Ausführungen über das Naturschöne von Malerei und Dichtung in die Musik.
[9] VMSch/89.
[10] VMSch/86.
[11] M.O. VII/94.
[12] VMSch/87 und Anm. 2.
[13] vgl. 8. Auflage, 1891, S. 185 f.
[14] M.O. II/229 f.
[15] M.O. III/330.
[16] M.O. IV/70.
[17] CCV/115.

III. Besondere Probleme einiger Gattungen

In diesem Teil, der Hanslicks Musikanschauung am Beispiel seiner Äußerungen zu den verschiedenen Gebieten der Komposition untersuchen und verdeutlichen soll, wird der Musikkritiker Hanslick stärker im Vordergrund stehen. In seinem Buch, das ästhetische Fragen klären sollte, finden sich konsequenterweise nur wenige direkte Bezüge zu einzelnen Gattungen – dort ging es um die Musik überhaupt, was allerdings dennoch die Einschränkung auf die „reine Instrumentalmusik" bedeutete. In seinen Kritiken zeigt sich dagegen, daß die Besprechungen von Opern, Chor- und Gesangskonzerten sowie von Programmmusik und allem, was in deren Umkreis steht, die Rezensionen von absoluten Werken der „Tonkunst" weit überwiegen.

Diese bemerkenswerte Diskrepanz von theoretischer Schwerpunktsetzung und praktischer Tätigkeitsbreite hat zwei miteinander zusammenhängende Ursachen:

a) Hanslick besprach in ausführlichen Kompositionskritiken fast nur solche Werke, die uraufgeführt wurden oder für Wien neu waren. Alles, was dem Publikum schon lange bekannt war, beschrieb er nur noch kurz; in diesen Kritiken ging er dann mehr auf Begleitumstände, Fragen der Aufführung und der Aufführbarkeit ein. Haydn, Mozart, Beethoven, deren Instrumentalstil in seinem Buch das Vorbild für Hanslicks Vorstellungen des rechten Verhältnisses von Form und Inhalt und immanentem geistigen Gehalt abgegeben hatte, erhalten also in den Kritiken meistens nur kurze Würdigungen, nur selten eigentliche Kompositionskritiken.

b) Weil er aber fast nur neue Kompositionen einer gründlichen Kritik unterzog, ergibt sich die vorliegende Verteilung der besprochenen Gattungen von selbst: in seinen Kritiken spiegeln sich die bevorzugten Kompositionsrichtungen seiner Zeit wider. In der zweiten Hälfte des 19. Jahrhunderts wurde relativ wenig absolute Musik komponiert, besonders in den Jahren von 1850 - 1870, vor Brahms' Übersiedlung nach Wien. Die Oper und die Programmusik in der Lisztschen Stilrichtung bildeten die Säulen des Musiklebens. Die dritte, vormals starke Säule, die Virtuosenkonzerte, nahm langsam an Bedeutung ab.[1] Daß er als Kritiker gezwungen war, über Musik, die seinen ästhetischen Ideen teils sich entzog, teils zuwiderlief, häufiger zu berichten als über die für ihn eigentliche, „reine" Musik, macht das Verhältnis von Musikästhetik und Musikkritik bei Eduard Hanslick interessant und untersuchenswert. Es unterstreicht eindrucksvoll die Notwendigkeit, in der Person Eduard Hanslicks mehr zu sehen als den Verfasser der Schrift „Vom Musikalisch-Schönen". Andererseits ist es aber unzulässig, diese Schrift gleichsam als eine vorübergehende Phase in Hanslicks Leben zu betrachten, die man nicht ständig in Beziehung zu seinen Äußerungen als Kritiker setzen müßte. Hanslick hat seine Schrift sein Leben lang neu aufgelegt und sie stets mit einem neuen Vorwort versehen. 1891 schrieb er in solch einem Vorwort: „Meine Überzeugungen sind dieselben geblieben."[2]

Hanslick konnte das tatsächlich mit Recht behaupten, das haben – wenn auch mit einigen Einschränkungen – schon die Kapitel des allgemeinen Teils gezeigt. Während dort die Auszüge aus den Kritiken aus ihrem Kontext gelöst und lediglich als Verifikationen oder Falsifikationen seiner ästhetischen Theorie betrachtet wurden, sollen die in diesem Teil wiedergegebenen Kritiken in ihrem Sinn erhalten bleiben, nämlich als Äußerungen über Musikwerke, die ihrerseits einzelne Gattungen repräsentieren. Die Auswahl der Gattungen erfolgte mit der Absicht, Abweichungen von seiner ästhetischen Theorie oder dort gar nicht erörterte Gesichtspunkte aufzeigen zu können. Der Begriff Gattung ist nicht im strengen Sinne zu verstehen, sondern lediglich als Sammelbegriff für so heterogene Musikarten wie Programmusik, Kammermusik und Oper. Die Symphonie erscheint in diesem Teil nicht, weil das, was in Kritiken über sie nicht mit der ästhetischen Theorie übereinstimmte, bereits im allgemeinen Teil behandelt wurde.

Anmerkungen:

1 In seinen Veröffentlichungen von Konzertkritiken in Buchform widmete Hanslick den Virtuosenkonzerten innerhalb seiner nach Jahrgängen geordneten Kapitel gesonderte Abschnitte am Ende der Kapitel. Auf die Beschaffenheit der vorgetragenen Stücke ging er dabei meistens nur oberflächlich ein, hier stand die Würdigung der Persönlichkeit des Virtuosen im Vordergrund. Daß ihm die Masse der auftretenden Virtuosen lästig war, ließ er dabei nicht selten sehr deutlich werden.

2 8. Auflage, S. VI.

1. *Musik nach Programm oder „poetischer Anregung"*

Als Kritiker von Instrumentalmusik hielt Hanslick die Frage nach dem Vorhandensein oder Fehlen eines Programms für so wichtig, daß er sie selten unbeantwortet ließ. Er ist bekannt als prinzipieller Gegner der Programmusik, und im vorangegangenen Teil fand sich diese Gegnerschaft auch mehrmals angedeutet. Aber wie dort immer gefragt wurde, ob die prinzipiellen Aussagen auch starr festgehalten wurden oder ob nicht vielmehr eine geistige Flexibilität festgestellt werden konnte, soll auch hier untersucht werden, inwieweit Hanslick sowohl in seiner Grundsatzschrift wie in seinen Kritiken sich der Problematik des Komponierens nach Programm öffnete. War seine Stellung zur Programmmusik dogmatisch oder differenziert? Machte er Unterschiede zwischen den vielfältigen Erscheinungsformen dieser Kompositionsrichtung, und welches war sein fundamentales Prinzip in der Beurteilung von Werken, die unter diesen Sammelbegriff fallen?

Daß die Musik selbständig sei und ohne jede Verbindung mit anderen Künsten oder gedanklichen Gehalten am stärksten ihr Eigenwesen ausprägen könne, ebenso auch beim Hören ausschließlich auf sie selbst am reinsten als Kunst aufgefaßt werde, ist Hanslicks Ausgangspunkt sowohl für seinen „Beitrag zur Revision der Ästhetik der Tonkunst" als auch für seine Würdigung von einzelnen Musikwerken gewesen. Musik verwirklicht sich selber, wenn sie einen immanenten Gehalt in Tönen ausformt, den nur sie vermitteln kann. Im Kapitel über das Form-Inhalt-Problem stellte sich heraus, daß ihm der Gehalt als Zentralbegriff seiner Ästhetik galt, nicht der mit Widersprüchen belastete Inhaltsbegriff. Die Komponisten von Programmusik glaubten dagegen, der Musik erst durch einen Inhalt im Sinne des Sujets Gehalt geben zu können. Hier lag der innerste Grund des Konflikts zwischen Hanslick und den Angehörigen der Neudeutschen Schule. Prinzipiell gab es für Hanslick keinen Unterschied zwischen den alten Gefühlsästhetikern und der neuen Richtung der Berlioz-Nachfolger sowie der Lisztschen Schule. Entscheidend war, daß beide die Musik von einem von außen eingeführten Inhalt abhängig machten.

Die Komponisten von Programmusik verfuhren nicht so, wie er es in seiner ästhetischen Schrift für richtig erklärte: Der Komponist „muß der guten Stunde warten, wo es in ihm anfängt zu singen und zu klingen: da wird er sich versenken und aus sich heraus etwas schaffen, was in der Natur nicht seines Gleichen hat, und daher auch, ungleich den andern Künsten, geradezu nicht von dieser Welt ist."[1] Inspiration ist für Hanslick spontan und läßt sich nicht erzwingen; vor allem läßt sie sich nicht von irgend etwas ableiten, was dem Komponisten als Gegebenes gegenübertreten kann. In diesem Sinn ist Musik „geradezu nicht von dieser Welt", sie ist nicht aus dieser Welt übertragen. Es ist daher für Hanslick auch widersinnig, derart erfundene Musik nachträglich mit Deutungen, die immer „von dieser Welt" sein müssen, verständlich machen zu wollen. „Man suche nicht die Darstellung bestimmter Seelenprozesse oder Ereignisse in Tonstükken, sondern vor allem Musik, und man wird rein genießen, was sie vollständig gibt."[2]

Wer irgendwelche Darstellungen in der Musik sucht, geht von der Annahme aus, der Komponist habe mit seinem Werk bestimmte „Intentionen" verfolgt. Dieses Wort hält Hanslick für der Musik völlig unangemessen, denn: „Was nicht zur Erscheinung kommt ist in der Musik gar nicht da, was aber zur Erscheinung gekommen ist, hat aufgehört, bloße Intention zu sein."[2] Überhaupt sei das Wort Intention in der Musik nicht in lobender Bedeutung möglich; wer die Intentionen eines Komponisten anerkennend hervorhebe, spreche damit vielmehr einen Tadel aus, „welcher in trockenes Deutsch übersetzt etwa lauten würde: Der Künstler möchte wohl, jedoch er kann nicht. Kunst kommt aber von Können, wer nichts kann, – hat ‚Intentionen'."[3]

Dieser weitere Beleg für unumwundene Polemik innerhalb der ästhetischen Schrift ist ein Beispiel für Hanslicks kritische Sensibilität; er erkannte in der 1854 noch im Entstehen begriffenen Kompositionsweise Liszts, der seine Intentionen in den Vorworten zu seinen Kompositionen kundgab, eine neue ästhetische Richtung, die er mit den zitierten Sätzen schon in ihren Anfängen abwehren wollte.

Die ersten Lisztschen symphonischen Dichtungen wurden in Wien erst 1857 aufgeführt, Hanslick konnte also erst dann in Kritiken darauf eingehen. Er tat das dann aber mit denselben Argumenten, die er schon in seinem Buch ohne Namensnennung[4] vorgetragen hatte. „Ein ... merkwürdiges Licht ... wirft die sämtlichen Partituren vorgedruckte gemeinsame Erklärung auf die falsche Methode Liszts. ‚Obschon ich bemüht war', heißt es darin, ‚durch genaue Anzeichnungen meine Intentionen zu verdeutlichen, so verhehlte ich doch nicht, daß manches, ja sogar das Wesentlichste, sich nicht zu Papier bringen läßt.' Ich überlasse es dem musikkundigen Leser, zu entscheiden, inwiefern man es noch mit Tonwerken zu tun habe, wo ‚das Wesentlichste' desselben sich nicht in Noten wiedergeben läßt."[5] Hanslick benutzt hier wohl mit Absicht das ungebräuchliche Wort „Tonwerke", um darauf hinzuweisen, daß das „Wesentlichste", d.h. das zum Verständnis Notwendige, für ihn ausschließlich in den Tönen liegt, während Liszt es in dem verbal Faßbaren sieht.

Daß er mit dem Vorwurf, Können durch Intentionen zu ersetzen, tatsächlich Liszt meinte, zeigt sich noch in einer 20 Jahre später verfaßten Kritik des Oratoriums „Die Heilige Elisabeth", in der Hanslick in Bezug auf das Oeuvre Liszts schreibt: „Was wir an Liszt beanstanden, ist keineswegs, daß er Großes und Schönes in ungewöhnlicher Form schaffen will, sondern daß er es nicht kann. Die musikalische Impotenz, die bei allem Witz, aller Bildung doch impotent bleibt, sie denunzieren wir."[6] Und es wirkt in unserem Zusammenhang wie eine Zuspitzung des prinzipiellen Streits um das „Wesentlichste", wenn er fortfährt: „Mit Worten läßt sie sich freilich nicht so leicht demonstrieren, wie am Klavier oder die Partitur in der Hand."

In der Unterstellung, Komponieren nach einem Programm sei begründet in der Unfähigkeit zur rein musikalischen Erfindung, erschöpft sich Hanslicks Stellung zur Programmusik aber nicht. Dieser Vorwurf traf vielmehr speziell Franz Liszt. Seine Stellung zu dem Problem allgemein charakterisieren besser folgende Sätze aus seiner ästhetischen Schrift: „An die Darstellung eines bestimmten Inhaltes denkt der Tonsetzer nicht. Tut er es, so stellt er sich auf einen falschen Standpunkt, mehr neben als in der Musik. Seine Komposition wird die Übersetzung eines Programms in Töne, welche dann ohne jedes Programm unverständlich bleiben."[7]

Ein Jahr früher schrieb er in einer Kritik über Wagners Tannhäuser-Ouvertüre (Wagner hatte der Ouvertüre ein schriftlich niedergelegtes Programm vorangestellt): „Wenn aber ein Orchesterstück Hebel des Verständnisses bedarf, welche außer ihm selbst liegen, wenn es, um zu gefallen, die Kenntnis dessen voraussetzt, nicht bloß was es ist, sondern eines Andern, was es bedeutet, dann steht es um seinen musikalischen Wert schon bedenklich."[8]

Ein Programm birgt für Hanslick die Gefahr, die Musik nicht durch sich selbst verständlich werden zu lassen. Damit steht es in Konflikt zu Hanslicks oberster Forderung, die neben der Verständlichkeit auch das Gefallen durch sich selbst zum Inhalt hat.[9] Wenn die Musik aber durch sich selbst gefällt, dann hat Hanslick gegen ein noch zusätzlich hinzukommendes Programm nichts einzuwenden. So formuliert er es in einem prinzipiellen Absatz in der schon einmal herangezogenen Kritik von Liszts „Les Preludes" aus dem Jahr 1857: „Niemand denkt mehr so engherzig, dem Tonsetzer jede poetische Anregung versagen zu wollen, welche die Beziehung zu einem äußeren Stoff ihm bietet. Die Musik wird zwar nimmermehr im Stande sein, das bestimmte Objekt auszudrücken oder dessen wesentliche Merkmale so darzustellen, daß man sie ohne die Überschrift erkenne, – allein sie mag immerhin die Grundstimmung davon nehmen und mit der deutlichen Benennung an der Stirne wenigstens anspielend, wenn auch nicht darstellend wirken. Die Hauptbedingung wird immer bleiben, daß die Musik, allem Titel und Programm zutrotz, denen sie ihre Färbung leiht, doch immer auf ihren eigenen Gesetzen ruhe, spezifisch musikalisch bleibe, so daß sie auch ohne Programm einen in sich klaren selbständigen Eindruck mache."[10]

Was Hanslick zugesteht, ist nur die „poetische Anregung", die der Komponist durch Beziehung zu einem äußeren Stoff erhalten kann; eine Anregung, die er aber in Musik umsetzen muß. Als Grundstimmung kann die Anregung in der Musik durchscheinen, durch Anspielung kann der Titel erkennbar sein. Mit der Formulierung, die Musik leihe dem Titel oder Programm nur „ihre Färbung", kennzeichnet Hanslick die Distanz, die für ihn zwischen Titel und Musik liegt. Daß beides zusammen möglicherweise erst das vollständige Werk darstellt, wird prinzipiell ausgeschlossen. In dieser Form der Anspielung auf eine Grundstimmung kann kein detailliertes Programm mit verschiedenen Handlungselementen und konträren Stimmungen in enge Verbindung mit der Musik treten; Hanslicks Vorbild für diesen wie ein Zugeständnis formulierten Passus scheinen Kompositionen wie die auf einer einzigen Inspiration beruhenden Konzertouvertüren Mendelssohns gewesen zu sein. Diese aber gehören sicher nicht zur Programmusik, sondern sind in dem großen Feld „Zwischen absoluter und Programmusik"[11] anzusiedeln. Insofern ist das Zitat aus der Liszt-Kritik keine Konzession, die den übrigen Äußerungen zur Programmusik widerspricht, sondern lediglich eine Festlegung der eigenen Position, von der aus dann im folgenden umso entscheidender der weit extremere Standpunkt Liszts verurteilt wird.

Die Konzertouvertüre hat Hanslick auch selbst nicht zur Programmusik gerechnet. Beethovens „Egmont"-Ouvertüre, Mendelssohns „Melusine" oder Berlioz' „König Lear" sind für ihn keine Vertonungen eines Stoffes, die Figuren bieten dem Komponisten „bloß Anregung, und zwar poetische Anregung." Poetische Anregung aber bleibt der Musik dieser Ouvertüren äußerlich, die Musik besteht mit oder ohne derartige Anregungen aus„Tonreihen, welche der Komponist vollkommen frei nach musikalischen Denkgesetzen aus sich erschuf. Sie sind ganz unabhängig und selbständig von der Vorstellung ‚Egmont', mit welcher sie lediglich die poetische Phantasie des Tonsetzers in Zusammenhang bringt."[12] In diesen Auszügen aus der Prinzipienschrift nimmt Hanslick einen viel rigoroseren Standpunkt ein als in der Liszt-Kritik. Dort erkannte er an, daß poetische Anregungen der Musik ihre Grundstimmung geben können, daß durch Anspielungen Beziehungen zum Titel musikalisch deutlich gemacht werden können, daß die Anregungen also in die Musik mit eindringen können. In der ästhetischen Schrift dagegen behauptet er weiter in äußerster Zuspitzung: „Berlioz' großartige Ouvertüre hängt mit der Vorstellung ‚König Lear' ebensowenig zusammen, als ein Strauß'scher Walzer."[13] Der Titel und die Musik werden nur insofern als zusammengehörig empfunden, als beides miteinander verglichen werden kann. „Allein eben zu dieser Vergleichung existiert kein innerer Anlaß, sondern nur eine ausdrückliche Nötigung vom Autor."

Hanslick negiert hier vollständig die Integration von Titel und Komposition. Daß der Komponist zumindest möglicherweise die Überschrift als zum Werk gehörig begriffen hat, daß seine „ausdrückliche Nötigung" aber das Werk gerade nur unter der Überschrift verstanden wissen will, beachtet Hanslick nicht. Damit läßt er deutlich werden, daß sein Werkbegriff in der ästhetischen Schrift wohl doch den Notentext meint, wenngleich das nicht ganz widerspruchsfrei gesagt werden kann.[14] In jedem Fall aber ist dieser Satz aus der ästhetischen Schrift überspitzt und trifft auf Berlioz' Ouvertüre, auch auf Beethovens Egmont-Musik mit Sicherheit nicht zu. Seine drei Jahre später verfaßten Ausführungen innerhalb der Liszt-Kritik erscheinen fast wie eine Korrektur dieser Äußerungen. Damit würde sich das interessante Phänomen ergeben, daß Hanslick eine als unzutreffend erkannte These aus seiner ästhetischen Schrift nicht in einer späteren Auflage dieser Schrift berichtigt, sondern bei aktuellem Anlaß in einer Zeitungskritik. In späteren Auflagen seines Buches hat er den Zusammenhang der These etwas abgemildert; das hat aber zur Folge, daß sie selbst nur noch weniger begründet erscheint.[15]

Zum Abschluß dieses Abschnitts über die Konzertouvertüren sei noch ein kurzer Blick auf eine Besprechung von Rheinbergers Ouvertüre „Märchen von den sieben Raben" geworfen, die 1874 in Wien zum ersten Mal erklang. Hanslick schreibt nur wenige Sätze über das Stück: „Von den zahlreichen Märchenstoffen, die seit Mendelssohns ‚Melusine' komponiert worden sind, scheint mir der von Rheinberger gewählte am wenigsten günstig. Daß sieben Buben in Raben verwandelt und schließlich wieder entzaubert werden, ist ein Vorgang, der sich musikalisch nicht fassen oder imitieren läßt. Die Komposition Rheinbergers ist nicht bedeutend, hat aber im Allegro einen guten Fluß und einige interessante Durchführungsmomente."[16]

Wenn es Stoffe gibt, die sich „musikalisch nicht fassen oder imitieren" lassen, und andere, bei denen das eher möglich ist, dann kann das Verhältnis von Musik und Überschrift doch nicht so locker sein, daß es lediglich auf einem Vergleich beruht, zu dem der Autor nötigt. Hanslick nimmt hier Bezug auf Mendelssohns „Melusine", die er auch in seiner ästhetischen Schrift genannt hatte, dort, um zu zeigen, daß die poetische Anregung der Musik äußerlich bleibt. Dort konnte er das behaupten, indem er gleichzeitig auf die gut komponierte Musik hinwies, die ein Verständnis auch ohne Kenntnis des Titels ermöglichte. Nicht ganz so gut, aber immerhin auch mit einigen Vorzügen versehen, findet Hanslick Rheinbergers Musik, hier aber nimmt er Anstoß an dem Titel. Einen Kritiker vom Schlage Hanslicks mußte eine so offenkundig unglückliche Benennung einer Komposition herausfordern, sich dazu zu äußern, und Hanslick tut das noch relativ zurückhaltend. Aber daß er einen zur Vertonung so ungeeigneten Titel nicht einfach übergeht und sogleich die Musik bespricht, zeigt doch, daß er den Titel als zum Werk gehörig betrachtete, der in diesem Fall das Urteil über das Werk entscheidend beeinflußte.

Hanslick kam aber auch zu sehr treffenden Würdigungen von Werken, in denen die „poetische Anregung" des Titels in den Charakter der Musik integriert war. Einen solchen Fall stellt die Besprechung von Dvoraks „Legenden" dar, deren Orchesterfassung 1882 in Wien aufgeführt wurde.[17] „Die Bezeichnung ‚Legenden' rechtfertigt ein gewisser erzählender, episch maßhaltender Ton, welcher die ganze Reihe charakteristisch durchzieht, bald zu geheimnisvollem Flüstern gedämpft, bald zu lebhafter Schilderung sich erhebend. Was da erzählt wird, kann freilich niemand sagen; doch fühlt man, daß das Wunderbare, Märchenhafte dabei eine Hauptrolle spielt."[18]

Dies ist eine überraschend eindringende, auch durch die bildhafte Sprache Verständnis bezeugende Beschreibung. Das Poetische, das sowohl Titel wie Musik übereinstimmend enthalten, wird genau erfaßt. Es erscheint hier im Schumannschen Verständnis als etwas nur zu Erahnendes, nirgends klar Faßbares von faszinierender Wirkung. Das Entscheidende ist für Hanslick, daß niemand, auch nicht der Komponist, sagen kann, „was da erzählt wird".

Er fährt in der Kritik fort: „Dvorak ist zu sehr echter Musiker, um mit Notenköpfen zu malen; er bindet die Phantasie des Hörers an kein poetisches Programm, er verschmäht sogar (zu unserer unverhohlenen Befriedigung) einzelne Überschriften." „Poetisch" ist hier das Adjektiv zu Poesie im Sinne von Dichtkunst, nicht das Poetische im Sinne der Romantik. Hanslick stellt also das von ihm abgelehnte „poetische Programm" ausdrücklich dem poetischen Charakter gegenüber, den er vorher lobend beschrieben hat. Dieser liegt vor allem in dem „gewissen erzählenden, episch maßhaltenden Ton", den er nicht näher charakterisieren kann.

Recht eingehend bespricht Hanslick im weiteren die kompositorischen Qualitäten der „Legenden", er rühmt die „Unmittelbarkeit" dieser Melodien, die Form erscheint ihm „aufs schönste erfüllt und abgerundet. Dvoraks Motive sind meistens kurz, aber prägnant und glücklich erfunden; sie erscheinen bei jeder Wiederkehr neu, in wechselnder Beleuchtung. Nur ein Meister harmonischer und kontrapunktischer Kunst konnte diese Legenden schreiben, so wenig kunstvoll und gelehrt sie auf den ersten Blick aussehen. Eber darin, in ihrer Unauffälligkeit, liegt der größte Reiz dieser Kunst bei Dvorak; er verfährt damit eher heimlich, verschämt, als prahlend und aufdringlich." Einige Zeilen weiter gibt Hanslick noch eine bemerkenswerte Charakteristik dessen, was er unter einem Poeten versteht: „Dvorak sagt uns die lieblichsten, sinnreichsten Dinge so schlicht, als ob sich das alles von selbst verstünde – der echte Poet." Das also ist es, was Hanslick sich wünscht: melodisch glückliche Motive, die sich durch den Schein der Unmittelbarkeit und gleichzeitig durch Prägnanz auszeichnen; abgerundete, erfüllte Form, technische Meisterschaft, die aber unmerklich bleibt, nirgends auftrumpft und gerade dadurch der Musik ihren größten Reiz gibt. Dies alles sind Kriterien, die schon in den Kapiteln über den Schönheitsbegriff und die Kategorie „natürlich" genannt wurden. Sie gehören zum Kern seiner ästhetischen Wertkriterien. Nur unter der Bedingung ihres Vorhandenseins ist Musik „Tonkunst", in diesem Sinne kann in ihr Poesie, und zwar musikalische Poesie sein.

In einem kurzen historischen Abriß[19] setzte Hanslick den Beginn der eigentlichen Programmusik bei Berlioz' „Symphonie Phantastique" an. Über dieses Werk hatte er als junger Student in Prag einen enthusiastischen Aufsatz veröffentlicht, den er später allerdings als „unerlaubt jugendlich" beurteilte.[20] Die Konzertaufführung des Werkes in Prag unter Berlioz' Leitung 1846, bei der der sonst meistens weggelassene fünfte Satz mit aufgeführt wurde, verpasste er dann jedoch, weil er eine Reise nach Wien unternahm. Später hat er nie mehr eine ausführliche Kritik über diese Symphonie geschrieben, weil sie inzwischen bekannt war. Interessant ist aber eine Besprechung von Berlioz' Harold-Symphonie (1874), in der Hanslick sich höchst kritisch mit der Führung der Solobratsche und der musikalischen Substanz auseinandersetzt, auf das zugrundeliegende Programm aber überhaupt nicht eingeht. Sein zusammenfassendes Urteil lautet: „Eine mühselige Musik voll krampfhafter Anstrengung, ein höchst dürftiger musikalischer Kern mit dem glänzendsten orchestralen Purpur bekleidet."[21] Kriterium ist allein das Verhältnis von Form und Inhalt; daß Berlioz, den er den Schöpfer der modernen Programmusik nannte, mit dieser „mühseligen Musik" ein klares Programm vertonte, erwähnt er gar nicht.

Ein Grund dafür könnte sein, daß Hanslick unter dem nachhaltigen Eindruck eines Gesprächs stand, das er bei einem Besuch 1860 in Paris mit Berlioz führte. Darin äußerte sich Berlioz „mit zorniger Heftigkeit gegen die ‚Zukunftsmusiker' in Deutschland, mit denen er nichts gemein habe."[22] Die traurige Resignation des von ihm einst wegen seines genialen Impetus verehrten Komponisten scheint für Hanslick ein unvergeßliches Erlebnis gewesen zu sein. Es ist daher denkbar, daß er Berlioz' Kompositionen, wenn er sie schon nicht mehr gutheissen konnte, wenigstens nicht mit derselben Elle messen wollte, wie die von Berlioz verdammten deutschen „Zukunftsmusiker".

Wenn er über deren Kompositionen schrieb, ging er immer wieder auf das Verhältnis von Musik und Programm ein. Dabei stand Franz Liszt bis etwa 1880 im Vordergrund seiner Kritik. „Die ‚Symphonischen Dichtungen' erwuchsen sämtlich aus demselben falschen Prinzip, daß Liszt mit poetischen Elementen komponieren will, anstatt mit musikalischen, daß er statt eines einheitlichen musikalischen Organismus und die vermeintliche ‚Nachdichtung' irgend eines berühmten Poems gibt, welche desto bedenklicher ausfällt, je getreuer sie sein will."[23]

Das Verhalten, zu dem die Zuhörer bei solcher Musik gezwungen sind, schildert er anläßlich Liszts Komposition „Die Ideale": „Wir Zuhörer suchen nun entweder mit dem Programm in der Hand Schillers Gedanken aus den Lisztschen Tonreihen herauszuklauben und ärgern uns über die anmaßende Hilflosigkeit der Musik – oder wir sehen von dem Gedicht gänzlich ab und schwimmen ‚trostlos im weiten Meer' einer bald ekstatisch aufgestachelten, bald kraftlos zusammensinkenden und nach Ausdruck ringenden Musik."[24] Hanslick sieht zwei grundsätzliche Fehler in Liszts Kompositionen:

a) Der Komponist arbeite nicht mit musikalischen Mitteln und verliere sich in getreuer Befolgung der literarischen Vorlage. Dem Hörer bleibe, wolle er die Musik verstehen, nichts anderes übrig, als die Vorlage wieder aus der Musik herauszuhören, also nicht die Musik um ihrer selbst willen und in „reiner Anschauung" zu genießen. Ein ästhetischer Kunstgenuß könne nicht entstehen.

b) Wer der Musik aber nur zuhören möchte, ohne auf das Programm zu achten, habe wegen der mangelnden Geformtheit keine Orientierungsmöglichkeit, sondern nehme nur abwechselnd Ekstase und Ermattung wahr. Musik kann aber – so folgert Hanslick weiter – nur unter Verleugnung ihres Eigenwesens Ekstase darstellen.

Gerade dies war ein verbreitetes Bestreben der Komponisten seiner Zeit. Hanslick lehnte es auch in späteren Jahren unverändert ab, wie sich in einer Kritik von Richard Strauss' „Don Juan" von 1893 zeigt: „Wer nichts anderes von einem Orchesterstück verlangt, als daß es ihn in die wüste Ekstase eines nach ‚allen Weiblichkeiten' ... lechzenden Don Juan versetze, dem mag diese Musik gefallen, denn mit ihrer raffinierten Geschicklichkeit erreicht sie den genannten Zweck, so weit er eben musikalisch erreichbar ist. Der Komponist gleicht da einem Chemiker, der alle Elemente musikalisch-sinnlicher Aufreizung äußerst geschickt zu einem betäubenden ‚Lustgas' zu mischen versteht. Für mein Teil mag ich, bei aller Anerkennung solcher Mischkunst, doch nicht ihr Opfer sein; kann es nicht einmal, weil dergleichen musikalische Narkosen mich vollständig kalt lassen."[25]

In dem Nebensatz „so weit er eben musikalisch erreichbar ist" sollte man keine etwas konzessionsbereitere Haltung sehen. Vielmehr führen die Vergleiche mit einem „Chemiker", der mit anerkennenswerter „Mischkunst" ein „betäubendes Lustgas" zubereitet, mit drastischer Härte aus, daß es sich für Hanslick überhaupt nicht um Musik handelt, die man klaren Kopfes genießt, sondern um eine „musikalische Narkose". Die Unvereinbarkeit mit Hanslicks Musikbegriff zeigt auch das Prädikat „wüst", das dem Schönheitsbegriff konträr gegenübergestellt wird. Hanslick gibt hier gleichsam die Begründung dafür, weshalb er das Musikalisch-Häßliche schlicht „falsche Musik" nannte;[26] der Komponist ersinnt nicht in schöpferischer Arbeit ein in sich selbständiges Kunstwerk, sondern er kombiniert musikalische Elemente zu einem vorher überlegten Effekt.

Franz Liszt hatte mit seinen Kompositionen zwar edlere Zwecke im Auge, als sie Richard Strauss hier unterschoben werden, aber sein Prinzip galt Hanslick als ebenso falsch. Die Dante-Symphonie, bei der nicht nur ein vorher abgedrucktes Programm über den Inhalt und die Bedeutung informiert, sondern zudem noch erläuternde Dante-Zitate unter einzelnen Takten der Partitur erscheinen, verlangt zu ihrem vollständigen Verständnis damit von jedem Hörer eine genaue Kenntnis der Partitur. Der Hörer muß eine Fülle von präzisen Informationen besitzen, bevor er sich die Musik anhören kann. Hanslicks Meinung: „Ob der Hörer das alles wisse oder nicht, ist übrigens nach unseren Anschauungen vollkommen gleichgültig, wo es sich um Wert und Wirkung einer symphonischen Komposition handelt. Angenommen, wir hören ein Tonstück, das uns verworren, unnatürlich, zusammenhanglos, teilweise leer, teilweise häßlich erscheint – müssen wir es schön und bedeutend finden, sobald uns jemand sagt, es stecke darin eine genaue Nachschilderung der ‚Göttlichen Komödie' von Dante? Wir werden im Gegenteile bedauern, daß so illusorischer Absicht zuliebe die Musik auf den Kopf gestellt und daß der poetisch und malerisch so begabte Komponist nicht lieber Dichter oder Maler geworden ist."[27]

Hanslick hält es für eine Illusion zu glauben, Musik könne eine Handlung nachschildern, indem sie detaillierte Beziehungen zur Vorlage herstelle und diese auch genau bezeichne. In der Bezeichnung sieht er vielmehr das Eingeständnis, daß mit musikalischen Mitteln allein kein Bezug zur Göttlichen Komödie Dantes vermittelt werden kann. Besonders aber weigert er sich, sich von geistigen Bezügen in einer Musik beeindrucken zu lassen; „Wert und Wirkung" einer Komposition liegen für ihn einzig und allein in ihren musikalischen Qualitäten.

Umso erstaunlicher nimmt sich daher eine Kritik aus, in der er Rubinsteins „Dramatische Symphonie" bespricht – ein Stück ohne mitgegebenes Programm: „An was für einen dramatischen Vorgang Rubinstein gedacht haben mag bei dieser unabsehbar langen und unbeschreiblich gewaltsamen Symphonie, das wird niemand auch nur annähernd erraten. Ein Programm als Orientierungsplan, ja selbst eine einfache Aufschrift als Ariadnefaden wäre erwünscht gewesen. Verschiedene nationale Anklänge, zumeist im Scherzo, lassen auf russische Begebenheiten schließen; vielleicht ist es die Geschichte des russischen Reiches von seinen Anfängen bis auf die neueste Zeit, was uns hier orchestermäßig erzählt wird."[28] Zu dieser Symphonie wünscht sich Hanslick ein Programm als „Orientierungsplan". Hier reicht es ihm nicht, allein auf die Musik zu hören, sie zu beurteilen, eben weil die Musik ihm ständig auf etwas hinzuweisen scheint, was außer ihr liegt. Dies taten auch Dvoraks „Legenden", die Hanslick gerade wegen ihres unbestimmten Ausdrucks so gefallen hatten. Aber sie enthielten vor allem gute Musik, Rubinsteins Musik aber ist schlecht, und damit ist das maßgebende Urteil über sie schon gefallen. Ein Programm könnte danach nur noch den Sinn haben, den Hörern, wenn sie schon schlechte Musik hören müssen, dies wenigstens durch Mitverfolgen eines Programms interessant zu machen. Außerdem hat Rubinstein mit dem Titel „Dramatische Symphonie" schon einen halben Schritt zur Programmusik getan; Hanslick wünscht nun, daß er seine Überschrift noch spezifiziert. Dvoraks ganz ähnlich gearteter Titel hatte diesen Wunsch nicht erregt, weil der „episch maßhaltende

Ton" seiner Musik Eigenwert besaß, im Gegensatz zu Rubinsteins maßloser, „langer und gewaltsamer" Musik.

Diese Gegenüberstellung hat gezeigt, daß Hanslicks Forderung, Programmmusik müsse vor allem gute Musik sein, die auch ohne die Kenntnis des Programms verständlich sei, gar nicht echte Programmusik meint, sondern „poetisch inspirierte" Musik wie Dvoraks „Legenden". Echte Programmusik, die für Hanslick immer schlechte Musik ist, kann auf das Programm gerade nicht verzichten.

Aber Hanslick dachte nicht nur in diesen zwei Kategorien, es gab für ihn nicht nur „poetisch inspirierte" und Programmusik. Darauf deutet eine Stelle in einer Kritik von Wagners Parsifal-Vorspiel hin, wo er schreibt, er sei weit entfernt davon, „zu glauben, eine dem Komponisten vorschwebende poetische Deutung hindere ihn, ein abgerundetes, musikalisch wirkungsvolles Tonstück zu schaffen."[29] Darin steckt eine differenzierende Denkweise: Hanslick spricht hier von einer „vorschwebenden poetischen Deutung", d.h. dem Komponisten schwebt während seiner Arbeit vor, wie man beim Hören seine Komposition deuten könne, indem man ihr einen „Analogieinhalt" [30] beigibt, der aber auch dem Hörer nur vorschwebt, so daß er ihn bei ungestörtem musikalischem Hören nicht an einer bestimmten Stelle genau wiedererkennen muß.

Es ist allerdings nicht leicht, für eine dem Komponisten vorschwebende poetische Deutung einen Beleg in Hanslicks Kritiken zu finden. Am ehesten trifft man darauf vielleicht in einer Rezension der „Ouvertüre zum Andenken an Heinrich von Kleist" von Joseph Joachim und der „Holberg-Suite" von Edvard Grieg. „Wer nicht in sehr kindlichen Vorstellungen über die Ausdrucksfähigkeit der Instrumentalmusik befangen ist, der wird von keinem dieser beiden Orchesterstücke eine porträtgetreue Schilderung des betreffenden Poeten erwarten. Weder Joachim noch Grieg haben je vermeint, irgend ein Mensch, mit dem Titel dieser Musikstücke unbekannt, könnte beim Anhören just auf Kleist oder auf Holberg verfallen. Der Tondichter gibt uns hier gleichsam zwei verschiedene Fäden in die Hand, die Komposition und den Titel – diese sollen wir im Geiste miteinander verknüpfen."[31]

Besonders der letzte Satz erinnert stark an Hanslicks Ausführungen über die „poetische Anregung" in der Grundsatzschrift, die am Anfang dieses Kapitels wiedergegeben wurde. Aber während Hanslick 1854 betont hatte, für die Verknüpfung der zwei „Fäden" bestehe kein innerer Anlaß, sondern lediglich eine „ausdrückliche Nötigung des Autors", weil nämlich der Titel lediglich ein äusseres Akzidens zu der Komposition bleibe, fährt er in der Rezension fort: „Nur wenn wir gar keinen Vereinigungspunkt für diese beiden Fäden entdecken, gar keine innere Verwandtschaft zwischen dem Musikstück und seinem Titel, dann werden wir sagen können, der Komponist hat einen Mißgriff getan." Nach diesen Sätzen ist die Benennung der Komposition nur legitimiert, wenn zwischen beidem eine „innere Verwandtschaft" besteht. Darin, daß er diese Verwandtschaft hier für möglich erklärt, liegt die Differenzierung. Eine „innere Verwandtschaft" von Titel und Musik kann Hanslick – streng genommen – nur festhalten, wenn nicht mehr die Musik allein, sondern Titel und Musik gemeinsam das Werk bilden.

Hanslick verdeutlicht diese bisher nur vermutete Erweiterung des Werkbegriffs selbst in einer anderen Rezension der Kleist–Ouvertüre von Joseph Joachim, die er zusammenfaßt: „Dennoch enthält seine Ouvertüre wenig, was uns nötigen könnte, sie unter dem Einfluß von Heinrich von Kleist zu denken. Von diesem lebt nur der grübelnde, melancholische Zug in Joachims Ouvertüre, die in ihrer trüben, weichen Stimmung stark an Schumann ... erinnert. Wir vermissen einen viel entscheidenderen Zug: das leidenschaftliche Aufflammende, Gewaltige, ja Gewaltsame, das Kleists Wesen kennzeichnet und seine Dichtungen prägt. Abgesehen von der poetischen Übereinstimmung – welche, wie gesagt, ebenso sehr in dem guten Willen unserer eigenen Phantasie, als in der Partitur liegt – ist Joachims Kleist-Ouvertüre ein edel gedachtes, mit tüchtiger Kunst ausgeführtes Tonstück, wie deren heute nicht allzu viele auf den Markt kommen."[32]

Hanslick betont, der Hörer sehe sich nicht gezwungen, die Ouvertüre ständig und streng auf Kleist hin zu hören, er könne sich auch der Musik allein hingeben. Als Komposition habe die Ouvertüre beachtliche Qualitäten und weise ein ausgewogenes Verhältnis von geistigem Gehalt und Form auf. Und dennoch: die poetische Übereinstimmung mit dem Titel nennt Hanslick unvollkommen. In Parenthese sagt er das in diesem Zusammenhang Entscheidende: die Übereinstimmung beruhe „ebenso sehr" auf subjektiven Faktoren wie auf Gegebenheiten der Partitur. 1854 hatte er gefordert, den Ästhetiker dürfe nur die Partitur, d.h. die musikalische Substanz interessieren. Diese zu untersuchen und eine Übereinstimmung mit dem Titel zu finden, hatte er zwei „ganz verschiedene" Forderungen genannt. 34 Jahre später, in dieser Kritik, hebt er die Trennung der zwei Forderungen auf.

Aber man muß diese Kritik vorsichtig werten. Im selben Jahr schrieb Hanslick nämlich eine andere, welche diese einfache Sicht zu differenzieren zwingt: „Die ‚Ouvertüre zum Gefesselten Prometheus des Aeschylos', eine der besten, reifsten Kompositionen Goldmarks, reizt nicht bloß durch die heiße Energie des Ausdrucks, sie hat auch musikalischen Gehalt und übersichtliche Form. Es geht darin wirklich etwas vor, in musikalischem Sinn, nicht in dem mißverständlichen einer dramatischen Nachmalerei." Einige Sätze weiter nimmt er Stellung zu einem Vorwurf, der ein zartes, melodisches Seitenthema als zu dem Stück unpassend verwarf: „Mir aber scheint es geradezu ein Verdienst des Komponisten, daß er die Folterqualen des angeschmiedeten Prometheus vorübergehend unterbricht, ihn und uns gleichsam Atem schöpfen läßt. Dieser Kontrast war musikalisch notwendig; in einem Orchesterstück verlangen wir zuerst Musik und dann erst Tragödie, so weit sie in ersterer lösbar ist."[33] Verbindung von Ausdruck und musikalischer Substanz ist zwar auch hier ein wichtiges Kriterium, doch erhält die musikalische Substanz ein deutliches Primat. Allerdings geht es um den musikalischen Kontrast; hier wird gelobt, daß er vorhanden ist, während in der Joachim-Kritik gerade sein Fehlen Anlaß zu dem besprochenen Einwand war, der dann auch von der Übereinstimmung mit dem Titel her begründet wurde.

Bei einer Würdigung dieser zwei unterschiedlichen Aussagen in den Kritiken und der sehr bestimmten Ablehnung jeglicher inneren Bindung von Komposition und Titel in der ästhetischen Schrift läßt sich eine Antwort auf die Frage, ob Hanslick seine Ablehnung von 1854 später modifiziert hat, nur in eingeschränktem Maße geben. Er ist als Kritiker in dieser Frage nicht starr geblieben, und ein so absolutes Primat der abstrakten Komposition hat er nicht mehr postuliert. Dennoch ist es ihm vorrangig immer um den Wert der Musik gegangen, nur bezog er den Titel und das, was er ausdrücken soll, in wechselndem Maße mit in das Urteil über das Werk ein. Sein Werkbegriff erscheint in den Kritiken gegenüber der Grundsatzschrift umfassender und offener für eine dem jeweiligen Stück angepaßte Erweiterung.

Hanslicks Verhältnis zur echten Programmusik ist zwar schon kurz betrachtet worden, es bedarf aber noch einer weiter gefaßten Untersuchung, die über Äußerungen zu Franz Liszts Kompositionen hinausgeht. Denn Liszt ist insofern ein Sonderfall, als Hanslick ihm nicht nur ein falsches Kompositionsprinzip, sondern vor allem unüberwindliches Unvermögen vorwarf. Andere Komponisten, deren Talent er durchaus anerkannte, ja deren absolute Kompositionen er lobte, schrieben auch Programmusik, beispielsweise Anton Dvorak.

Dvoraks symphonische Dichtung „Die Waldtaube" veranlaßte Hanslick nach einer eingehenden Würdigung der Kompositionsweise noch zu dem folgenden Exkurs: „Was ihre Wirkung schmälert, ist nur die fortwährende Nötigung des Zuhörers, die Musik schrittweise mit der ihr aufgezwungenen Erzählung zu vergleichen. Man wende nicht ein, das Programm könne ja nicht schaden, wenn die Musik nur gut ist. Die Musik leidet immer darunter, wenn ein detailliertes Programm die Freiheit des Komponisten wie des Hörers vernichtet. Dvoraks Tondichtung gleicht einer schönen Gefangenen, welche gefesselt zwischen zwei Gendarmen ihren vorgeschriebenen Weg zurücklegen muß. Ein erzählendes Programm, wie das zur ‚Waldtaube', ist ein Unglück für die Komposition, weil es mißverständlich und weil es leider – unentbehrlich ist. Denn aus dem musikalischen Gedankengang der ‚Waldtaube' lassen sich diese jähen Stimmungswechsel, Absprünge, Rückwanderungen und verblüffenden Orchesterklänge nimmer erklären."[34]

Nach Hanslicks Darstellung können sich weder der Komponist noch der Hörer zu der Musik verhalten, wie es ihre Phantasie verlangen würde, sondern sie sind gezwungen, die Musik ständig in Beziehung zum Programm zu setzen. Es fehlt ihnen die Freiheit in der Anschauung des Musikalisch-Schönen. Das ist so entscheidend, daß auch eine gute Musik nicht über diese Beeinträchtigung hinweg hilft. Hanslick findet hier eine sprachlich besonders schöne Form für seine Begründung, weshalb Programmusik eine dem Wesen der Musik zuwiderlaufende Kompositionsrichtung ist. Die Freiheit der Phantasie, die er 1854 in einem spezifischen Sinn für die Musik definiert hatte, wird behindert, ja vernichtet. Phantasie war dort als das ästhetische Organ sowohl des Produzierenden als auch des Rezipierenden gefaßt worden; indem Hanslick in dieser Kritik auf die „Freiheit des Komponisten wie des Hörers" hinweist, nimmt er direkten Bezug auf seinen Phantasiebegriff. Auch die folgenden Sätze der Kritik, die Hanslicks sprachliches Geschick eindrucksvoll herausstellen, gehören in diesen Zusammenhang: „Anders ein Titel, der uns wie eine angeschlagene Stimmgabel nur den durchklingenden poetischen Grundton des Stückes angibt. Aufschriften, wie ,Ländliche Hochzeit' (Goldmark), ,Italien' (R. Strauß), ,Aus der neuen Welt' (Dvorak) und andere lassen dem Hörer Freiheit genug. Nicht so die jüngsten symphonischen Dichtungen von Dvorak."

Die Freiheit der Phantasie braucht für Hanslick nicht absolut zu sein, ein Anstoß zum Verständnis kann durchaus gegeben werden, aber: „Wir wollen unser Ohr und unsere Phantasie nicht in eine gebundene Marschroute zwängen lassen."[35] Dies tut ein Programm. Darüber hinaus entstehen aber auch Konflikte für den Komponisten, der die Anforderungen des Programms mit den technischen Aufgaben seines Metiers in Einklang bringen muß. Dieser Versuch ist äußerst schwierig und scheitert oft. Die Folge ist dann, daß der Hörer treu dem Programm folgt, aber dennoch über die Musik „im Unklaren" bleibt: „In dem Programm lassen die verschiedenen Szenen der Sage [es geht um das Programm zu Dvoraks „Der Wassermann"] sich noch genau trennen; in der Komposition, welche fast durchwegs das erste ,Wassermann-Motiv' festhält, fließen sie unterschiedslos ineinander. Das ist alles interessant musiziert, aber schlecht erzählt. Immer hinkt man, das Programm vor Augen, der Musik voraus oder nach."[35] Es kann demnach auch so kommen, daß die Komposition für ihr Programm zu gut komponiert ist und infolgedessen Schwierigkeiten beim Hören entstehen, weil nämlich die Komposition sich nicht genau genug an ihr Programm hält. Bei einem detaillierten Programm darf also der Komponist nicht nach musikalischen Gesetzen (hier: motivische Arbeit) verfahren. Hanslick sieht in dieser Kritik die Einengung der Phantasie unter einem anderen Aspekt, kommt jedoch zum selben Resultat. Eine Programmusik muß eben vor allem erzählen, musizieren darf sie erst in zweiter Linie. Damit widerspricht sie dem Wesen der Musik.

Hanslick hegte gegen Dvoraks Programmkompositionen aber nicht nur ästhetische, sondern „auch sehr praktische Bedenken. Wer kann sich für diese halb kindischen, halb widerwärtigen Schauergeschichten begeistern? Wie lange wird man trotz der geistvollen Musik sich dafür interessieren? Der erste Eindruck dieser neuen Orchesterstücke ist bestrickend; aber wir fürchten für die Dauer und Sicherheit ihrer Herrschaft. Ein prächtig blühendes Zweiglein, die Musik Dvoraks, erscheint hier auf einen kranken Baum gepfropft, der es vorzeitig verdorren macht."[36] Die Qualität der Programme konnte nach Hanslicks Meinung über das Schicksal der Komposition entscheiden. „Geistvolle Musik", also mit immanentem geistigem Gehalt erfüllte, kann demnach durch ein Programm, das doch an sich nur äußerlich bleiben sollte, am Erfolg gehindert werden. Mehr noch: das Talent des Komponisten ist in der Gefahr zu verkümmern, wenn es sich an ein falsches Prinzip bindet. Bindung an ein Programm muß also nicht nur, wie bei Franz Liszt behauptet, Folge msuikalischer Impotenz sein, sie kann ebenso auch die Zerstörung einer bestehenden Potenz zur Folge haben. Auch das ist für Hanslick ein Indiz, daß das Prinzip ungesund ist.

Am Schluß seiner Kritik über den „Wassermann", die oben schon herangezogen wurde, formuliert Hanslick seine Bedenken so: „Ich fürchte, Dvorak hat mit dieser detaillierten Programmusik eine abschüssige Bahn betreten, welche am Ende direkt zu – Richard Strauß führt."[37] Als er dies schrieb, hatte er schon mehrere von Richard Strauss' symphonischen Dichtungen rezensiert. Diese Rezensionen setzen allgemein einen anderen Akzent als die Dvorak-Kritiken. Hanslick sah die Musik von Strauss als Fortführung der Lisztschen Richtung an. Anläßlich des „Don Juan" nannte er es deren generelle Tendenz, „die reine Instrumental-Musik als bloßes Mittel zur Schilderung bestimmter Vorgänge zu benützen, mit musikalischen Mitteln nicht zu musizieren, sondern zu dichten und zu malen. Hektor Berlioz ist bekanntlich der Stammvater dieser sich noch immer vermehrenden jungen Generation von Tonpoeten".[38]

Als herausragende Erscheinung innerhalb der „jungen Generation von Tonpoeten" hat Hanslick Strauss hier noch nicht anerkannt. Er ordnet ihn ohne weiters in die Vielzahl der Komponisten seines Alters ein, ebenso pauschal wie er hier Berlioz als den Stammvater der Generation bezeichnet, was er in den Kritiken über Liszt vermieden hatte. Das Argument, die Instrumentalmusik werde zur Schilderung bestimmter Vorgänge mißbraucht, weil nicht musiziert, sondern gedichtet oder gemalt werde, übernimmt er aus den Liszt-Kritiken.

Hanslick geht noch auf eine Spezialität der „jungen Generation" ein: sie habe fleißig die Instrumentation von Berlioz, Liszt und Wagner studiert. Dieses Studium sei zwar „einseitig" gewesen, die Komponisten hätten sich damit aber „eine Virtuosität in Klangeffekten erworben, die kaum mehr zu überbieten ist. Die Farbe ist ihnen alles, der musikalische Gedanke nichts."

Diese von Hanslick sehr zugespitzte Antithese Farbe – Gedanke kennzeichnet seine Bedenken, die er gegen Richard Strauss vorrangig hatte: der Effekt stand zu eindeutig im Vordergrund. Dieses Mißverhältnis von Wirkung und Substanz bildete zu Hanslicks prinzipieller Anschauung offenbar einen ebenso starken Gegensatz wie die Bindung der Musik an ein Programm. Die besondere Begabung von Richard Strauss zu effektvoller Instrumentalmusik war für den Kritiker Hanslick möglicherweise ein reizvollerer Angriffspunkt als das schon so häufig behandelte Problem Programmusik. Wir finden daher in diesen Kritiken relativ undifferenzierte Argumente gegen die Programmkomposition, wie z.B. in der Besprechung des Eulenspiegel-Scherzos:

„Richard Strauß hat in einem Orchestersatz (auf den die Bezeichnung ‚in Rondoform' nur in weitester Ausdehnung paßt) eine wahre Weltausstellung von Klangeffekten und Stimmungskontrasten eröffnet. Die Einheit dieser rhapsodischen Einfälle haben wir in der Aufschrift ‚Till Eulenspiegels lustige Streiche' zu suchen. Niemand wird an derlei poetischen Anregungen Anstoß nehmen, wenn nur (wie Schumann stets betont hat) das Musikstück auch ohne die spezielle Überschrift verständlich, zusammenhängend und reizvoll ist."[39]

Daß Strauss im „Eulenspiegel" nicht lediglich „poetische Anregungen", die Hanslick in einer der Dvorak-Kritiken als „durchklingende Grundstimmung" bezeichnet hatte, sondern ein genaues, detailliertes Programm vertont hat, wird übergangen. Der Rückgriff auf Schumanns Leitsatz erscheint deswegen deplaziert. Aber Hanslick hat mit seiner Kritik auch ein anderes Ziel; die Beschäftigung mit dem Programm ist für ihn nur von vorübergehendem Interesse. Er leitet von dieser Frage ausgehend seinen Hauptvorwurf ein: er behauptet, der über die Überschrift nicht informierte Hörer würde das Scherzo wahrscheinlich „kurzweg ein verrücktes Stück nennen. Mit seinem Titel nennen wir es, für unser bescheidenes Teil – ebenso. Wieviel hübsche, witzige Einfälle tauchen darin auf; aber nicht ein einziger, dem nicht sofort ein anderer auf den Kopf spränge, ihm das Genick zu brechen. Man täuscht sich, wenn man diese maß- und meisterlose Bilderjagd für ein Überquellen jugendlicher Genialität halten möchte, für die Morgenröte einer großen neuen Kunst; ich kann darin nur das Gegenteil erblicken: ein Produkt der raffiniertesten Décadence."

Gerade die Tatsache, daß Hanslick das Stück auch in Kenntnis des Titels „verrückt" nennt, beweist, daß es ihm hier nicht um das Verhältnis von Titel und Komposition ging. Denn alles, was er an Tadelnswertem aufzählt, könnte man auch als die speziellen Vorzüge des Stücks werten: die witzigen Einfälle, die schnelle, wechselhafte Folge der Episoden werden vom Titel und dem Programm verlangt. Würden die witzigen Einfälle gründlich ausgeführt im Sinne thematischer Arbeit, wären sie nicht mehr witzig und wäre der Titel verfehlt. Daß er die Einfälle hübsch und witzig nennt, zeigt auch, daß er Strauss nicht für einen talentlosen oder gar „impotenten" Komponisten hielt, wie Franz Liszt. Aber ein „Überquellen jugendlicher Genialität" spricht er Strauss ebenso ab. Denn Strauss arbeite „maß- und meisterlos", mit höchster Raffinesse, und das sind Anzeichen von Dekadenz. Strauss setze sein unbezweifeltes Talent falsch ein, er beherrsche es nicht ernsthaft, wie etwa Dvorak, und er halte kein Maß ein, er übertreibe. Das bedeutet für Hanslick, daß Strauss nicht um der Kunst willen komponiert, sondern für den Effekt.

„Wir kennen ihn längst als einen glänzenden Virtuosen der Mache. Seine speziellen Talente schmücken auch das ‚Eulenspiegel'-Scherzo. Es ist verschwenderisch in Klangeffekten, pikant in seinen überraschenden Kontrasten, voll kontrapunktischer Kunststückchen, origineller Rhythmen und witziger Modulationen; alles furchtbar geistreich und wahnsinnig schön."[40] Virtuosität ist es, was Strauss in Hanslicks Augen von dem Solistenpodium auf das Orchester übertragen hat. Alles, was er an kompositorischen Techniken einsetze, verfolge das Ziel der Überraschung und der oberflächlichen Wirkung. Auch die geistreichen und schönen Einzelheiten seien übertrieben, unseriös.

Strauss suchte nach Hanslicks Meinung das Programm im Hinblick auf die Gelegenheiten zu Effekten aus. Auch eine Modeerscheinung wie die Nietzsche-Verehrung nutzte er aus. „Also sprach Zarathustra" war für Hanslick allein aus diesem Grund entstanden: „Ich kenne die Komposition nicht, vielleicht ist sie meisterhaft, aber der Titel ist barer Unsinn. Auf ‚also sprach:' kann nur eine Rede folgen, kurz oder ausführlich; nur gesprochene Worte, nicht Orchestersätze. Zarathustra sprach keine Fagottskalen oder Klarinett-Triller. Das weiß ein geistreicher Mann, wie R. Strauß, so gut wie wir. Allein die Sucht, um jeden Preis Absonderliches, Unerhörtes aufzutischen, sei es auch nur im Titel, verführt ihn. Nietzsche ist eben in der Mode."[41]

Dieser überraschend oberflächlich anmutenden Vorauskritik ließ Hanslick eine ausführliche Besprechung derselben Komposition folgen, nachdem er sie 1897 gehört hatte. Diese Kritik gehört zu den bissigsten, die Hanslick verfaßt hat. Auch hier setzt er sich ausführlich mit der Überschrift auseinander, übt auch an Nietzsche scharfe Kritik, bespricht sodann die Musik im einzelnen und faßt sein Urteil zusammen: „Die wunderliche, über einem Orchesterstück ganz sinnlose Aufschrift ist in der Tat nur ein Mittel, sich interessant zu machen, der Musik eine Bedeutung anzutäuschen, die nicht in ihr selbst liegt. Die Komposition, ungemein schwach und gequält als musikalische Erfindung, ist eigentlich nur ein raffiniertes Orchesterkunststück, ein klingender Farbenrausch ... Aber diese fabelhafte Orchestertechnik war nach meiner Empfindung dem Komponisten weniger ein Mittel, als vielmehr Zweck und Hauptsache."[42]

Die Überschrift und die Koloristik nicht als Mittel, sondern als Hauptsache – dies sind die äußersten Entartungserscheinungen, zu denen das Prinzip, Anregungen für eine Komposition von außen zu holen, für Hanslick zwangsläufig führt. So begründet sich der Vorwurf der Dekadenz, den er gegen Strauss erhob und vor dem er Dvorak bewahren zu müssen glaubte. Dasselbe Konzert, in dem der „Zarathustra" erklang, wurde abgeschlossen mit Beethovens 5. Symphonie, und die Tatsache, daß Beethovens Musik noch mehr Applaus erhielt als die vorher „tumultuarisch" umjubelte Strauss-Komposition, gab Hanslick Gelegenheit, seinen Standpunkt am Schluß der Kritik noch einmal in einem Satz auszusprechen: „Kraft und Schönheit des Gedankens sind doch mächtiger als das kostbarste Gewand, und der echte Dichter siegt schließlich über die verwegensten Künste des Regisseurs und Dekorations-Malers."[43]

Diese Überzeugung von der Überlegenheit der absoluten Instrumentalmusik erstreckte sich nicht nur auf die Wirkung innerhalb eines Konzerts, sondern ebenso auf die weitere musikgeschichtliche Entwicklung. Schon in der „Don Juan"-Kritik, in der er die „wüste Ekstase" der Musik getadelt hatte, blickte er in die Zukunft: „Fast möchten wir wünschen, es würden bald noch recht viel solcher Tongemälde komponiert, als non plus ultra einer falschen, zügellosen Richtung. Eine Reaktion könnte dann nicht ausbleiben, die Rückkehr zu einer gesunden, zu einer musikalischen Musik... Wir sind nicht so sanguinisch, den Rückschlag gegen diesen emanzipierten Naturalismus der Instrumentalmusik für unmittelbar bevorstehend zu halten – aber kommen muß er."[44]

Raffinesse, verwegenste Künste, Dekorationsmalerei, Dekadenz – alle diese schweren Vorwürfe kulminieren hier in dem Begriff Naturalismus. Damit bekommt die Auseinandersetzung mit der Programmusik grundsätzlichen, ästhetischen Charakter. Die naturalistische Richtung des 18. Jahrhunderts, von dem Engländer Edmund Burke und dem Franzosen Dubos[45] eingeführt, baute auf dem Kunstgenuß auf, der durch die physiologischen Funktionen verursacht wird, also in erster Linie durch die Reizqualitäten des Kunstwerks.[46] Diese beruhen auf den einfachen Elementen. Hier liegt der Bezugspunkt zu Hanslicks Ästhetik: „die Lust am Elementarischen der Musik"[47] hatte er 1854 als das Merkmal des „pathologischen" Hörens bezeichnet. Gerade dies ist es auch, was er Richard Strauss vorwirft: Strauss wende sich mit seiner Musik, die eine Fülle von stärksten Reizen enthalte, an die „Lust am Elementarischen" beim Hörer. Dies bedeutet für Hanslicks Überzeugung, die geistige Hauptaufgabe der Musik, die Formung von guten Gedanken, zu mißachten und ihren Verfall herbeizuführen. Andererseits entspricht es auch seiner Grundkonzeption von der Selbständigkeit der Musik als Kunst, daß sie sich selbst vor diesem Verfall retten kann, daß in Form eines Rückschlags die Rückkehr zur „musikalischen Musik" stattfinden muß. Es werden wieder Komponisten „von genialer Naturkraft" auftreten und diese Besserung ausführen; im Anschluß an Richard Wagners „Parsifal" hatte er diese Voraussage schon einmal gemacht.[48] Hanslick rechnete damit, daß die Naturkraft der Musik den naturalistischen Umgang mit ihr überwinden werde.

An dieser übereinstimmenden Argumentation für Instrumentalmusik und Oper zeigt sich, daß es Hanslick bei der Auseinandersetzung mit der Programmmusik am Ende des Jahrhunderts nicht mehr vorrangig um das Kompositionsprinzip ging, sondern um eine weiterreichende Erscheinung dieser Zeit: Musik wurde in seinen Augen nicht mehr als geistiges, in sich geschlossenes Kunstwerk komponiert, sondern zum Zwecke oberflächlicher Wirkung auf das Publikum. Die Kompositionen konnten nicht mehr durch „Kunstgenuß" in seinem anspruchsvollen Sinn aufgefaßt werden, sondern sie versetzten den Hörer in einen Klangrausch, der ihm das „Nach-denken" abnahm und ihn zu einem „pathologischen" Genießer degradierte. Denjenigen, der davon unbeeindruckt in „reiner Anschauung" die Musik verfolgen wollte, konnte sie wegen mangelnder Qualität der melodischen Einfälle (Zarathustra) oder formaler Unklarheit (Eulenspiegel) nicht befriedigen. Der Widerspruch zu Hanslicks 1854 geäußerter Überzeugung liegt in der rein musikalischen Seite der Programmusik, er ist direkt.

Freilich hat das Prinzip, Anregungen zur Komposition aus nichtmusikalischen Vorlagen zu holen, zu dieser Ausartung geführt. Hanslick stand selbst in diesem Entwicklungsprozeß, der von Berlioz über Liszt zu Richard Strauss führte, als unmittelbar Beteiligter drin, er konnte die Entwicklung nicht als ganzes distanziert überschauen. Dementsprechend sind auch seine Kritiken verschieden akzentuiert. Hanslick hatte keine schematische Methode, nach der er jedes programmatische Musikstück beurteilte; er suchte bei jedem Werk das „Wesentlichste" und richtete seine Kritik danach aus. Bei Liszt war ihm zentraler Angriffspunkt der schon im Ansatz verfehlte Versuch, anstelle substanziöser Musik, zu der er Liszt für unfähig hielt, große Ideen der Geistesgeschichte musikalisch nachzuvollziehen. Richard Strauss, an sich ein Komponist mit musikalischem Talent, benutzte das Programm als Anlaß zur Orchestervirtuosität und oberflächlichen Effektvorführung. Berlioz, der „Stammvater" dieser Richtung, wird infolge des persönlichen Erlebnisses in der Jugend vorwiegend unter dem Aspekt des rapiden Nachlassens seiner Faszination und der immer weniger befriedigenden Musik gesehen.

Eine Sonderstellung innerhalb der detaillierten Programmvertonung nimmt Dvorak ein. An seinen Werken wird die Problematik der Programmusik besonders eingehend besprochen. Dvorak galt Hanslick als einer der wenigen guten Komponisten von „reiner Tonkunst" in seiner Zeit.. Die Qualitäten seiner Musik sind auch in den Programmkompositionen vorhanden, allerdings in unterschiedlichem Maße. Aber sie können nicht in reiner Anschauung mit freier Phantasie gehört werden, ja schon der Komponist kann sie nicht frei schaffen, weil ihn der Zwang des Programms hindert. Dadurch wird aber die Musik selbst als solche unklar, weil sie nicht rein musikalischen Gesetzen gehorchen kann. Der Hörer ist also auf das Mitverfolgen des Programms angewiesen, wenn er die

Musik verstehen will. Dies macht auch die Problematik des verschwiegenen Programms aus: der Hörer versteht die Musik nicht recht und hat zudem die Hilfe des Programms auch nicht zur Verfügung. Rubinsteins „Dramatische Symphonie" war ein Beispiel für dieses in Hanslicks Augen vollständige Dilemma.

Sehr viel mehr Freiheit für Komponist und Hörer bietet die Bindung der Musik an eine Überschrift. Hier hat die Musik keine Einzelheiten wiederzugeben, sondern nur eine „poetische Anregung", eine „Grundstimmung" oder eine „vorschwebende poetische Deutung" dem Hörer zu vermitteln, der seinerseits die Musik ungestörter als Musik genießen kann. Daß diese Bindung eine „innere Verwandtschaft" von Musik und Überschrift herstellt, hat er in seinen Kritiken immer stärker anerkannt, nachdem er es in seiner ästhetischen Schrift geleugnet hatte. Er erkannte auch Unterschiede in den Anforderungen verschiedener Arten von Überschriften. Ein Titel wie „Legenden", der keinen konkreten Inhalt hat, kam seiner Anschauung am weitesten entgegen. Andere Überschriften wie „Zum Andenken an Heinrich von Kleist" erforderten dagegen das genauere Ergründen eines Persönlichkeitsbildes, das mehrere Charaktereigenschaften aufweist. Hier verband Hanslick die Feststellung eines Mangels der Charakterdarstellung mit einem musikalischen Einwand: der fehlende Kontrast, die musikalische Eintönigkeit konnte zugleich als Einseitigkeit der Persönlichkeitszeichnung gewertet werden.

Es gibt aber auch Titel, die sich überhaupt nicht für eine Komposition eignen, wie „Das Märchen von den sieben Raben", oder solche, mit denen die Musik zu einseitig auf einen bestimmten Ton festgelegt wird, wie „Ouvertüre zum Gefesselten Prometheus des Aeschylus". Hier konnte er ein musikalisch motiviertes Abweichen des Komponisten von der Anforderung des Titels begrüßen. Hanslick zeigte auf diesem Gebiet eine Vielfalt der Begründung seiner Urteile, die den mannigfaltigen Möglichkeiten, wie Musik und Titel aufeinander bezogen sein können, angemessen war. Sein Verhältnis zu dem großen Gebiet der programmatisch gebundenen Musik war viel differenzierter, als man es bei der isolierten Betrachtung eines Satzes annehmen könnte, den er 1876 über ein Konzert mit Tschaikowskys „Romeo und Julia"-Ouvertüre und Brahms' Haydnvariationen schrieb:

„Dort eine Programm-Musik, die trotz des allbekannten Sujets uns fortwährend zu raten gibt, was wohl diese und jene Stelle ‚bedeute' – hier das rein musikalische Denken und Formen, die auf sich selbst ruhende, durch sich selbst verständliche musikalische Schönheit."[49]

Zum Abschluß dieses Kapitels muß noch ein kurzer Blick auf die Tonmalerei geworfen werden. Auch diese Kompositionsweise gehört ja in das Gebiet der unselbständigen, etwas anderes als sich selbst darstellenden Musik. Hanslick stand ihr aber durchaus positiv gegenüber. In seiner ästhetischen Schrift hat er sich an zwei Stellen über Tonmalerei geäußert. Einmal im zweiten Kapitel, in dem es um die Darstellung von Gefühlen geht. Die Gefühlsästhetiker, so schreibt Hanslick, versicherten immer, die Musik könne nicht eine außerhalb ihrer liegende Erscheinung nachahmen, sondern nur das dadurch erregte Gefühl. „Gerade umgekehrt. Die Musik kann nur die äußere Erscheinung nachzuahmen trachten, niemals aber das durch sie bewirkte spezifische Fühlen."[50] Die Nachahmung geschehe durch der äußeren Erscheinung analoge musikalische Figuren.

Die zweite Äußerung über Tonmalerei steht am Schluß des sechsten Kapitels über das Verhältnis der Musik zur Natur. Die Musik hat kein Naturschönes – dies ist die Hauptaussage dieses Kapitels. Am Beispiel der Tonmalerei werde oft das Gegenteil behauptet, sie diene als Beispiel dafür, daß die Musik sehr wohl Vorbilder aus der Natur nachahme. „Allein wenn wir gleich diese Nachahmungen hören und in einem musikalischen Kunstwerk hören, so haben sie doch darin keine musikalische Bedeutung, sondern eine poetische. Es soll uns der Hahnenschrei nicht als schöne Musik, oder überhaupt als Musik vorgeführt werden, sondern nur der Eindruck zurückgerufen, welcher mit jener Naturerscheinung zusammenhängt. Allgemein bekannte Stichwörter, Zitate sind es, welche uns erinnern: Es ist früher Morgen, laue Sommernacht, Frühling."[51] Tonmalerei hat demnach keine musikalische, sondern lediglich Zeichenfunktion. Das Nachgeahmte hat keine Bedeutung für sich als integrierender Bestandteil des Werkes, sonder es taucht lediglich einmal auf, um auf irgend etwas hinzuweisen. Innerhalb dieser Grenzen hat also Tonmalerei durchaus einen legitimen Platz in der Musik. Andere Tonmalereien, wie etwa die um 1820 sehr beliebten Schlachtengemälde von Riotte und anderen, nennt Hanslick kurzweg „Spielereien, zum Ergötzen kleiner und großer Kinder."[52] Darauf braucht er also bei ästhetischen Ausführungen nicht einzugehen.

Anton Dvorak hat in seiner symphonischen Dichtung „Die Mittagshexe" Tonmalerei verwendet, und Hanslick schreibt darüber: „Nun hat Dvorak für das greinende Kind, das, zweimal besänftigt, immer wieder zu schreien anhebt, allerdings einige sehr gelungene musikalische Witze, wahre Klangbonmots ersonnen, die als sparsame Würze in einem humoristischen Ganzen uns ergötzen würden. Dem Reiz einer geistreichen Tonmalerei widersteht niemand, von den kindlich heiteren Klangbildern in Haydns ‚Schöpfung' und ‚Jahreszeiten' angefangen, bis zu den genialen Tongemälden der Romantiker und Wagners berükkendem Feuerzauber. Aber die Nachahmung des schreienden Kindes ist eine Spielerei, die schon bei der ersten Wiederholung geschmacklos wird und nur als Motiv für ein komisches Genrebild am rechten Platze stünde."[53]

Als Einzelerscheinung hätte also Dvoraks Tonmalerei den Reiz des Witzigen, nur paßt ein Witz nicht in die grausame Handlung des Programms, und zweitens darf er nicht als Motiv verwendet werden, mit dem musikalisch und über eine größere Strecke hinweg gearbeitet wird. Interessant ist hier die Erwähnung von Wagners Feuerzauber als Beispiel für gelungene Tonmalerei. Hanslick hat ihn immer zu den schönsten Teilen aus Wagners Opern gerechnet; doch darauf wird im Kapitel über die Oper näher einzugehen sein.

Nicht gerade eine Tonmalerei, sondern Musik als Tonsprache, die einen gedanklichen Prozess mit musikalischen Mitteln verdeutlicht, sah Hanslick in dem Orchesternachspiel von Brahms' Schicksalslied verwirklicht. Diese Schilderung soll am Schluß dieses Kapitels wiedergegeben werden, um noch einmal zu zeigen, daß Hanslick tatsächlich nicht in dem starren Schema: hier absolute Musik – hier Programmusik dachte, sondern daß er die Grenzen fließend sah. Auch absolute Musik konnte in seinen Augen begriffliche Inhalte vermitteln. „Es ist eine überaus schöne poetische Wendung, welche uns die ganz verklärende Macht der Tonkunst offenbart, daß Brahms nach den letzten Worten des Chors zu der feierlich langsamen Bewegung des Anfanges zurückkehrt und in einem längeren Orchesternachspiel das wirre Mühsal des Menschenlebens in seligen Frieden auflöst. In ergreifender, allen verständlicher Weise vollzieht Brahms diesen Gedankengang durch reine Instrumentalmusik, ohne Hinzufügung eines einzigen Wortes. Die Instrumentalmusik tritt also hier ergänzend und wohlwollend hinzu und spricht aus, was sich in Worte nicht mehr fassen läßt: ein merkwürdiges Gegenstück zu dem umgekehrten Vorgang in Beethovens Neunter Symphonie."[54]

Anmerkungen:

1 VMSch/92.
2 VMSch/42.
3 VMSch/43. vgl. Th.W. Adorno, Ästhetische Theorie, Taschenbuch-Ausgabe, Frankfurt 1973, S. 226.
4 In späteren Auflagen fügte er einen ausdrücklichen Bezug auf Liszt in einer Anmerkung an.
5 GCW II/119.
6 CCV/162.
7 VMSch/41.
8 GCW II/61.
9 vgl. Hanslicks Schönheitsbegriff, S. 71 f.
10 GCW II/118 f.
11 vgl. W. Wiora, (6), S. 381.
12 VMSch/92 f.
13 VMSch/93.
14 vgl. S. 60 f.
15 vgl. 8. Auflage, S. 198 f.
16 CCV/108.
17 Bei einem Zusammentreffen mit Dvorak 1880 in Karlsbad spielte Hanslick mit dem Komponisten die „Legenden" in der vierhändigen Klavierfassung. Er freute sich an „ihrer Frische und ihrem Ideenreichtum", woraufhin Dvorak sie ihm widmete als Dank für Hanslicks fördernde Kritiken in Wien. AML II/214.
18 CCV/339 f.
19 M.O. VIII/291.
20 AML I/59.
21 CCV/108.
22 AML I/61.
23 M.O. IV/174.
24 M.O. VI/200.
25 M.O. VII/180.
26 vgl. S. 75.
27 CCV/292 f.
28 CCV/149.
29 CCV/377.
30 W. Wiora, (6), S. 383.
31 M.O. VI/256.
32 M.O. V/168 f.
33 M.O. VI/298 f.
34 M.O. IX/84 f.

[35] M.O. VIII/217.
[36] M.O. IX/85.
[37] M.O. VIII/217.
[38] M.O. VII/179.
[39] M.O. VIII/198 f.
[40] M.O. VIII/201.
[41] M.O. VIII/217 f.
[42] M.O. VIII/269.
[43] M.O. VIII/271.
[44] M.O. VII/181.
[45] Réflexions critiques sur la poésie et la peinture, 1719.
[46] vgl. K. Huber, Ästhetik, Ettal 1954, S. 32, 36, 137,
[47] VMSch/72.
[48] vgl. S. 86.
[49] CCV/176.
[50] VMSch/24.
[51] VMSch/94.
[52] M.O. VIII/291.
[53] M.O. VIII/226.
[54] CCV/54.

2. Hinführung des Publikums zur Kammermusik

In seiner „Geschichte des Concertwesens in Wien", die einen breitangelegten Überblick über die Entwicklung des Wiener öffentlichen Musiklebens gibt, behandelt Hanslick die noch halb privaten kammermusikalischen Veranstaltungen in den ersten Jahrzehnten seines Jahrhunderts unter einem gesellschaftspolitischen Aspekt. Er stimmt Nägelis Ansicht zu, daß die Kammermusik die musikliebende Bevölkerung in zu kleine Teile zersplittere, indem sie die musikalischen Zirkel vervielfache. Diese Tendenz verhindere „die Konzentration der Kunstkräfte in einem Brennpunkte", begünstige „die Sonderung der Stände", vor allem aber sei sie der „Erhebung des geselligen Lebens zum öffentlichen" abträglich.[1] Nägelis Motive zu seiner Abneigung gegen die Kammermusik brauchen hier nicht erörtert zu werden. Daß aber Hanslick die Argumente als für die betroffene Zeit gültig in seine Darstellung einbezieht, kennzeichnet einen Wesenszug an ihm, der sich am stärksten in seinen Kritiken von Kammermusikwerken ausgeprägt hat: er möchte auf das Publikum bildend einwirken.

In die Öffentlichkeit waren die Aufführungen von Kammermusik um 1850 zwar schon „erhoben" worden, aber im Vergleich zu den immer noch stark im Vordergrund stehenden Virtuosenkonzerten fanden sie noch wenig Resonanz beim breiten Publikum. Hanslick trat in seinen frühen Kritiken mit Nachdruck dafür ein, daß die Quartettabende, bis 1849 von Leopold Jansa veranstaltet, eine größere Beachtung fanden. „Jansas Quartettabende waren von jeher in dem größtenteils frivolen Musikleben Wiens ein sicherer Hort wahrer, würdiger Musik. Die Namen der Unternehmer boten dem Publikum eine Garantie, daß es da nur Gutes und dies nur in guter Weise hören werde. So wurden die Quartettabende bald ein Sammelplatz und durch ihre jährliche Wiederkehr ein Bedürfnis aller gebildeten Musikfreunde Wiens. Nun übt jeder periodisch wiederkehrende Zyklus gediegener Musiken einen bedeutenden Einfluß auf die musikalische Bildung der ganzen Stadt, er bildet eine Assekuranz für die wahren Interessen der Kunst und einen Damm gegen Verseichtung und Verderbnis."[2] Gerade der letzte Halbsatz deutet noch auf Hanslicks revolutionäre Begeisterung hin.[3]

Hanslick glaubte daran, daß man mit ständiger Wiederholung Interessierte sammeln und – mehr noch – auch ein Bedürfnis nach guter Musik wecken könne. Die „musikalische Bildung" der Stadt lag ihm am Herzen, sie wollte er angesichts des „größtenteils frivolen", von Virtuosen geprägten Konzertlebens erreichen. Indem er als Kritiker in ausführlichen Artikeln darauf hinwies, glaubte er, eine wichtige Aufgabe seiner Stellung zu erfüllen. Aber er beschränkte sich nicht auf allgemeine Hinweise, sondern ging in seinen Kritiken noch häufiger auf die Einzelheiten der Programmgestaltung ein. Denn die Tatsache, daß die Quartettabende stattfanden, befriedigte ihn zwar, aber er erkannte eine neue Gefahr: das Beharren auf mittlerweile bekannten Werken, besonders den Haydn- und den frühen Beethoven-Quartetten. Er drang deshalb unter mehreren Aspekten auf eine größere Vielfalt der Konzertprogramme:

Er hielt eine Kenntnis auch der neueren Literatur für nötig: „Die Vorliebe für die älteren Meister darf nie so weit gehen, daß sie das Publikum von der Kenntnis dessen ganz ausschließt, was ein neueres Kunstbewußtsein in Kraft und Liebe geschaffen. Ehret immerhin in Haydn den Vater der Kammermusik – aber die Söhne sind auch nicht mißraten. Bei aller Verehrung für die ‚klassische' Schule muß standhaft darauf gedrungen werden, daß sie in periodischen Programmen so weit eingeschränkt werde, als eine würdige Repräsentation der ‚romantischen' Schule es notwendig macht."[4] Hanslick streitet hier mit der Energie eines jungen Mannes von dreiundzwanzig Jahren für die neuere Musik, womit er vorrangig Schumann meint, dessen Werke damals in Wien noch kaum bekannt waren.

Der zweite Aspekt, den er in demselben Aufsatz anspricht, ist die Bequemlichkeit der Interpreten und des Publikums, die sich lieber mit den frühen Beethoven-Quartetten abgeben als mit den „späteren Werken. Sie sind wenig bekannt und noch weniger verstanden, die Bequemen unter den Künstlern scheuen die Schwierigkeit des Einstudierens, und die ‚Gutgesinnten' im Publikum schlagen ein Kreuz, wenn irgendwo davon die Rede. Es ist hohe Zeit, daß diesen Werken Beethovens, welche bei manchen wunderlichen Auswüchsen den höchsten Aufschwung seines titanenhaften Genius enthalten, öffentliche Gerechtigkeit werde, und wenn ein gebildetes Publikum ... sie ... endlich so häufig gehört haben wird, wie jene ersten sechs, so ist mir um das Verständnis gar nicht bange ..... beleidigen heißt es den großen Beethoven, wenn man stets nur den kleineren Beethoven zur Aufführung zuläßt." Man verhält sich demnach unangemessen einem Komponisten gegenüber, wenn man den größten Teil seines Schaffens auf einem Gebiet meidet und sich nur an die leicht verständlichen Werke hält. Das Verständnis, meint Hanslick, läßt sich erlernen, wenn man die schwierigen Werke erst einmal kennengelernt hat. Er gesteht ein, daß auch ihm manches darin „wunderlich" erscheint – das hat sich bei ihm übrigens auch später nicht geändert. Aber seine Argumentation trägt deutlich erzieherischen Charakter: zu sagen, manche Kompositionen seien unverständlich, stellt er als ein Vorurteil hin. Eines „gebildeten Publikums" sei es unwürdig, über Musik ein solches Urteil abzugeben, ohne sie wirklich zu kennen. Dieser Zustand lasse sich dadurch überwinden, das die Interpreten diese Werke wiederholt aufführten.

Ein Publikum ist aber nicht wirklich gebildet, das den „höchsten Aufschwung" von Beethovens „titanenhaftem Genius" nicht kennt. Dies ist der dritte Aspekt, der in Hanslicks Kritiken über Kammermusik am häufigsten wiederkehrt, während die beiden anderen bald an Bedeutung verlieren, möglicherweise, weil Hanslicks Drängen Erfolg hatte. Kammermusik stellt für Hanslick die höchste Stufe der künstlerischen Verfeinerung dar, er nennt die Streichquartette Beethovens, Schumanns, Schuberts, auch Mendelssohns „wahrhaft Offenbarungen des Genies", die „in großartiger Einsamkeit auf den Gipfeln der Kunst thronen."[5] Offenbarungen sind ihrem Begriff nach gekennzeichnet durch das Merkmal des Unvermittelten, Unzugänglichen, das Hanslick auch meinte, wenn er bei Beethovens späten Quartetten von „wunderlichen Auswüchsen" sprach. Auf die „Gipfel der Kunst" kann das Publikum nach Hanslicks

Meinung durchaus gelangen, wenn es aus der Bequemlichkeit des ständigen Wiederhörens von Bekanntem herausgeht, und wenn die Veranstalter von Kammermusikabenden „nicht bloß Gesellschafter", sondern „Leiter und Läuterer"[5] des Publikums sein wollen.

In einem ungefähr drei Jahre später entstandenen Bericht über die Quartettabende von Josef Hellmesberger begründet Hanslick seine hohe Auffassung vom Streichquartett. „In die Grenzen von vier gleichartigen Instrumenten gebannt, ausgeschlossen von dem selbständigen Reiz der Klangwirkung und des Kontrasts, ist das Quartett mehr als irgend eine polyphone Kunstform berufen, durch die reine Bedeutung ihres Inhalts zu wirken. Keusch, sinnvoll, prunklos, läßt sie nur gelingen, was durch die innere Kraft des musikalischen Gedankens bestehen kann. Sie offenbart diesen in seiner wahrhaftesten, wenn gleich nicht glänzendsten Erscheinung."[6]

„Wahrhafteste Erscheinung", „reine Bedeutung", „innere Kraft" – diese Attribute für das Besondere des Streichquartetts umschreiben in kurzen Zügen, was Hanslick einige Jahre später in seiner ästhetischen Schrift als immanenten geistigen Gehalt bestimmte. Auch das Wort Inhalt kommt in dieser Besprechung schon in dem speziellen Sinn vor, den Hanslick ihm in „Vom Musikalisch-Schönen" gab. Der musikalische Gedanke, dem Hanslick durch Sperrdruck besonderes Gewicht verleiht, ist der einzige tragende Pfeiler des Quartetts; alle anderen Stützen, die beispielsweise in einer großen Symphonie mitbeteiligt sind, wie „der selbständige Reiz der Klangwirkung und des Kontrasts", fehlen beim Streichquartett. Die Trennung des Klangreizes von der musikalischen Substanz, die Hanslick besonders in den Besprechungen von symphonischen Dichtungen am Ende seines Jahrhunderts oft behauptete, findet sich schon hier; die Kammermusik, speziell das Streichquartett, steht für Hanslick am eindeutigsten auf der Seite der reinen Substanz.

Daß man mit genügender Ausdauer das Publikum zum Verständnis der Kammermusik erziehen könne, scheint Hanslick in dieser Kritik schon nicht mehr so uneingeschränkt zu glauben wie noch 1848. Er spricht hier nämlich von zwei Gruppen, einer nur an der Oper interessierten und einer „selbständigen Befriedigung" am geistigen Gehalt der Musik suchenden. Er nennt sie „die Schar der Gediegenen" und findet es ausreichend, wenn sie „groß genug" ist.[6]

Auf eine Ausweitung des Repertoires dringt er dagegen auch hier wieder mit Nachdruck. Er macht sogar genaue Vorschläge von einzelnen Werken, die aufgeführt werden sollten, beispielsweise Mendelssohns f-moll-Quartett. Schumanns F-Dur-Quartett, das zum ersten Mal in Wien gespielt wurde, begrüßt er ausdrücklich. Eine weitere interessante Bemerkung findet sich in dieser Besprechung: er schlägt vor, in einem Konzert zwischen zwei Quartetten ein Klaviertrio zu spielen, denn: „die Gefahr der Quartettproduktionen heißt Monotonie." Ununterbrochen auf den „Reiz der Klangwirkung und des Kontrasts" verzichten zu müssen, hält er für monoton; der farbigere Klangcharakter etwa eines Klaviertrios könnte dem abhelfen und gleichzeitig die Aufnahmebereitschaft und Konzentration des Publikums, auch des „gediegenen", erhalten. Hanslick folgt damit dem pädagogischen Grundsatz, daß ein Lernprozeß nicht durch Überforderung des Lernenden gestört werden darf.

Den Bildungsprozeß des Publikums, zumindest des für Kammermusik geeigneten, wollte Hanslick durchaus methodisch sinnvoll anlegen. Das Verständnis für Beethovens späte Quartette und Klaviersonaten glaubte er weniger durch verbale Interpretation als vielmehr durch genaue Kenntnis erreichen zu können. 1858 schrieb er nach einem Klavierabend des Pianisten Winterberger: „... worauf es ankommt, ist, daß das Publikum sich mit diesen Werken bekannt und vertraut mache. Es wäre gut, wenn durch einige Jahre lieber gar nichts über Beethovens spätere Werke geschrieben würde, dafür aber diese selbst unablässig zur Aufführung kämen ... Die beiden hemmenden Schwierigkeiten: der Ausführung und des Verständnisses, müssen sich von Jahr zu Jahr verringern, und wie weit sie sich schon zurückgezogen haben, hat die Aufführung des F-dur-Quartetts (op. 135) und der Vortrag der As-dur-Sonate (op. 110) bei Winterberger auf das Erfreulichste bewiesen. Es gilt nunmehr, in dieser Richtung ohne Beirrung fortzufahren, und vor allem für die Kenntnisse zu sorgen, ehe man über die Erkenntnis streitet."[7]

Anlaß zu diesen Sätzen war ihm Adolf Bernhard Marx, der „in seinem phrasenreichen Buch über Beethoven jeder Kritik Adieu sagt"[8] und schlechthin alles in Beethovens späten Werken für anantastbar und verehrungswürdig erkläre. Hanslick möchte vermeiden, daß das Wiener Publikum sich mit der Lektüre dieses Buches seine Erkenntnisse über Beethoven erwürbe und danach das Kennenlernen der Werke für überflüssig hielte. Daher seine Forderung: zuerst Kenntnisse, und zwar umfassend und eingehend, und dann eigene, kritische Erkenntnis.

Von diesem Prinzip ließ Hanslick sich übrigens auch selbst als Kritiker leiten. Er schildert in der Autobiographie seine ersten Rezensionsversuche in Prag, die in der Zeitschrift „Ost und West" schon 1844 erschienen. „Meine bescheidenen Anfänge in der Musikkritik hatten für mich das Gute, daß ich sie vollkommen sachlich hielt und sehr ernst nahm. Ich urteilte über keine Komposition, ohne sie vor der Aufführung und nochmals nach derselben zu lesen oder durchzuspielen, – eine Gewohnheit, der ich bis auf den heutigen Tag, also nahezu ein halbes Jahrhundert gewissenhaft treu geblieben bin."[9]

Gerade sein Verhältnis zur Kammermusik – so fährt er fort – habe sich durch die Kritiken erst eigentlich gebildet, denn in seiner Jugend habe er seine „tiefsten musikalischen Eindrücke ... von der Oper empfangen." Aus dieser eigenen Erfahrung, daß man eine Musikart schätzen lernen könne, bezog er die Berechtigung für seine Forderung, daß man die Kammermusik unablässig aufführen müsse, um ein Publikum dafür heranzubilden. Auch seine Zustimmung zu der Forderung Nägelis, die eingangs dieses Kapitels wiedergegeben wurde, erhält ihre Begründung aus eigenem Erleben. Kammermusik wurde in Prag in den vierziger Jahren noch fast ausschließlich in privaten Zirkeln gespielt, zu denen er zunächst noch keinen Zugang hatte.

Der besonders akzentuierte Bezug auf das Publikum in den Kammermusikkritiken beruht auf einer generellen Einstellung Hanslicks, die er in dem schon einmal herangezogenen Gespräch mit Billroth über Musikkritik 1893 aussprach: „Ich habe stets an dem Grundsatz fest gehalten, nur zu dem Publikum zu sprechen, nicht zum Künstler." Daß er aber seinen Kritiken eine erzieherische

Wirkung zutraute, kommt in den Sätzen zum Ausdruck: „Der Kritiker, welcher sich einen erziehenden Einfluß auf die Künstler einbildet, lebt in einer angenehmen Täuschung ... Hat meine langjährige kritische Tätigkeit wirklich einigen Nutzen gestiftet, so besteht er einzig in ihrem allmählich bildenden Einfluß auf das Publikum."[10]

Nun tragen aber nur die Kammermusikkritiken einen derartig ausgeprägten erzieherischen Charakter. Hanslick sah auf diesem Gebiet eine wichtige Aufgabe, denn die Kammermusik hätte im Musikleben Wiens um die Jahrhundertmitte nicht den Platz, der ihr nach seiner Überzeugung zukam: statt als „Gipfel der Kunst", als „Offenbarung des Genies" sah man sie lieber als gefällige Gesellschaftsmusik an. Daß sich der erzieherische Zug in den Kritiken der späteren Jahre nicht mehr findet, hat seinen Grund vermutlich auch in einem wachsenden Verständnis des Publikums für die Kammermusik, an dem Hanslick als junger Kritiker mitgewirkt hat. Im übrigen zog er es wahrscheinlich mit zunehmendem Alter vor, das Publikum nicht mehr direkt zu erziehen, sondern auf den „allmählich bildenden Einfluß" seiner das Werk beurteilenden Rezensionen zu vertrauen.

Anmerkungen:

1 GCW I/143.
2 GCW II/7.
3 Die Kritik stammt aus dem Jahr 1848, und Hanslick berichtet in AML I/120 ff., wie sehr ihn der „gewaltige Sturm der Märzerhebung" mitgerissen hat.
4 GCW II/7.
5 GCW II/8.
6 GCW II/46.
7 GCW II/170.
8 GCW II/168.
9 AML I/54.
10 AML II/295 f.

3. *Verbindung von unmittelbar motorischer Wirkung und künstlerischem Anspruch in der Tanzmusik*

Im Zusammenhang mit der direkten Einwirkung der Musik auf das Nervensystem des Menschen, die Hanslick im vierten Kapitel seiner ästhetischen Schrift recht ausführlich behandelt, kommt er auch auf die Tanzmusik zu sprechen. Sie dient ihm als anschauliches Beispiel für die Erörterung der Frage, ob nicht möglicherweise verschiedene Arten von Musik auf je verschiedene Nerven einwirken, denn echte Tanzmusik habe zweifellos direkten Einfluß auf die Motorik des Menschen, im Gegensatz beispielsweise zu feierlicher Musik. „Unleugbar ist, daß Tanzmusik bei jungen Leuten, deren natürliches Temperament nicht durch die Übung der Zivilisation ganz zurückgehalten wird, ein Zucken im Körper, namentlich in den Füßen hervorruft."[1] Diese Tatsache beruht für ihn auf physiologischen Gegebenheiten, nicht etwa auf psychologischen Erinnerungsprozessen. „Nicht weil sie Tanzmusik ist, hebt sie die Füße, sondern sie ist Tanzmusik, weil sie die Füße hebt."[1] Ihre unmittelbare Wirkung macht sie zu dem, was sie ist. Die Wirkung aber entsteht aus einer besonderen Art von rhythmischer Prägnanz; nicht jede rhythmisch prägnante Musik regt zum Tanzen an, wie Hanslick wußte. Es ist auch eine eigentümliche Melodik dazu erforderlich. Daß nur eine bestimmte Art Musik die Bewegungsnerven anspricht, macht Hanslick an einem anderen Beispiel deutlich: „Wer in der Oper ein wenig um sich blickt, wird bald bemerken, wie bei lebhaften, faßlichen Melodien die Damen unwillkürlich mit dem Kopfe hin- und herschaukeln, nie wird man dies aber bei einem Adagio sehen, sei es noch so ergreifend oder melodisch."[1]

Hanslick bespricht hier nicht das Wesen der Tanzmusik, sondern die Zusammenhänge von Musik und Nervensystem, deshalb bringt er Beispiele aus verschiedenen Bereichen. Dennoch kennzeichnet auch die Beobachtung des Verhaltens von Damen in der Oper etwas Wesentliches für die Tanzmusik: es ist nicht eine Komponente, hier der Rhythmus, allein, welche die spezifische Wirkung hervorruft, sondern ein Zusammenwirken von Rhythmus, Melodie und Harmonie in einer eigentümlichen Weise. Die Marseillaise diente Hanslick mehrmals als Beispiel, um die spontane Wirkung eines Musikstücks aus musikalischen Details zu erklären. In einem Nachruf auf Johann Strauß (Vater) schreibt Hanslick 1849 in diesem Sinne von dem ersten Walzer, der einen Ball eröffnet: er „löst den Bann, – es ist die Marseillaise der Herzen!"[2]

Damit faßt er in ein Bonmot, was in seiner Anschauung von der Tanzmusik konstitutiv ist: sie muß wirken, aber nicht nur auf die Füße, sondern auch auf die Herzen." Unsere Anforderung an die Tanzmusik geht dahin, daß sie nicht bloß das Stampfen der Tänzer im Takt erhalte, sondern deren Seelenleben verstehe, ihre Stimmung und Leidenschaft interpretiere, steigere, veredele. Der unterste Grad der Tanzmusik hat nur mit den Füßen zu tun, auf höherer Stufe spricht sie zur Phantasie, zum Gefühl, zum Geist. Um diese höhere Stufe zu behaupten, wird freilich nötig sein, daß sich der Komponist von einer bloß gymnastischen Anschauung des Tanzes zu dessen geselliger und idealer Bedeutung erhebe ... Unsere heutigen Tanzunterhaltungen ... sind und bleiben die Asyle zärtlicher Bedürfnisse und Bestrebungen."[3] Hanslick verlangt von der Tanzmusik eine

„veredelnde" Einwirkung auf das Seelenleben der Tänzer. Das kann nach seiner Meinung nur dadurch geschehen, daß der Komponist beim Komponieren sich der „geselligen und idealen Bedeutung" bewußt ist, die seine Musik haben soll.

Diese Sätze schrieb er fünf Jahre vor seiner ästhetischen Schrift; 1854 sprach er sowohl dem Komponisten wie der Musik alles Streben nach Bedeutung oder einem anderen als rein musikalischen Ziel ab. Einem Satz wie: „Es bedeutet eine Musik nicht lediglich das, was sie ist, sondern oft auch das Höhere, wozu sie ist", der in dieser Kritik einen Absatz abschließt, hätte er – so muß man annehmen – in seiner ästhetischen Schrift widersprochen.[4] Nun steht aber in den zitierten Sätzen auch, daß Tanzmusik „auf höherer Stufe" „zur Phantasie", „zum Gefühl, zum Geist" sprechen müsse. Und dieser Aspekt, der hier nur gleichzeitig mit dem gesellschaftlichen anklingt, wird in den späteren Jahren für Hanslick ausschlaggebend. Er verlangt von der Tanzmusik, daß sie als „Musikalisch-Schönes" befriedige.

Zu dieser „höheren Stufe" geht er auch schon in dem frühen Johann-Strauß-Aufsatz von 1849 rasch über. „Wir betrachteten bisher noch immer die Strauß'sche Tanzmusik nur insofern sie dem Tanze und dessen Interessen dient; wäre nichts weiter daran zu loben, so träfe Straußens Verlust lediglich die Tanzwelt ... Für den Musiker konnte Strauß nur dann Bedeutung haben, wenn seine Tänze, abgelöst von ihrem Zwecke, also außerhalb des Ballsaales, noch Gehalt genug besaßen, um musikalisch zu interessieren ... Strauß erwies sich in der Ausarbeitung seiner Musikstücke als ein feiner, künstlerischer Geist, dem alles Rohe und Dilettantenhafte fern lag. Obwohl reiner Naturalist ..., verfehlte er doch nie, im Rhythmus, Periodenbau, vorzüglich in der Harmonisierung und Instrumentation eine Fülle von Zügen niederzulegen, welche das bedächtige Ohr des Musikers schlürfte, während der Tänzer in süßem Melodienrausch schwelgte."[5] Das Besondere an Strauß' Musik ist also ihre musikalische Qualität, die an Einzelheiten nachgewiesen werden kann. Wichtige Begriffe aus Hanslicks ästhetischer Schrift werden hier genannt: „Gehalt" und „Ausarbeitung" sind dort von zentraler Bedeutung. Der Geist des Komponisten zeigt sich in der Ausarbeitung seiner Musik, und diese gibt dem geistvoll Genießenden, der nicht im „Rausch schwelgt", sondern „bedächtig", d.h. mit Bedacht aufnimmt, seine Befriedigung. Strauß' Walzer sind für Hanslick musikalisch-schön.

Es ist ein Beispiel für die Kontinuität von Hanslick Musikanschauung, daß er die wichtigsten Bedingungen für seinen Begriff von der Musik schon fünf Jahre vor seiner Grundsatzschrift so treffend, und ohne sie besonders hervorzuheben, formuliert hat, und zwar an Hand einer Gattung, die „vom künstlerischen Standpunkt ... jedenfalls untergeordneten Ranges"[6] erscheint. Daran zeigt sich, daß er die Gültigkeit seiner Maßstäbe nicht auf die gehobene Konzertmusik beschränkte, sondern umfassender verstand. Jede Musik, die seinen Maßstäben genügte, war für ihn wertvoll.

Aber das bedeutete nicht Gleichsetzung; Hanslick behielt die Grenzen der Gattungen durchaus im Auge. Der Walzer muß, auch wenn man nicht nach ihm tanzen, sondern seine musikalische Schönheit genießen will, doch immer den Charakter des Tanzes behalten. Johann Strauß (Sohn) wurde von Hanslick in zwei Kritiken dafür gerügt, daß er „falsches Pathos" und opernhafte Instrumentation anstatt „herzensfroher" und dabei „maßvoller, vornehmer Haltung"[7], wie sie die Kompositionen seines Vaters ausgezeichnet habe, in den Walzer eingeführt habe. Fünfzehn Jahre später, 1865, wird Hanslicks Kritik noch schärfer. Sie geht auf die Bemerkung eines anderen Kritikers ein, Strauß schreibe neuerdings im Liszt-Stil, und spinnt den Faden weiter: „In der Tat bemerkte auch ich in Strauß' Novitäten jenen scharf prickelnden Duft, den das Wildpret ausströmt, wenn es nach Vergangenheit, und die Musik, wenn sie nach Zukunft riecht. Diejenigen seiner Walzer, welche ohne hervorstechende Originalität wenigstens frisch und natürlich klingen, sind noch immer weit bessere Tanzmusik, als jene gespreizten Themen, deren endlose Perioden sich mit der gesuchtesten Harmonisierung verbinden, um Ohren und Füße in Verwirrung zu bringen."[8] Abgesehen von Hanslicks deutlich ausgesprochener Abneigung gegen den Orchesterstil der Neudeutschen Schule wird noch einmal klar, daß sich Tanzmusik nach seiner Vorstellung nicht nur an die Füße, aber auch nicht nur an die Ohren richten darf. Beide Teile des Wortes Tanzmusik sind ihm wesentlich.

Dennoch interessierte ihn die Musik stärker. Und obwohl er forderte, daß sie in die Füße der Tänzer fahren müsse, hielt er es für angemessener, ihr nur zuzuhören. „J. Strauß hat reizende, ja geistreiche Musik in seinen bessern Walzern niedergelegt, – sie hören auf es zu sein, sobald man lediglich dabei im Takt tanzen will." Er meinte, es sei dann „gleichgültig, welche Musik gemacht wird, wenn sie nur den verlangten Grundcharakter hat. Wo aber Gleichgültigkeit gegen das Individuelle eintritt, da herrscht Klangwirkung, nicht Tonkunst."[9] Der Kontext behandelt den Gegensatz „pathologisches" und „ästhetisches" Hören. Hanslick fordert, man müsse ein Tonstück „um seiner selbst willen hören", wenn man es als Kunstwerk und nicht als Mittel, eine Stimmung hervorzubringen, verstehen wolle. Gerade diesen doppelten Sinn hat aber nach Hanslicks eigenen Äußerungen die Tanzmusik.

Die Walzer von Strauß erscheinen Hanslick als Kunstwerke zu wertvoll, um nur danach zu tanzen. Gerade dafür werden sie von ihm gelobt, denn er „wünscht ... nicht, den Walzer im Tanzesflug zu erproben, sondern in beschaulichem Genuß ihn als Musik anhören zu können, eine Befriedigung, die uns in jeder Produktion von Alt- oder Jung-Strauß geworden ist, welcher wir beiwohnten."[10] Dies ist der Standpunkt des Kritikers, der selbstverständlich primär die musikalische Qualität eines Musikstückes zu beurteilen hat.

Der Walzer, den Hanslick in erster Linie meint, wenn er von Tanzmusik spricht, hat also in seiner Anschauung zwar die Aufgabe, eine fröhliche Stimmung auszulösen, die sich im Tanzen auslebt, aber er kann nur dann als Musikwerk aufgefaßt werden, wenn er künstlerischen Ansprüchen genügt. Diese Ansprüche sind aber wiederum auch an seiner Aufgabe, zum Tanzen aufzufordern, orientiert: Hanslick hat genaue Vorstellungen von seinen stilistischen Grenzen. Dieses Verhältnis von richtiger Würdigung der Wirkung und künstlerischen Ansprüchen hat Hanslick in seiner ästhetischen Schrift als mit seinem Ästhetikbegriff durchaus vereinbar so formuliert: „... die Ästhetik ... hat die Musik lediglich von ihrer künstlerischen Seite aufzufassen, also auch nur jene ihrer Wirkungen anzuerkennen, welche sie als menschliches Geistesprodukt, durch eine bestimmte Gestaltung ... auf die reine Anschauung hervorbringt."[11]

Die Wirkung, die ein Walzer haben muß, kann demnach sehr wohl zu seiner künstlerischen Seite gehören, denn sie entspringt seiner tanzmäßigen Gestaltung. Die Tatsache der Gestaltung wiederum schafft die Befriedigung beim ästhetischen Hören. Dadurch, daß beide Faktoren voneinander abhängig sind, ist es möglich, daß eine nicht tanzmäßige Musik „Ohren und Füße in Verwirrung bringt"; denn wenn man nicht nach ihr tanzen kann, kann man sie auch nicht in reiner Anschauung als Tanzmusik genießen.

Anmerkungen:

[1] VMSch/65.
[2] GCW II/14.
[3] GCW II/13 f.
[4] vgl. VMSch/36. Hier legt Hanslick das musikalische Schaffen ausnahmslos auf das Erfinden von Melodien fest. Danach ist Musik nur „das, was sie ist."
[5] GCW II/14 f.
[6] GCW II/13.
[7] GCW II/38.
[8] GCW II/373.
[9] VMSch/81.
[10] GCW II/37. Das Lob für „Jung-Strauß" wird allerdings sogleich durch die hier schon zitierten Rügen („falsches Pathos", opernhafte Instrumentation) erheblich abgeschwächt.
[11] VMSch/80 f.

4. *Musik und Dichtung im Lied und anderer Vokalmusik*

Auch die bisher betrachteten Gattungen gehörten entweder nicht zur „reinen Tonkunst", oder sie wurden von Hanslick unter anderen als nur musikalischen Gesichtspunkten behandelt; dennoch sah er sie an als Musikarten, die mit den Prinzipien seiner ästhetischen Schrift gemessen werden konnten oder mußten. Mit diesem Kapitel wird nun das Gebiet der Vokalmusik betreten, auf welche Hanslick 1854 seine Grundsätze zur musikalischen Ästhetik für nicht in vollem Maße anwendbar erklärte. „Denn nur was von der Instrumentalmusik behauptet werden kann, gilt von der Tonkunst als solcher."[1] Hanslick benutzt das Wort „Tonkunst", wo es ihm darum geht, seinen spezifischen Begriff der Musik, auf den sich die von ihm skizzierte Ästhetik richtet, zu klären. Er sieht den Inhalt und den immanenten Gehalt nur in den Tonbildungen selbst; die Töne stellen für ihn das Material der Musik dar, und er sucht das „Ideelle" dieser Kunst ausschließlich in ihnen. Die Benutzung des Wortes Tonkunst hat also den Sinn, ganz präzise zu bezeichnen, worauf sich die Ästhetik der Musik nach seiner Überzeugung zu richten hat: auf die Kunst, allein mit Tönen ein Kunstwerk zu formen. Diesen absoluten Anspruch erfüllt nur die Instrumentalmusik. Aus diesem Grund sagt Hanslick von ihr: „... nur sie ist reine, absolute Tonkunst."

Tonkunst ist demnach nur ein Teil der Musik; diese existiert noch in vielen anderen Erscheinungsformen.[2] Die Einschränkung seines Ästhetikbegriffs auf die „Tonkunst" meint Hanslick nicht wertend; im Gegenteil: er distanziert sich ausdrücklich von solch einer Wertung. „Ob man nun die Vokal- oder die Instrumentalmusik an Wert und Wirkung vorziehen wolle, – eine unwissenschaftliche Prozedur, bei der meist flache Willkür das Wort führt – man wird stets einräumen müssen, daß der Begriff ‚Tonkunst' in einem auf Textworte komponierten Musikstück nicht rein aufgehe." Damit ist klar: Vokalmusik ist nicht etwa eine weniger hochstehende Musik, sie ist nur keine Tonkunst. Tonkunst wiederum ist keine Musik von höherem Wert, sondern die reinste, ganz unvermischte Erscheinungsform dieser Kunst, für die es allerdings, wie schon das Kapitel über Form und Inhalt zeigte, nur wenige treffende Beispiele gibt.

Hanslick begründet diese Begriffstrennung sogleich: „In einer Vokalkomposition kann die Wirksamkeit der Töne nie so genau von jener der Worte, der Handlung, der Dekoration getrennt werden, daß die Rechnung der verschiedenen Künste sich streng sondern ließe. Sogar Tonstücke mit bestimmten Überschriften oder Programmen müssen wir ablehnen, wo es sich um den ‚Inhalt' der Musik handelt. Die Vereinigung mit der Dichtkunst erweitert die Macht der Musik, aber nicht ihre Grenzen."[3] In diesem Punkt, „wo es sich um den Inhalt der Musik handelt", der aus Tonformen besteht, verläuft die Trennungslinie für Hanslick nicht zwischen Instrumental- und Vokalmusik, sondern zwischen reiner „Tonkunst" und aller anderen Musik. Zu letzterer gehören damit sowohl Programmusik und ihr Umkreis[4] als auch Vokalmusik. Die Grenzen der Musik als Tonkunst sind genau bezeichnet; wenn sich die Musik darüber hinaus bewegt, erweitert sich zwar ihre „Macht", ihre Wirksamkeit, aber es ist gleichzeitig nicht mehr Wirksamkeit allein, sondern die von Musik, Worten, Handlung und Dekoration zusammen. Die Musik ist dann nur noch Teil eines Ganzen.

Hanslicks 1854 skizzierte musikalische Ästhetik grenzt die Vokalmusik selbst aus ihrem Geltungsbereich aus. Wie sehr Hanslick damit gegen seine eigene Vorliebe entschied, wird sich im folgenden noch zeigen. Gerade das macht aber auch klar, daß er mit seiner ästhetischen Schrift nicht sein eigenes Verhältnis zur Musik beschrieben hat, sondern daß es ihm um eine neue Ästhetik ging, die von allem persönlichen Verständnis absehend das Wesen der Musik aus ihrer reinsten Erscheinungsform heraus ergründen wollte.

Die Vokalmusik ist „ein untrennbar verschmolzenes Produkt ..., aus dem es nicht mehr möglich ist, die Größe der einzelnen Faktoren zu bestimmen."[3] Das findet Hanslick in der Geschichte des Nachdenkens über sie eindrucksvoll bestätigt. Über das rechte Verhältnis „der einzelnen Faktoren zueinander" sei es immer wieder zu Meinungsstreit gekommen. Die Argumente, die dabei verwendet wurden, beweisen in Hanslicks Augen die Untauglichkeit dieses Gegenstandes für eine präzise Ästhetik, wie er sie anstrebte. Schon einige Jahre vor seiner Prinzipienschrift schrieb er in einem Bericht über neue Liedkompositionen: „Als Gluck die große notwendige Reaktion gegen die melodischen Übergriffe der Italiener durchführte, schritt er nicht auf, sondern hinter die die rechte Mitte zurück, genau wie heutzutage Richard Wagner aus gleichem Prinzip, nur mit komplizierteren Mitteln tut. Der seit Glucks bekannter Dedikation zur ‚Alceste' allgemein gewordene Satz, der Text sei die ‚richtige und wohlangelegte Zeichnung', welche die Musik lediglich zu kolorieren habe, ist nur eine von tausend Proben, wie die musikalische Ästhetik sich fortwährend bildlich behilft. Über Bilder und Vergleichungen aber läßt sich ewig streiten. Jener Satz ist wahr gegenüber der Anmaßung einer souveränen Unabhängigkeit des Komponisten vom Dichter, er ist falsch, sobald er diese Abhängigkeit in gleich enge Schranken bannen will, wie sie der Zeichner dem Koloristen zieht."[5] Musikästhetik, so meint Hanslick, ist nicht imstande, über die Vokalmusik etwas unmittelbar Treffendes auszusagen; sie muß in bildliche Vergleiche ausweichen, die niemals genau sind. Infolgedessen ist Meinungsstreit unvermeidlich, und Hanslick greift selbst in den Streit ein, indem er sagt, Gluck und Wagner hätten mit ihren Reformen das Pendel nur in die andere Richtung, über die „rechte Mitte" hinaus schwingen lassen. Die „rechte Mitte", die er annimmt, aber offenbar nicht bestimmen kann, ist auch mit Glucks Satz aus der Alkestis-Vorrede nicht getroffen, denn dieser Satz ist gleichzeitig wahr und falsch, wie Hanslick ausführt. Auch das Wort „rechte Mitte" selbst ist ein Bild und somit unpräzis.

Hanslicks eigener Standpunkt scheint auch eine „Mitte" gar nicht anzustreben, denn unmittelbar vor den oben zitierten Sätzen hat Hanslick gefordert: „Wir ... nennen uns unbescheiden genug, vom Liede selbständige Schönheit zu fordern." Statt diese Forderung etwas auszuführen, schließt Hanslick den Exkurs über Gluck an, der lediglich die Unklarheit der bisherigen ästhetischen Bemühungen feststellt.

In „Vom Musikalisch-Schönen" übernimmt Hanslick nun erstaunlicherweise Glucks Satz aus der Alkestis-Vorrede, allerdings mit geändertem Verb: „Die Vokalmusik illuminiert die Zeichnung des Gedichts."[6] „Illuminieren" scheint ihm mehr Möglichkeiten zu eröffnen als das nur auf das Farbengeben beschränkte „Kolorieren", denn nicht nur „Farben von größter Pracht und Zartheit" ruhen für ihn in den musikalischen Elementen, sondern auch „symbolische Bedeutsamkeit."[6] So ist es möglich, daß die Musik ein mittelmäßiges Gedicht in eine „Offenbarung des Herzens umwandeln" kann.

An der Umwandlung ist es Hanslick besonders gelegen, daher spricht er auch nicht vom Kolorieren, sondern vom Illiminieren eines Gedichts. Ist das Gedicht mittelmäßig, sein Inhalt unerheblich, dann vermag eine kolorierende Musik diesen nicht zu ändern; er bleibt derselbe, auch wenn er farbig wird. Illuminierung dagegen macht ihn nicht nur bunter, sondern läßt ihn in einem anderen Licht erscheinen, in dem er verwandelt dasteht. Hanslick erläutert seine Vorstellung in einer ausführlichen Anmerkung zu dem abgewandelten Gluck-Zitat, in der er stellenweise wortgetreu seine Argumentation aus der früheren, schon zitierten Liederkritik wiederholt und am Schluß schreibt: „Wenn die Musik nicht in viel großartigerem, als bloß kolorierendem Sinne das Gedicht behandelt, wenn sie nicht – selbst Zeichnung und Farbe zugleich – etwas ganz Neues hinzubringt, das in ureigener Schönheitskraft blättertreibend die Worte zum bloßen Efeuspalier umschafft: dann hat sie höchstens die Staffel der Schülerübung oder Dilettantenfreude erklommen, die reine Höhe der Kunst nimmermehr."[7]

Wenngleich Hanslick seine eigene Idee auch wieder nur bildlich aussprechen kann, so liegt doch in diesem einen Satz, der vielleicht in der Anmerkung nicht seinen günstigsten Platz erhalten hat, die Keimzelle zu einer eigenständigen Ästhetik der Vokalmusik. Wesentliche Elemente von Hanslicks Ästhetik der „Tonkunst" sind darin enthalten. Die „ureigene Schönheitskraft" der Musik ist auch hier Grundbedingung dafür, daß das Produkt „die reine Höhe der Kunst" erreicht. Die Musik selbst soll „Zeichnung und Farbe zugleich" sein, sie soll zusätzlich zu der „Zeichnung", die das Gedicht liefert, selbst eine Grundsubstanz beisteuern, der Inhalt des Gedichts soll durch einen musikalischen Inhalt ergänzt werden. Die „rechte Mitte" scheint demnach für Hanslick nicht auf der Hälfte der Verbindungslinie von Gedicht und Musik, sondern *über* dieser Mitte zu liegen, auf der „reinen Höhe der Kunst". Die Kunst entsteht durch eine Erhöhung der beiden zusammentreffenden Faktoren auf ein neues Niveau, das beide Faktoren für sich nicht hatten. Die Worte des Gedichts werden durch die Kraft der Musik „umgeschaffen", sie bilden auf dieser höheren Stufe nur noch das „Spalier", das Gerüst also, an dem das neu entstandene Werk seinen Halt hat.

Zu dieser Umwandlung eignet sich nicht jede dichterische Vorlage. Goethes Faust z.B. hielt Hanslick teilweise für nicht komponierbar. „Das vollkommenere Gedicht lockt nicht immer die köstlichere Musik. Wo der Musiker noch eine Mission vorfinden soll, da mußte der Dichter immer etwas zu sagen übrig lassen, ein Unausgesprochenes, Unausgefühltes. Gebilde, wie die Gartenszene im ‚Faust', sind in sich zu vollkommen, um Musik zu vertragen."[8] Der Musiker kann die „ureigene Schönheitskraft" nur einsetzen, wo diese noch etwas zu vervollkommnen findet. Das Unausgesprochene, ja sogar das Unausgefühlte, das im Gedicht nur latent angelegt ist, bietet ihr die Möglichkeit dazu. Goethes Dichtung läßt da gleichsam keine Lücke, die den Einsatz der Musik legitimieren könnte. Hier ist die Musik fehl am Platze, die Dichtung kann sie nicht „vertragen". Eine Erhöhung beider Faktoren kommt nicht zustande.

Auch stilistische Uneinheitlichkeit der Dichtung steht einer Vertonung im Wege. Schillers Gedichte und Balladen, die von seinen Zeitgenossen und der folgenden Generation häufig komponiert wurden, sieht Hanslick unter diesem Aspekt: „Selbst wenn wir die rein lyrischen Gedichte Schillers mit musikalischem Ohr prüfen, so stoßen wir fast überall auf ein Etwas, das den vollen Strom der Töne hier staut, dort untergräbt und versandet; sei es eine angehängte moralisierende Tendenz, oder die überwiegende Rhetorik des Ausdrucks, oder die fremdartig antikisierende Form und Einkleidung; sei es endlich und im letzten Grunde der Mangel jener Vereinigung von rhythmischem Wohllaut und einfacher Empfindung, die ein ‚Lied' auch wirklich liedmäßig macht."[9] Die Gedichte Schillers weisen viele Eigenarten auf, die einer Prüfung „mit musikalischem Ohr", d.h. einem Aushorchen ihres Sprachklangs auf ihre Eignung zur Musikalisierung hin nicht standhalten könnten.

„Rhythmischer Wohllaut" ist es aber nicht allein, sondern auch „einfache Empfindung", „Liedmäßigkeit", die in der Dichtung spürbar sein müssen. Schillers Dichtung war Hanslick zu intellektuell und zu ethisch motiviert, wie er im weiteren Verlauf der Kritik schreibt. Sie stellt sich dem „vollen Strom der Töne" durch ihren zu mannigfaltigen geistigen Gehalt entgegen.[10]

Eine weitere wichtige Bedingung für die „Liedmäßigkeit" ist eine Eigenschaft die Schiller abging, denn Schiller stand „dem heitern Elemente des Sinnlich-Schönen fern, in welchem die Musik ihre Zauber spinnt."[11] Damit spricht Hanslick einen Punkt an, der in seiner Ästhetik von zentraler Bedeutung ist, bisher aber – von der Einleitung abgesehen – noch nicht berücksichtigt wurde, weil er in den Kritiken in besonderem Maße für die Vokalmusik und für die Oper wichtig ist: die sinnliche Schönheit. Die musikalische Schönheit kann nach seiner Meinung nur mit wachen Sinnen wahrgenommen werden. Die Verdrängung der Sinnlichkeit aus ihrer zentralen Rolle, die er Hegel vorwirft, trägt für ihn die Schuld daran, daß in seiner Zeit so viel Wert auf die Bedeutung, den Gefühlsgehalt gelegt wird. Er stellt dem entgegen „die Phantasie, die auf Gehörempfindungen organisiert ist, und welcher der Sinn etwas ganz anderes bedeutet, als ein bloßer Trichter an die Oberfläche der Erscheinungen, sie genießt in bewußter Sinnlichkeit die klingenden Figuren, die sich aufbauenden Töne und lebt frei unmittelbar in deren Anschauung."[12] Sinnlichkeit bedeutet für ihn nicht nur die Durchgangsstufe zum geistigen Verstehen, sondern sie ist eins mit diesem: das geistige Verstehen geschieht in sinnlichem Wahrnehmen und begreift die sinnliche Schönheit. Das Wesen der Musik ist Schönheit, wie das Kapitel über den Schönheitsbegriff erwiesen hat, und Schönheit ist sinnliche Schönheit. Das Adjektiv „heiter" gibt eine weitere Bestimmung. Hanslick meint damit die serenitas, d.h. Helligkeit, Klarheit, auch innere Ruhe.

Es ist notwendig, noch einmal zu dem Satz: „Wir ... nennen uns unbescheiden genug, vom Liede selbständige musikalische Schönheit zu fordern" zurückzukehren, denn darin steckt ein weiteres Element, das noch nicht gewürdigt wurde: das Selbständige der musikalischen Schönheit. Hanslick legt zwar Wert auf die Einheit von Gedicht und Musik, behält aber doch gleichzeitig die Selbständigkeit der Musik bei. In seiner ästhetischen Schrift widmet er zwei Seiten dem Nachweis, daß man bei Opernmelodien einen zornigen Text durch einen freudig erregten ersetzen könne und umgekehrt, ohne die Schönheit der Musik zu beeinträchtigen. Die Musik könne beide Varianten des Texts gleich gut ausdeuten. Er will damit begründen, daß die Darstellung eines begrifflich faßbaren Inhalts in der Vokalmusik allein dem Text überlassen bleibt, während die Musik eben nur den Bewegungshabitus des darzustellenden Gefühls nachahmen kann. Ein zorniger wie ein freudig erregter Text aber verlangen eine schnell bewegte Musik.

Dieses Argument kennzeichnet aber weniger das, was für Hanslick Selbständigkeit der Musik bedeutete, denn es ist zu hypothetisch und dient nicht primär als Beleg für eine positive Anschauung Hanslicks, sonders als Glied in einem Beweisgang gegen die Gefühlsdarstellung in der Musik. Eine Kritik des Liedes „Auf dem See" von Brahms kann daher klarer zeigen, was Hanslick meinte. Er schreibt über den Schluß des Liedes: „Eine sinnige Auffassung dünkt es uns, daß Brahms in der Schlußstrophe, also gegen das Ende der vergnügten Kahnfahrt, die Begleitung immer mehr beschwichtigt, zurückhält; die Sechzehntel werden zu Achtelnoten, der glückliche Schiffer will noch nicht landen, er geizt mit jeder Minute, rudert immer langsamer. Dieser Zug ist im Texte nicht angedeutet, der Komponist hat ihn hineingedichtet."[13] Nicht in den Text, sondern in das Lied hat Brahms etwas „hineingedichtet". Mit musikalischen Mitteln hat er etwas hinzugefügt, was das Gedicht nicht enthielt; das Gedicht wurde nicht bloß „vertont", sondern etwas Eigenständiges entstand aus Gedicht und Musik. Diese Selbständigkeit der Musik äußert sich zwar in einer Darstellung, jedoch mit rein musikalischen Mitteln. Sie ist auch nicht unbeschränkt: die Bindung an den Text ist unauflöslich, ohne Text hätte die Verlangsamung der Bewegung am Schluß keinen Sinn mehr. In dieser Kritik spricht Hanslick am klarsten aus, was er unter selbständiger Musik, die dennoch vom Text untrennbar bleibt, versteht.

Im Negativen führt er dieses Verhältnis in einer Kritik von Schuberts Liederzyklus „Die schöne Müllerin" aus. Hier sieht er eine zu große Selbständigkeit der Musik, die sich vom Text gelöst habe. „Auch die Ansicht, daß Schubert die eigentümliche Stimmung jedes Gedichtes stets auf das Genaueste traf, scheint uns nicht in dieser Allgemeinheit richtig zu sein. Oft beherrschte ihn eine musikalische Idee so kräftig, daß sie sich ihm mit einer nicht ganz homogenen poetischen assimilierte; an ein nachträgliches Ändern war dann nicht zu denken. Man höre, um ein Beispiel aus den ‚Müllerliedern' zu wählen, den Anfang des Liedes ‚die böse Farbe'. Schubert singt die Worte: ‚Ich möchte ziehen in die Welt hinaus' frisch und kühn ausgreifend, wie ein tatenlustiger Reitersmann, während die Worte nur den gepressten Drang eines vom Liebesleid Gequälten aussprechen. Man vergleiche damit die Komposition desselben Gedichts von Ludwig Berger, dessen ungleich geringeres, aber sorgsam prüfendes Talent hier in ganz entgegengesetzter Weise das Richtige und Schöne traf."[14]

Ein Vergleich von Hanslicks Kritik mit dem Lied selbst zeigt, daß er ganz allein von dieser ersten Liedzeile spricht und nur die Melodie meint, ohne auf die dazu erklingende Klavierbegleitung und das Vorspiel zu achten. Damit urteilt er oberflächlich und gegen seine eigene Erkenntnis, daß ein musikalisches Thema nicht nur aus der Melodie, sondern auch aus der Harmonie und dem Rhythmus besteht.[15] Aber das sei nur nebenbei bemerkt; das für seine Musikanschauung Wesentliche ist, daß er hier eine Eigenart Schuberts beschreibt, die er bei Vokalmusik für unangebracht hält, nämlich das zu starke Primat der musikalischen Idee, die für sich erfunden wurde und erst nachträglich der Idee des Gedichts „assimiliert" wurde. Er scheint es danach für das richtige Verfahren zu halten, daß der Komponist seine musikalische Inspiration aus einer Vertiefung in das Gedicht und dessen Aussage empfängt. Musikalische und poetische Idee sollen „homogen" sein. Daß Schubert nicht nachträglich geändert habe, was er einmal komponiert hat, ist ein Vorwurf, den Hanslick häufig gegen Schubert erhebt; er wird auch hier vorgebracht, obwohl er aus dem prinzipiellen Gedanken, daß die musikalische Idee unabhängig vom Gedicht erfunden sei, nicht logisch hervorgeht. Durch eine Änderung hätte Schubert die von Hanslick gesehene Unstimmigkeit allerdings beseitigen können.

Der Vergleich von Schuberts Lied mit der Vertonung desselben Gedichts von Ludwig Berger verdeutlicht noch zusätzlich, wie Hanslick die „Selbständigkeit der Musik" im Lied meint. Er wünscht sich nicht Schönheit allein, die einem Komponisten wie Schubert selbstverständlich unübertrefflich gelingt, sondern „das Richtige und Schöne". Dies ist durch „sorgsame" Prüfung des Textgehaltes zu erlangen. Vokalmusik verlangt demnach nicht nur den bei Instrumentalmusik allein entscheidenden glücklichen ersten Einfall, sondern dem muß eine eingehende Vertiefung in die Dichtung vorangehen. Erst wenn der musikalische erste Einfall aus dieser Versenkung heraus gefunden wird, ist „das Richtige und Schöne" eines Liedes ermöglicht.

In einem Nachruf auf Robert Franz schrieb Hanslick 1892: „Franz besaß in hohem Maße die Gabe, den feinsten Duft eines Gedichts gleichsam einzufangen und jede Stimmung, jede Nuance einer Stimmung, getreu in Tönen zurückzuspiegeln. Daher der stets sichere Eindruck, das unauflösliche Verwachsen des Gedichts mit seiner Musik im Geiste des Hörers."[16] Mit dem Ausdruck „den feinsten Duft ... einzufangen" ist Hanslick eine sehr treffende Formulierung für die Funktion der Musik im Lied gelungen. Das, was nicht ausdrücklich gesagt wird im Gedicht, was seinen stimmungsmäßigen und gedanklichen Hintergrund bildet, das soll der Komponist bei seiner Versenkung in das Gedicht „einfangen", sich bewußt machen und „in Tönen zurückspiegeln".[17] Hanslick vermeidet hier solche Wörter, die die Beziehung von Gedicht und Musik zu direkt fassen würden: die Musik soll die Stimmung nicht wiedergeben, ausdrükken oder verdeutlichen, sondern sie „zurückspiegeln". Dieses schwer auf einzelne Töne Festzulegende, auch in der Musik gleichsam zwischen den Zeilen Stehende bewirkt auch das „Verwachsen des Gedichts mit seiner Musik". Es muß beachtet werden, daß Hanslick diese Formulierung gebraucht und nicht umgekehrt vom Verwachsen der Musik mit ihrem Gedicht spricht. Denn in seiner Auffassung ist es die Musik, die das Gedicht fest an sich bindet, so daß es im Geiste des Hörers „unauflöslich" mit seiner Melodie verbunden ist, der Hörer das Gedicht nicht mehr lesen oder hören kann, ohne sich die Melodie dazu zu denken.

Dies „Zurückspiegeln" der Stimmung, des „feinsten Duftes" im Gedicht läßt sich gut einer Formulierung aus der ästhetischen Schrift von 1854 gegenüberstellen, mit der Hanslick Vokalkompositionen ablehnt, „welche ein bestimmtes Gefühl aufs Genaueste ... abzukonterfeien suchen ..."[18] Hieran wird ganz klar, daß Hanslicks Anschauung das Unfaßbare, Indirekte des Zurückspiegelns, nicht das einfache „Abkonterfeien", daß er die Feinheiten eines Stimmungshintergrundes, nicht die Genauigkeit und Bestimmtheit des verbal ausgesprochenen Gefühls als Aufgabe der Musik versteht. Diese weitaus schwierigere Aufgabe kann für ihn nur eine Musik erfüllen, die aus sich selbst lebt, nicht von der Anklammerung an einzelne auszudeutende Wörter.[19]

Vokalmusik – das zeigte sich schon anläßlich des Schubert-Liedes – darf sich aber auch nicht völlig vom Text lösen, ihre Selbständigkeit darf nicht über die vom Text gezogene Grenze hinausgehen. Die Arien in Händels Oratorien beispielsweise hatten für Hanslick häufig zu wenig Beziehung zu ihren Texten. 1860 schrieb er über das „Alexanderfest": „Unsere Zeit ist an ein ungleich feineres Anschmiegen des Gesanges an den Text gewohnt, wie denn auch die Musik in der scharfen Ausgestaltung des Charakteristischen seit Händel die erheblichsten Fortschritte gemacht hat."[20] Ihn störten die Kontrapunktik, die in seinen Augen zu großen Eigenwert hatte, und die Koloraturentechnik, die ihm zu mechanisch und ohne Rücksicht auf den Charakter der Person eingesetzt wurde. Sein Gefallen fand eine andere Art von Händels Arien, „in denen Wort und Ton Eins sind, und der Gesang aus dem starren Geleis der um das Wort unbekümmerten Kontrapunktik heraustritt. In diesen wahrhaft gesangvollen Arien fehlt auch meist der störende Rokoko-Zierat der Koloraturen."[20] Als Beispiel nannte er die Arie „Ich weiß, daß mein Erlöser lebt" aus dem „Messias". Von Hanslicks eigentümlicher Sicht der Musik des 18. Jahrhunderts abgesehen[21], ist die Verwendung des Adjektivs „gesangvoll" hier von Bedeutung. Hanslick meint damit ruhige, kantable Melodien ohne große Intervalle, mit seelenvollem Ton vorzutragen und von einer klaren Grundstimmung getragen. Die Ablehnung der Koloraturen und aller Ornamentik hängt mit seinem Schönheitsbegriff zusammen, der einfache, „natürliche", „ursprüngliche" Melodik verlangt und zu ausgeprägte Figuration auch für die Instrumentalmusik ausschließt.

Unsangbar zu sein, warf Hanslick nicht nur mancher älteren Musik aus der Händelzeit vor, sondern ebenso den Schöpfungen einiger moderner Komponisten, besonders Wagners. Auf dem Gebiet des Liedes erhob er diesen Vorwurf, wenn auch nicht so scharf wie gegen Wagner, gegen Hugo Wolf. Mit einer allgemein gehaltenen Äußerung in seiner Autobiographie hat er wahrscheinlich Wolf gemeint; er spricht dort davon, daß es für jeden ernsthaften Musikkritiker notwendig sei, etwas Gesangstechnik erlernt zu haben. Das sei unumgänglich „in unseren Tagen, wo selbst namhafte Komponisten für Gesang schreiben, ohne je singen gelernt zu haben. Man merkt es auch an ihren Liedern, die dramatisch, stimmungsvoll, geistreich, kurz alles Mögliche sind, nur nicht - sangbar."[22] Dies aber ist für ihn unabdingbar: wer für die menschliche Stimme schreibt, muß sich nach ihren Möglichkeiten und Anlagen richten, wenn er Musikalisch-Schönes schreiben will. Der Schönheitsbegriff ist zwar umfassend, verlangt aber dennoch eine Anpassung an die Erfordernisse der Gattung. Wolf, der sich nach Hanslicks Auffassung danach nicht genügend richtete, erhielt an anderer Stelle den Tadel, er mache „aus seiner Kunstgattung ... etwas ..., was sie nicht sein soll."[23]

Wer Hanslicks ästhetische Schrift flüchtig liest, der kann die Selbständigkeit der Musik auch für die Vokalmusik *absolut* verstehen. Ein Satz wie der folgende über ein Konzert mit Griegs norwegisch gesungenem Lied „Henrik Wergeland" wird dann überraschen: „Da Henrik Wergeland, der norwegische Dichter und Patriot, uns eine völlig fremde Persönlichkeit ist, konnte leider nur der einseitig musikalische Reiz dieser Elegie auf das Publikum wirken."[24] Ein Lied hat auch für Hanslick mehr konstitutive Bestandteile als „nur den einseitig musikalischen Reiz", wer als Hörer den Text und den Hintergrund nicht mitvollziehen kann, der hört nicht das ganze Lied, sondern nur eine Seite. Dieses Zitat zeigt vielleicht am deutlichsten, wie vorsichtig man vorgehen muß, wenn man Hanslicks ästhetische Prinzipien von 1854 auf die Vokalmusik übertragen will.

Zu den konstitutiven Bestandteilen der Vokalmusik gehört neben Text und gedanklichem Hintergrund auch die Wirkung auf den Hörer, dessen Phantasie wegen der bestimmten Stimmung des Textes nicht so ausschließlich von der musikalischen Substanz angeregt und dadurch in ihrer Freiheit eingeschränkt wird. Ist die Stimmung der Texte in einer Reihe von Liedern sehr ähnlich, kommt es schnell zu Ermüdungserscheinungen. Hanslick hält es aus diesem Grund nicht für gut, Liederzyklen ganz aufzuführen. In der Besprechung eines Konzerts mit Schumanns „Dichterliebe" gibt er zu bedenken: „Warum nicht lieber jene Lieder ausscheiden, die musikalisch unbedeutender sind und durch die Gleichartigkeit der Stimmung sich fast wie Doubletten ausnehmen? Diese leidige Vollständigkeit macht den Sänger und Zuhörer zu Tränenweiden. Sechzehn liebeskranke Gedichte nacheinander und gerade diese Gedichte! Für meine Empfindung sind sie peinlich durch ihr unersättliches Heraushängen des zerrissenen Herzens, des übergroßen Wehs, ... kurz des ganzen Schmerzenapparates, an den man bei Heine, der so gern mit sich selbst Tragödie spielte, nie recht glauben kann!"[25]

Hanslicks Bedenken beschränken sich nicht auf die hier überwiegend wegen des Textes abgelehnten Schumannschen Heine-Zyklen, die ja auch keine Zyklen im eigentlichen Sinne sind,[26] sondern sie sind allgemein gemeint. In derselben Kritik schreibt er kurz vorher: „Das unverkürzte Durchsingen eines sogenannten ‚Liederzyklus' hat auch dann ein Bedenkliches, wenn es sich um einen wirklichen Zyklus, ein vom Dichter selbst als zusammenhängend gedachtes Ganze handelt, wie die ‚Schöne Müllerin' oder die ‚Winterreise'."

In Schuberts Zyklen scheint es Hanslick allerdings kaum möglich, „musikalisch unbedeutendere" Lieder auszuscheiden, weil alle Lieder nahezu gleichwertig seien. Der Grund für sein Abraten von kompletten Aufführungen liegt vielmehr tatsächlich in der vom Text her zu gleichförmigen Wirkung auf den Hörer. Schon dreißig Jahre früher, 1860, schrieb er eine Kritik über Schuberts „Schöne Müllerin", die damals von Julius Stockhausen für Wien zum ersten Mal ganz aufgeführt wurde. Er lobt darin den Einsatz des Sängers und begrüßt den „wichtigen Vorteil, das bisher nur lyrisch Vereinzelte auch einmal dramatisch auffassen zu können. Dem ungeachtet erscheint eine öftere Wiederholung des

Experiments kaum ratsam: die Nachteile eines solchen lyrischen Monstrekonzertes treten empfindlich hervor, sobald der Reiz der Neuheit sie nicht mehr deckt. Der enge Kreis, in dem Dichter und Musiker ihre idyllischen Bildchen ausführen, muß eine vollständige Abrollung derselben allmählich monoton werden lassen... Wer müßte dies Schwelgen in lauter zarten, rührenden Empfindungen nicht am Ende mit einer tiefen Ermattung bezahlen?"[27]

Die Möglichkeit, einen dramatischen Zusammenhang herzustellen, scheint Hanslick ein Gewinn zu sein. Aber der Zusammenhang ist ihm dann doch zu undramatisch, ihm fehlen stärkere Stimmungskontraste. Die lyrische Grundstimmung wird ihm im Verlauf eines ganzen Konzerts zu viel, er spricht ungeniert von einem „Monstrekonzert". Die Tatsache, daß der Komponist seinen Zyklus als ein Werkganzes verstanden hat, ist ihm weniger wichtig als die „Ermattung", die dieses Werk beim Hörer hervorruft. „Trotz der Fülle von musikalischer Schönheit in Komposition und Vortrag wirkte allmählich der Zyklus eigentümlich schmelzend und verweichlichend auf uns." Diesen Satz schreibt er einige Zeilen weiter. Die musikalische Schönheit, in seiner Grundsatzschrift das einzige, worauf zu achten ist, wird hier verdrängt von der Wirkung, die vom Text ausgeht.

Allerdings darf man nicht übersehen, daß Hanslick diese Bedenken im Hinblick auf eine praktische Aufführung geäußert hat, nicht aber als grundsätzliche Einwände gegen die Komposition von Liederzyklen.

Aber daß er als Kritiker derartige Erwägungen so wichtig nimmt und sie über den Willen des Komponisten setzt, der sein Werk als eine Einheit verstand, beruht auf einer Seite seiner Musikanschauung, welche die Wirkung eines Musikstückes durchaus als wichtigen Faktor für seine Beurteilung begreift. Dabei beeinflussen alle sentimentalen, „verweichlichenden" Wirkungen das Urteil negativ, da sie von seinem Ideal der Heiterkeit und der Natürlichkeit abweichen.

Musik darf in seiner Anschauung auch nicht deprimierend wirken. Ironisierend beschrieb er eine solche Auswirkung auf die Hörer eines Konzerts, in dem Mendelssohns 115. Psalm, Brahms' „Gesang der Parzen" und Bachs Motette „Komm, Jesu, komm" aufgeführt wurden: „Nach diesen drei unmittelbar und auf einander folgenden Chorwerken waren die Gemüter der Zuhörer so erweicht und zerschlagen, daß einige auf der Stelle beichten gehen wollten, andere wieder nach irgend einem Begräbnis ausspähten, dem sie als Leidtragende auf den Kirchhof folgen könnten. Jedes dieser drei Meisterwerke für sich würde man andächtig und dankbar aufgenommen haben, ihre ununterbrochene Reihenfolge brachte aber eine solche Summe niederdrückender Empfindungen zuwege, daß uns gar fromm und elend zu Mut wurde."[28]

Nun ist dieses Zitat nicht wörtlich zu nehmen, außerdem wendet es sich gegen die Häufung von drei ernsten Werken in einem Konzert, die man richtiger einzeln hören würde; es handelt also nicht von einem Werk als solchem. Hanslick wünschte in Konzertprogrammen einen Kontrast nicht nur der Texte, sondern auch des musikalischen Charakters zwischen den aufgeführten Werken. Aber dennoch besteht eine Ähnlichkeit zu der Kritik von Schuberts Müllerliedern. Die Musik wird beide Male vorbehaltlos als Meisterwerk von großer Schönheit anerkannt, und dennoch gibt die Wirkung auf den Hörer den Ausschlag über das Urteil. Hanslick verfährt in dieser Hinsicht ganz anders, als er es in seiner Grundsatzschrift 1854 für eines echten Musikers würdig dargestellt hatte: „Blickt eine Tondichtung uns an mit klaren Augen der Schönheit, so erfreuen wir uns inniglich daran, und wenn sie alle Schmerzen des Jahrhunderts zum Gegenstand hätte."[29] Diesem schon einmal zitierten Satz läßt er noch eine einleuchtend erscheinende Gegenüberstellung folgen: „Der Laie und Gefühlsmensch frägt gerne, ob eine Musik lustig sei oder traurig? – Der Musiker, ob sie gut sei oder schlecht? Dieser kurze Schlagschatten weist deutlich, auf welch verschiedener Seite beide Parteien gegen die Sonne stehen." Daß auch der „Musiker" im Konzertleben häufig Grund hat zu fragen, ob eine Musik „traurig" oder „lustig" sei, beweist, daß der 1854 geworfene „Schlagschatten" in mancher Hinsicht zu kurz ist, daß eine praktisch orientierte Musikanschauung, wie sie in Hanslicks Kritiken sich ausdrückt, zwangsläufig mehr ist als ein „praktischer Ausläufer"[30] der Ästhetik.

Die bisher herangezogenen Äußerungen Hanslicks stammten aus allen Jahrzehnten seiner musikkritischen Tätigkeit. Im wesentlichen gaben sie alle eine gleichbleibende Anschauung wieder; ein grundsätzlicher Wandel war in ihnen nicht zu bemerken. Die Forderung etwa, ein Lied müsse vor allem die Grundstimmung eines Gedichtes erfassen und musikalisch vermitteln, erhob Hanslick gleichermaßen 1857 wie 1892. Seine Prinzipien von der selbständigen musikalischen Schönheit und der Umwandlung des Gedichts durch die Musik machte er in seinen frühesten wie in den ganz späten Rezensionen geltend. Diese Prinzipien galten für das Lied, wie er es verstand. Er ließ an keiner Stelle erkennen, daß sein Begriff des Liedes nur das Kunstlied des 19. Jahrhunderts von Schubert bis Brahms umfasste, daß aber historische Formen wie das Tenorlied ebenso wenig wie das Volkslied davon betroffen waren. Er setzte seine Kriterien absolut, wie sich in der Beurteilung Händelscher Arien deutlich zeigte.

Erst ganz am Ende seiner kritischen Tätigkeit, im ersten Jahr des neuen Jahrhunderts, gab Hanslick eine Bereitschaft zu erkennen, seine Prinzipien zu relativieren, die beinahe wie ein Rückzug von seinem Posten als maßgeblicher Kritiker anmutet. Er bespricht einige von Gustav Mahlers Orchesterliedern („Aus des Knaben Wunderhorn", „Lieder eines fahrenden Gesellen") unter dem Gesichtspunkt der Volksliedhaftigkeit: „Ein Widerspruch, ein Zwiespalt zwischen dem Begriffe ‚Volkslied' und dieser kunstvollen, überreichen Orchesterbegleitung ist nicht wegzuleugnen. Aber Mahler hat dieses Wagestück mit außerordentlicher Feinheit und meisterlicher Technik ausgeführt. Jetzt, am Beginne eines neuen Jahrhunderts empfiehlt es sich, den Novitäten der musikalischen ‚Sezession' (Mahler, Richard Strauß, Hugo Wolf etc.) jedesmal nachzusasagen: Es ist sehr möglich, daß ihnen die Zukunft gehört."[31]

Es ist besonders erstaunlich, daß er in die Gruppe der möglicherweise zukunftsbestimmenden Komponisten auch Richard Strauss einbezieht, dessen Musik er noch einige Jahre zuvor Dekadenz vorgeworfen hatte, und gegen die er einen Rückschlag in Richtung auf eine „musikalische Musik" für unausbleiblich gehalten hatte. Daß ihm der Anbruch eines neuen Jahrhunderts zum Aussprechen der Erkenntnis verhalf, für die Musik könnten allmählich andere Maßstäbe gültig werden als die seinen, ist ein Anzeichen für seine auch im Alter von 75 Jahren noch vorhandene geistige Flexibilität, die dann allerdings nicht so weit gehen konnte, daß Hanslick sich den neuen Anschauungen angeschlossen hätte, sondern die ihn zur Beendigung seiner kritischen Tätigkeit veranlasste.

Anmerkungen:

[1] VMSch/20.
[2] Damit gibt Hanslick dem Wort Tonkunst eine neue Bedeutung; vor ihm war dies Wort lediglich als deutsche Übersetzung für Musik benutzt worden. vgl. Grimm, Deutsches Wörterbuch XI. I. I, Sp. 777 f. und Thiel, Sachwörterbuch der Musik, Stuttgart 1962, S. 544.
[3] VMSch/20.
[4] Aber nur unter diesem Aspekt, nicht unter dem oben ausgesprochenen der wertfreien Trennung. Hanslick wertet Programmusik, wie in dem entsprechenden Kapitel gezeigt, sehr wohl als Instrumentalmusik, die sich zu Unrecht von „reiner Tonkunst" entferne.
[5] GCW II/34 f.
[6] VMSch/21.
[7] VMSch/21 Anm.
[8] GCW II/196.
[9] GCW II/178 f.
[10] Dasselbe Urteil wie Hanslick fällte auch Hegel über Schillers Gedichte. vgl. dazu W. Wiora (2), S. 75, 66 ff.
[11] GCW II/179.
[12] VMSch/34.
[13] M.O.V./143. An einem anderen Brahms-Lied wiederholt er allerdings seine Auffassung von der Vieldeutigkeit der Musik, die er ähnlich hypothetisch begründet wie in der ästhetischen Schrift (s.o.). Es handelt sich um das Lied „An die Stolze". „Man kann an diesem Liede . . . wieder einmal eine Probe auf die Vieldeutigkeit der Musik machen. Die Musik schmiegt sich tadellos dem schmerzlichen Gedichte Flemmings an, aber auch die Worte eines hoffnungsvoll Liebenden dürften sich dieser klaren A-dur-Melodie unterlegen lassen." M.O. V/144.
[14] GCW II/103.
[15] vgl. VMSch/40.
[16] M.O. VII/355 f.
[17] Schumann schreibt zu seinen Kinderszenen, sie seien „Rückspiegelungen eines Älteren und für Ältere". Hanslick hat diesen Ausdruck sicher von Schumann übernommen.
[18] VMSch/26.
[19] Was er 1892 besonders schön formulierte, war ein Grundzug seiner Auffassung der Vokalmusik, den er schon 1857 aussprach, wenn auch in etwas anderem Zusammenhang. Es handelt sich dort um die Kritik eines Männerchors von Johann Herbeck. „Nun, glauben wir, sollte im lyrischen Gedicht die Musik weit mehr die Stimmung des Ganzen wiederzugeben suchen, als die einzelnen Worte; ein Prinzip, welches doppelt gewichtig erscheint, sobald nicht die schmiegsame Subjektivität der Einzelstimme, sondern die unbeugsame Masse eines ganzen Chors das Organ des musikalischen Ausdrucks wird." GCW II/129.
[20] GCW II/201.
[21] vgl. dazu das Kapitel über sein Verhältnis zur Musikgeschichte.
[22] AML I/74 f.
[23] M.O. VII/271.
[24] M.O. VIII/221.
[25] M.O. VI/356.

[26] vgl. dazu das Kapitel „Liederzyklus und Liederfolge" in: W.Wiora, (2), S. 60–62.
[27] GCW II/214. Über Beethovens Zyklus „An die ferne Geliebte" hätte Hanslick wohl anders geschrieben, denn bei diesem Werk ist die Gefahr der „Monotonie" wegen seiner geringeren Länge nicht gegeben.
[28] M.O. VI/314.
[29] VMSch/80.
[30] VMSch/2.
[31] M.O. IX/77.

5. Der Konflikt von kirchlichem und ästhetischem Anspruch in der Kirchenmusik

„Im Begriff jeder Kirchenmusik liegt ein innerer Bruch."[1] Diese These stellte Hanslick 1860 in der Kritik einer Aufführung von Beethovens „Missa solemnis" auf, die beim Publikum vorwiegend „Schrecken und Staunen" hervorgerufen hatte. Seine Gewohnheit, sich für das Verständnis schwieriger Werke, besonders der letzten von Beethoven, mit längeren erklärenden Aufsätzen einzusetzen, leitet ihn auch in diesem Fall. Er behandelt Beethovens Verhältnis zur Kirche, seine besondere Art von Frömmigkeit und allgemeiner die Fragen, welches die rechte Art von Kirchenmusik sei und wie sich der Hörer angesichts des Bruches, der im Begriff der Kirchenmusik liegt, zu dieser verhalten solle. Diese Fragen sind es auch, die er in allen Kritiken von religiöser Musik in wechselnder Ausführlichkeit und mit unterschiedlichem Schwerpunkt erörtert. Daß er sie an Hand von Beethovens großer Messe alle gleichermaßen anspricht, hat seinen Grund sicherlich zunächst in der Eigenart dieses Werkes und der Situation des damaligen Wiener Publikums; die Problematik des Werkes läßt aber auch einige Parallelen zu Hanslicks eigener Stellung zur Kirchenmusik erkennen.

Hanslick schreibt, Beethoven sei kein kirchentreuer Mensch gewesen. Was ihn mit der Kirche verbunden habe, seien wahrscheinlich Erinnerungen an Jugenderlebnisse gewesen. Die Konstruktion eines solchen Zusammenhanges scheint ihm gerechtfertigt, weil er in seiner eigenen Erfahrung ähnliches erkennt. Er selbst erhielt als Kind von seinem Vater Privatunterricht, auch in der Religion. Der Leitsatz des Vaters lautete, wie Hanslick in seiner Autobiographie erzählt, „Wesen und Grundlage der Religion sei nur die Moral; bei gleichen moralischen Grundsätzen seien alle Bekenntnisse gleichwertig."[2] Er wertet diese Erziehungsrichtung: „Wir wurden im besten, wenn auch nicht im streng kirchlichen Sinn, religiös erzogen." Seine Abneigung gegen die Kirche wurde während seiner Studienzeit verstärkt durch eine Einrichtung im vormärzlichen Universitätsstudium, die er noch nach 45 Jahren mit Vehemenz anprangert: einen obligatorischen Religionsunterricht mit Zwang zum Kirchenbesuch für alle Studenten der sogenannten „philosophischen Jahrgänge", einem zwei Jahre dauernden allgemeinbildenden Grundstudium. Damit habe die österreichische Regierung genau das Gegenteil dessen erreicht, was sie angestrebt habe: wer bis dahin noch gläubig gewesen sei, sei zwangsläufig zweifelnd oder ganz ungläubig geworden.[3]

Hanslicks Verhältnis zur Kirche zu kennen, ist notwendig, denn sein Verhältnis zur Kirchenmusik hängt damit zusammen. Er selbst führt in einer Passage seines Gesprächs mit Billroth über die Musikkritik, auf die noch näher einzugehen sein wird, die Tatsache seiner erschwerten Zugangs zu Bachs geistlichen Werken darauf zurück, daß er keine Beziehung zur protestantischen Kirche mit ihrer zentralen Bedeutung des Chorals habe. Kirchenmusik läßt sich – das ist ihm bewußt – am wenigsten auf die Weise hören, die er 1854 als das ästhetische Genießen eines Kunstwerks definiert hatte; die „Anschauung" wird nie völlig „rein" sein können. Auch wenn Kirchenmusik sich von ihrem ursprünglichen liturgischen Zweck ganz gelöst hat, ist sie niemals reine Konzertmusik. Hanslick verstand sie immer als religiöse Äußerung des Komponisten, die nicht allein aus musikalischen Ideen entstanden ist.

Der Konflikt von künstlerischen und kirchlichen Notwendigkeiten, der den „inneren Bruch" im Begriff der Kirchenmusik verursacht, schien ihm von Beethoven in der „Missa solemnis" nahezu gelöst zu sein. Der Kontext der oben zitierten These lautet: Beethoven „stellte sich ... in dem Konflikt, ob in seiner Kirchenmusik die ‚Kirche' oder aber die ‚Musik' herrschen solle (im Begriff jeder Kirchenmusik liegt ein innerer Bruch), mutig und bewußt auf Seite der Kunst. Und auf diesem Boden müssen wir der Macht seines Genies ganz und ungeteilt folgen, unbekümmert darum, ob diese Stelle zu dramatisch, jene zu symphonisch klinge. Beethoven hat auch als Messenkomponist seine große künstlerische Persönlichkeit nicht verleugnen können noch wollen; er begeisterte sich an der Idee des Glaubens, und gab uns in seinen Tönen die Religion, wie er sie anschaute."[4]

Das könnte man so verstehen, als habe Beethoven diesen Konflikt gelöst, indem er keine Kirchenmusik komponierte, sondern ein Zeugnis der „Religion, wie er sie anschaute". Die liturgischen Erfordernisse habe er übergangen und sei seinen eigenen künstlerischen Antrieben gefolgt. Doch damit wäre der Konflikt nur oberflächlich gesehen, im Hinblick auf Hanslicks ästhetische Grundkonzeption liegt er tiefer. Am Beispiel Beethovens stellt er sich so dar, daß der Komponist zwar seinen künstlerischen Antrieben folgt, daß er diese aber aus seiner Anschauung der Religion bezieht und nicht aus absolut-musikalischen Ideen. Insofern bleibt die These vom inneren Bruch in der Kirchenmusik auch hier begründet, wo es sich nicht um Kirchenmusik im engeren Sinne handelt.

Hanslick stellt in diesem Aufsatz auch dar, warum Beethoven ein Komponieren im streng kirchlichen Stil für seine große Messe ferngelegen haben müsse. „Die Weihe einer hohen, freien Religiosität, der Ernst unbeugsamer Sittenstrenge gehen als Grundzug durch Beethovens ganzes Leben und Schaffen. Und er sollte, gerade wo er seine beste Kraft an eine kirchliche Musik setzte, diesen Grundzug verleugnet haben? Im Gegenteil; er gibt uns in der ‚Festmesse' die höchste Steigerung jener Frömmigkeit, die wir in allen seinen größeren Werken finden. Seine ganze Musik war ihm Religion, in der Kunst fühlte er sich jederzeit wie in einer Kirche – deshalb kam es ihm nicht bei, für diesen besonderen Fall ein eigenes kirchliches Gewand anlegen zu sollen."[5]

Diese Sätze, 1860 geschrieben, stehen in einem interessanten Gegensatz zu Hanslicks ästhetischer Theorie von 1854. Hanslick versteht nach dieser Äußerung alle größeren Werke Beethovens als Ausdruck einer spezifischen Art von Frömmigkeit. Beethovens Einstellung zu seiner Kunst sei von einer tiefen Religiosität geprägt, die er bei der Komposition der Missa solemnis nur zur höchsten Steigerung gebracht habe. Daß diese nicht streng kirchlich komponiert sei, mache sie als Kunstwerk nur wertvoller – diese Auffassung begründet er im folgenden an einem Vergleich mit den Messen Haydns, die er für kirchlicher und zugleich für künstlerisch weniger bedeutend hält. Nun hat er 1854 das Musikalisch-Schöne in aller Strenge nur auf das festgelegt, was sich in den Noten finden läßt, und sich dabei gerade an Beethoven orientiert. Er erklärte dort, alles sei „für das Werk nicht existierend"[6], was sich nicht im Notentext befinde. Zwar steht diese Einschränkung dort im Zusammenhang mit „bestimmten Vorwürfen", aber sein Ziel ist es ohne Zweifel, den Geist eines Musikwerkes nur in seinen musikalischen Bestandteilen zu sehen. In dem Aufsatz über die Missa solemnis dagegen stellt er den spezifisch Beethovenschen Geist als etwas Höheres dar, dem Beethoven seine Kunst gleichsam dienstbar gemacht habe. Die Religiosität Beethovens ist demnach sehr wohl „für das Werk existierend", sie ist die Wurzel zu seiner Entstehung.

Die stengen Sätze aus Hanslicks ästhetischer Schrift dürfen tatsächlich nicht als Ausdruck seiner Musikanschauung gewertet werden. Sie scheinen vielmehr eine überspitzte Gegenthese gegen die entschiedenen Gefühlsästhetiker zu sein, welche die Musik allein auf ihre Gefühlsinhalte hin untersuchten, ohne auf die individuelle musikalische Gestaltung des einzelnen Werkes zu achten. Nicht erst sechs Jahre nach dem Erscheinen seiner ästhetischen Schrift, sondern auch schon fünf Jahre davor schrieb Hanslick über ein anderes religiöses Werk Beethovens, das Oratorium „Christus am Ölberg", daß Beethoven alle seine Werke religiös aufgefaßt habe. Seine Religiosität habe sich allerdings auf eigentümliche Weise geäußert: „Das Göttliche erwuchs bei Beethoven nur aus dem Boden des Menschlichen; er erkannte es in der stolzen Erhebung des Geistes über die Materie. Er läßt über die menschliche Persönlichkeit das Ungewitter aller äußeren und inneren Widerwärtigkeiten des Lebens hereinbrechen; heiß ist der Kampf, doch das Göttliche im Menschen kämpft sich siegreich durch und steigt endlich als ein Phönix empor aus der Asche der Leidenschaften. Die beiden Symphonien in C-moll und D-moll zeigen uns diesen Prozeß am deutlichsten und schönsten; das triumphierende Finale der ersteren, das verklärte Adagio der letzteren sind die erhabensten Denkmale von Beethovens echter Religiosität, d.h. seines Glaubens an einen überweltlichen Urgeist und des Gefühls seines Zusammenhangs mit demselben."[7] In der 5. und 9. Symphonie, zwei Instrumentalwerken, sieht Hanslick „echte Religiosität" ausgedrückt, und zwar in der „erhabensten" Weise. Dies ist sicher nicht „im uneigentlichen Sinne", bildlich gemeint, sondern als Formulierung von Hanslicks Auffassung dieser Symphonien zu verstehen. Er sieht in den Symphonien den Ablauf eines „Prozesses", der mit musikalischen Mitteln gestaltet ist, aber mehr als Musik ausdrücken soll.

Eine derart eingehende Behandlung der Religiosität eines Komponisten ist ein Sonderfall, der aus dem Bedürfnis entspringt, dem Publikum das Verständnis eines Werkes, das Hanslick am Herzen liegt, zu erleichtern. In anderen Fällen lehnte er es ab, in Besprechungen der Musik auf die Einstellung des Komponisten zurückzugehen. Franz Liszts „Graner Messe", die er nicht sehr liebte, aber mehrmals in seinem Leben zu besprechen hatte, veranlasste ihn in seiner ersten Kritik (1858) zu folgender Feststellung: „Über die innere Frömmigkeit eines Künstlers zu urteilen, ist ein sehr schweres, bedenkliches Unternehmen. Die ästhetische Kritik ist keine Inquisition. Sie hält sich streng an das Werk und bleibt des Grundsatzes eingedenk, daß die Kirchlichkeit eines Kunstwerks und der subjektive Glaube des Künstlers zwei sehr verschiedene Dinge sind."[8]

Er beschäftigt sich im folgenden auch nur mit der Frage der „Kirchlichkeit" von Liszts Messe. Weil er mehrere Kritiken über die „Graner Messe" verfaßt und darin seine Argumente jeweils nahezu wortgetreu wiederholt hat, soll hier ein Ausschnitt aus einer Besprechung von 1879 folgen, der in sprachlich schlüssigerer Form als 1858 sein Urteil zusammenfaßt: „An der individuellen Frömmigkeit und Religiosität des Komponisten zweifeln wir keinen Augenblick, vermögen aber für unser Teil nichts von dem verklärten Frieden und der Heilkraft des Gebets in einer Musik zu finden, die das ganze Wirrsal der menschlichen Leidenschaften aufstört, ein Drama irdischer Unrast und Zerrissenheit. Interessant durch zahlreiche geistvolle Züge, durch eindringende musikalische Exegese, imponierend durch Ernst und Größe ihrer Intentionen, merkwürdig endlich als die Schöpfung eines phänomenal organisierten, genialen Mannes, bleibt uns die ‚Graner Messe' doch schließlich ein druchaus unerquickliches, ungesundes und raffiniertes Werk, in welchem das Ringen nach religiösem Ausdruck und der unüberwindliche Hang nach theatralischer Effekthascherei fortwährend um die Herrschaft kämpfen. Wie Mahomeds Sarg, so schwebt Liszts Festmesse heimatslos zwischen Himmel und Erde."[9]

Eine Überbetonung des Irdischen kritisiert Hanslick, ein unentschiedenes Schwanken „zwischen Himmel und Erde". Eine Kirchenmusik müsse aber der himmlischen Sphäre zugewandt sein, ebenso wie der Mensch sich beim Beten dem Himmel zuwende. Dies gilt vor allem für eine Messe mit ihrem gleichbleibenden liturgischen Text. Hier verlangt Hanslick „verklärten Frieden", die von Liszt mit seiner Musik ausgedrückten Nöte des Menschen sollen von der Musik gerade gelindert werden, die Musik soll dieselbe „Heilkraft" wie das Gebet haben. Sie muß also den irdischen Nöten des Menschen etwas ganz anderes entgegensetzen, nicht sie wiederholen. Sie soll erquicken, nicht „unerquicklich" sein. Alles, was Hanslick über die Musik Anerkennendes schreibt, nämlich daß sie „zahlreiche geistvolle Züge", „eindringende musikalische Exegese", „Ernst und Größe" der „Intentionen" enthalte, ist im Grunde negativ aufzufassen, denn es steht im Widerspruch zu seiner ästhetischen Grundkonzeption, deren Schönheitsbegriff gerade das nicht einschließt. Es sind im übrigen die Charakteristika, die Hanslick allgemein an Liszts Musik hervorhebt, und die schon im Zusammenhang mit Liszts symphonischen Dichtungen behandelt wurden. Auch die Würdigung Liszts als „eines phänomenal organisierten, genialen Mannes" ist hier nichts Besonderes, als einen solchen hat Hanslick Liszt immer anerkannt.

In den Jahren zwischen 1850 und 1870 glaubte Hanslick, zu seiner Zeit sei es gar nicht möglich, eine gute Kirchenmusik zu komponieren. „Nur zwei geschichtliche Bildungen der heiligen Musik entsprechen vollkommen der hohen und ernsten Bedeutung des Gottesdienstes: die Kirchenmusik der alten Italiener (römische und venezianische Schule) und der älteren Deutschen (Eckart, H. Schütz, S. Bach). So lange nicht ein erneutes religiöses Leben auch die Kunst wahrhaft befruchtet, und mit ursprünglicher Kraft (nicht mit reflektierendem Witz) selbst sich neue Formen schafft, wird der moderne Kirchenkomponist am besten tun, sich in jene Ausdrucksweisen zu versenken, aus welchen mit nie erreichter Innigkeit Gottesliebe und Gottesfurcht spricht. Nicht jedes Zeitalter darf jede Mission übernehmen wollen."[10]

Diese Sätze stehen in der ersten Kritik der „Graner Messe". Der Ratschlag an den „modernen Kirchenkomponisten" betrifft somit den Vorsatz Liszts, der

Kirchenmusik neue Formen zu schaffen. Dies hält Hanslick für verfehlt, denn Liszt und seiner Zeit fehle die „Innigkeit" des Glaubens, die notwendig sei, um für den Gottesdienst taugliche Kirchenmusik zu schaffen. Die Übertragung der Kompositionstechnik aus der Konzertmusik in die geistliche Musik scheint ihm solange unfruchtbar, wie nicht die religiöse Haltung dazu treibt. Gläubigkeit ist also conditio sine qua non, um ein kirchenmusikalisches Werk zu schaffen; von diesem dann wiederum auf die subjektive Frömmigkeit des Komponisten zu schließen, bleibt für den Kritiker dennoch unzulässig, denn sie steht dann nicht mehr zur Diskussion.

Bemerkenswert ist auch der letzte Satz des zitierten Absatzes. Hanslick sah durchaus ein, daß verschiedene Zeitalter verschiedene Aufgaben haben. Sein eigenes glaubte er zur Kirchenmusik nicht berufen, aus zwei Gründen:

a) Die Kompositionstechnik war zu weit fortgeschritten, um sich in den Dienst einer kirchlichen Aufgabe stellen zu lassen. Verdis „Quattro pezzi sacri" sah Hanslick noch 1898 in diesem Zwiespalt: „Der Bruch, der im Begriff der Kirchenmusik liegt, indem die selbständige Schönheit der Musik nicht überall mit der weltverneinenden Strenge der Kirche vereinbar ist, und entweder das eine oder das andere Moment die Oberhand gewinnt, konnte nur in dem Kindesalter einer noch wenig entwickelten Musik verdeckt bleiben. Dieser Konflikt regt sich naturgemäß immer häufiger und stärker mit dem wachsenden Reichtum der Musik und einer freieren religiösen Anschauung. Immer muß die Kirche oder muß die Musik etwas von ihren selbstherrlichen Ansprüchen aufgeben."[11] Hanslick wandte sich gegen den möglichen Vorwurf der „Unkirchlichkeit" dieser Musik. Er erklärt diesen Vorwurf für grundsätzlich unberechtigt, eben weil „kirchliche" Musik in seinen Augen ein Zurückschreiten auf den Stand des 16. Jahrhunderts verlangen würde. Daß er die Musik dieser Zeit „noch wenig entwickelt", aus dem „Kindesalter" stammend nennt, hängt mit seiner Einstellung zur Musikgeschichte zusammen. Darauf wird in einem gesonderten Kapitel einzugehen sein. Hier ist wichtig, daß er die Musik der Renaissance als mit der „weltverneinenden Strenge" der Kirche vereinbar ansieht, während er das von der zeitgenössischen Musik nicht mehr annimmt. Denn inzwischen hat die Musik selbständige Schönheit erlangt und ist für „weltverneinende" Zwecke unbrauchbar, denn sie ist heiter und sinnlich schön. Mit diesen Qualitäten läßt sich nach seiner Auffassung aber durchaus geistliche Musik komponieren, nur nicht mehr liturgisch gebundene. Latent bleibt Hanslick sich aber doch bewußt, daß die geistliche Musik seiner Zeit auch den Anspruch, Kirchenmusik im weiteren Sinne zu sein, nicht erfüllte. Der Bruch in ihrem Begriff schien ihm nicht mehr überbrückbar; allerdings sah er keinen Grund, dies zu bedauern.

b) Denn die Geisteshaltung seiner Zeit schien ihm nach echter Kirchenmusik nicht zu verlangen. Als 1860 die Wiener Sing-Akademie historische Konzerte zu veranstalten begann, in denen alte Kirchenmusik aufgeführt wurde, sprach er die Warnung aus, dieses an sich begrüßenswerte Unternehmen nicht zu übertreiben und alte Werke in den Konzertprogrammen nicht vorherrschen zu lassen. „Wir sind nun einmal, so entsetzlich dies klingt, moderne und weltliche Menschen. In der Kunst sympathisieren wir wärmer mit dem poetischen als mit dem kirchlichen Interesse, und erbauen wir uns auch gerne durch künstlerische Wallfahrten nach den verlassenen Stätten früherer Jahrhunderte – uns dort ungeteilten Herzens anzusiedeln, vermögen wir nicht mehr. Auch weit größeren Zeiten gegenüber erscheint unsere Zeit uns doch immer als die beste, und ganz vermag uns nur die Kunst auszufüllen, welche durch den gemeinsamen Strom unserer Ideen und Empfindungen hindurchging."[12] Es ist erstaunlich, wie rückhaltlos Hanslick hier der subjektiven Disposition des Hörers eine so entscheidende Rolle einräumt. Zwar hat sie keinerlei Einfluß auf das ästhetische Urteil; dieses aber kann unter solchen Voraussetzungen eigentlich nur noch ein technisch-formales sein, nachdem der persönliche Bezug zum Urteilenden fehlt. Daß aber die Kunst, um als solche zu wirken, diesen Bezug haben muß, stellt Hanslick hier eindeutig fest.

Was ihn daran hindert, mit der alten Kirchenmusik zu „sympathisieren", spricht er an mehreren Stellen aus. Am Beispiel der evangelischen Kirchenmusik geht er in musikalische Einzelheiten: „Für die protestantischen Deutschen des 17. und 18. Jahrhunderts war es vor allem Tiefe und Innigkeit des Ausdrucks inmitten höchster polyphoner Kunst, eine bis zur Härte gehende Charakteristik und an Spitzfindigkeit grenzende Wortauslegung; die musikalische Schönheit hatte sich dem unterzuordnen."[13] Es ist nicht ohne Reiz, daß Unterordnung der musikalischen Schönheit, „harte Charakteristik" und vor allem „Spitzfindigkeit der Wortauslegung" Kriterien sind, die er im Prinzip, wenn auch viel entschiedener, ebenso gegen Liszt erhob. Insofern ist es nicht die historische Distanz, sondern ein kompositorisches Verfahren, was seinen auf musikalische Schönheit gerichteten Geschmack störte. Auch die Polyphonie stand seinem Schönheitsbegriff entgegen. Die „Tiefe und Innigkeit des Ausdrucks", die er bewundert, wird von den aufgezählten Kompositionstechniken zu sehr beeinträchtigt. Er bevorzugt die Kirchenmusik der Italiener vor allem aus einem Grund, den er in der Kritik von Verdis geistlichen Stücken ganz offen ausspricht: „Uns Süddeutschen dringt die klangschöne Frömmigkeit Verdis mehr zu Herzen als jene orthodoxe Kirchenmusik, welche dem sinnlichen Reiz, stolz abweisend, aus dem Wege geht."[14] Aber nicht nur landschaftlich ist diese Vorliebe begründet, sondern auch konfessionell, durch Erziehungseinflüsse von frühester Jugend an. Billroth gegenüber sprach Hanslick in dem Gespräch über Musikkritik diesen Zusammenhang aus, den er auch an vielen anderen Stellen in seinen Kritiken anführte: „Ich glaube, man muß als Protestant geboren und erzogen sein, um die Kirchenkantaten, insbesondere auch den Choral aus ganzer Seele mitzufühlen. Erinnerst Du Dich der jüngsten Aufführung des ‚Paulus', der wir zusammen beiwohnten? Ich empfand die eingefügten Choräle als eine schwerfällige, störende Unterbrechung des Oratoriums. Du hingegen begrüßtest jeden Choral als eine teure Jugenderinnerung ..."[15]

Eine Bestätigung dafür, daß Hanslick eine derartige subjektive Vorliebe sauber vom ästhetischen Urteil trennt, gibt er einige Zeilen weiter: „Händel steht mit näher als Bach, den ich trotzdem für den größeren Meister halte. Aber Händel hat einen weiteren Horizont, eine freiere Anschauung, mehr Welfreudigkeit und sinnliche Schönheit. Zur vollen Hingebung an Bachs Kirchenkantaten fehlt mit der religiöse Sinn, die weltflüchtige, spezifisch protestantische Bußfertigkeit, welche diese Musiken und ihre gräßlichen Texte beherrscht." Es ist beachtenswert, daß Hanslick Händel, dessen Musik in seinen Augen mehr „sinnlichen Schönheit" besitzt, dennoch hinter Bach als „den größeren Meister" zurücksetzt. Das ästhetische Urteil im Sinne der Prinzipienschrift, das von allen individuellen Dispositionen des Rezipienten abstrahiert und nur auf das Werk als komponiertes achtet, müßte demnach den „größeren Meister" hervorheben. Gleichzeitig müßte es sich über die sinnliche Schönheit Händels hinwegsetzen, obwohl Schönheit das Wesen der Musik ist. In dem Kapitel über Hanslicks Schönheitsbegriff zeigte sich keine Möglichkeit für eine Unterscheidung zwischen gut komponierter und schöner Musik. Daß sich eine solche hier andeutet, erklärt noch einmal aus anderem Blickwinkel die zu Beginn dieses Kapitels zitierte These vom „inneren Bruch" in jeder Kirchenmusik: Hanslick hält es für unangebracht, Kirchenmusik mit seinen ästhetischen Maßstäben zu messen. Entgegen seiner Überzeugung, Musik sei ihrem Wesen nach schön, muß er anerkennen, daß derjenige der bessere Kirchenkomponist ist, dessen Musik weniger sinnliche Schönheit besitzt. Die Kirchenmusik verlangt seiner Auffassung nach, daß die Musik ihr Wesen mißachtet.

Allerdings liegt der „innere Bruch" wohl doch nicht „im Begriff" der Kirchenmusik, sondern in einer historisch gewachsenen Erwartung an sie, die sich im deutschen Kulturkreis gebildet hat. Die Vorstellung, Kirchenmusik müsse „der hohen und ernsten Bedeutung des Gottesdienstes"[16] entsprechen, hatte für Hanslick trotz ihres einengenden Einflusses auf die Musik Gültigkeit, weil er sich zum deutschen Kulturkreis gehörig fühlte. Ihm war aber bewußt, daß sie keine allgemeine Verbindlichkeit besaß. An zwei Stellen äußert er dies: in seiner ästhetischen Schrift weist er an Hand von „Musikgattungen ..., welche bestimmten Zwecken dienen, als Kirchen-, Kriegs-, Theaterkompositionen" nach, daß der Zusammenhang einer Komposition „mit der dadurch hervorgerufenen Gefühlsbewegung kein notwendig kausaler" ist. Denn: „Nicht bloß in Form und Sitte, auch am Denken und Fühlen bildet sich im Lauf der Zeiten vieles Übereinstimmende, Überkommene, das uns im Wesen der Dinge selbst zu stekken scheint, welche dennoch kaum mehr davon wissen, als die Buchstabenzeichen von der Bedeutung, die sie eben nur für uns haben."[17] Daß man Andacht nur mit den Kompositionstechniken Palestrinas, Schütz' oder Bachs erwecken könne, liegt also nicht an diesen Techniken, sondern hat historische Gründe.

Hanslick spricht von Konventionen, auf denen diese Vorstellung beruhe. In der anderen Stelle, die aus einer rund 40 Jahre später geschriebenen Kritik stammt, befaßt er sich mit der Meinung, Kirchenmusik dürfe nicht die neuesten Stilmittel übernehmen, um nicht profan zu erscheinen. Er entgegnet: „Was in der Musik für kirchlich, für religiös gilt, ist zumeist konventionell und wurzelt in der Tradition. Jede Zeit, jedes Volk fühlt anders in dieser Hinsicht. Positive Regeln lassen sich dafür nicht aufstellen; nur unser Gefühl remonstriert dort, wo die Grenzen des Zulässigen zweifellos überschritten sind. Von der Kirchenmusik zu verlangen, sie solle sich gegen den Musikgeist der Gegenwart absperren, wäre eine Torheit. Sie hat dies zu keiner Zeit vermocht."[18] Dies ist also Hanslicks grundlegende Anschauung, die sich nicht gewandelt hat: ein Stil für die Kirchenmusik besteht nicht von vornherein, sondern er hat sich langsam gebildet, und er kann sich auch weiterbilden. Er hängt mit der allgemeinen kompositorischen Entwicklung direkt zusammen, er sondert sich nicht in einem Eigenbereich ab, in dem es keine Weiterentwicklung geben darf. Allerdings kennt er „Grenzen des Zulässigen"; diese werden jedoch von einem Gefühl kontrolliert, das auf Übereinkunft beruht. Wo andere Übereinkünfte gelten, ändert sich auch dies Gefühl.

Die Beobachtung, daß in Italien Opernmelodien Rossinis oder Donizettis während der Messe gesungen werden und die Gemeinde in ihrer Andacht nicht nur nicht stören, sondern bestärken, hat Hanslick selbst fasziniert. Er führt sie in seiner ästhetischen Schrift an zum Beweis, daß die Musik nicht fähig sei, „religiöse Andacht als Inhalt darzustellen"[19], wohl aber, sie unter bestimmten Umständen zu erregen. Um allerdings von Opernmelodien andächtig gestimmt zu werden, bedürfe es einer naiven Frömmigkeit, die zudem primär auf die kirchliche Umgebung und die allgemeine Stimmung reagiere und die Musik nur als einen Teil des Gesamtgeschehens wahrnimmt. Hanslick war anders veranlagt, er reagierte ganz bewußt auf die Musik. Die Frage, die als vierte in der anfangs herangezogenen Besprechung der Missa solemnis angeschnitten wurde, nämlich wie sich der Hörer zur Kirchenmusik verhalten solle, beantwortet er in ganz unkirchlichem Sinne.

Die Kirche bediene sich der Musik wie aller anderen Kunstgegenstände, beispielsweise der gemalten Fenster oder der kostbaren Gewänder, „nicht um den Kunstsinn, sondern um die Andacht zu wecken. ... Wir behaupten zwar auch andächtig zu sein, wenn wir in der Kirche einer Mozartschen oder Beethovenschen Messe lauschen, allein wir verwechseln dabei ästhetische Andacht mit religiöser."[20] Hanslick hört Kirchenmusik in „ästhetischer Andacht", seinen „Kunstsinn" läßt er nicht beiseite. Doch ist der Blick auf die Kunst, die Anschauung, nicht „rein", sondern mit Andacht vermischt. Welcher Art ist Hanslicks Andacht? Ist das Wort in seinem vollen Inhalt zu verstehen, oder benutzt Hanslick hier eine Wortspielerei, um zum Ausdruck zu bringen, daß es ihm auf das „ästhetische" ankommt und die Andacht ihm im Grunde unwichtig ist?

Wenn es nur ein Wortspiel gewesen ist, dann hat es Hanslick zumindest gut gefallen, denn in einer 23 Jahre später verfaßten Kritik benutzte er es wieder. Gounods Oratorium „Die Erlösung" beurteilt er dort als eine gar zu einfach angelegte Komposition. Seine Deutung, daß Gounod bewußt die Musik nur zur Unterstützung des religiösen Inhalts geschrieben habe, der für sich sprechen sollte, veranlaßt ihn zu dem Einwand: Gounod „vergißt, daß wir in einem Oratorium nicht in erster Linie religiöse Andacht, sondern ästhetische Andacht erwarten, und keineswegs bloß durch die Erhabenheit der kirchlichen, sondern durch die Kraft der musikalischen Ideen, durch das Genie des Komponisten über den Erdenstaub erhoben sein wollen."[21]

In diesem Satz ist das Adjektiv „ästhetisch" wichtiger als das Substantiv „Andacht". Hanslick legt Wert auf die „Kraft der musikalischen Ideen" und das „Genie des Komponisten", also auf musikalischen Genuß, nicht auf Andacht. Das Wort „bloß" ist hier nicht im Sinne eines „nicht nur, sondern auch" zu verstehen, sondern abwertend; die bloße „Erhabenheit der kirchlichen Ideen" legitimiert für Hanslick kein Oratorium, sondern nur der musikalische Inhalt. Nun soll das Oratorium den Hörer aber „auch über den Erdenstaub erheben".

Diese Redewendung könnte die Andeutung dafür sein, daß Hanslick doch auch Andacht erwartet. Das Wort „Erdenstaub" weist in diese Richtung, es stammt aus dem religiösen Bereich. Daß ein Musikwerk den Hörer „erhebe", ist allerdings eine Anschauung, die allgemein gilt und die auch Hanslick akzeptiert. „Wir sehen ihn [den Hörer] von einer Musik ergriffen, froh oder wehmütig bewegt, weit über das bloß ästhetische Wohlgefallen hinaus im Innersten emporgetragen oder erschüttert. Die Existenz dieser Wirkungen ist unleugbar ..."[22] In der ästhetischen Schrift sind diese Sätze in uneingeschränktem Sinne gemeint, sie gelten für jede Art von Musik. Wichtig ist aber, daß die Erhebung des Hörers „über das bloß ästhetische Wohlgefallen" hinausgehe. Auf die Formulierung „ästhetische Andacht" bezogen heißt dies, daß Hanslick doch nicht nur das „ästhetische" dieser Wortverbindung meinte, sondern eine Wirkung, die vom Ästhetischen aus-, aber auch über diese hinausgeht. Eine Isolierung des Ästhetischen hält er bei Kirchenmusik demnach nicht für angebracht; daß sie eine besondere Wirkung haben muß, faßt er als zu ihrem Wesen gehörig auf. Hierfür verwendet er das Wort Andacht, weil er es der religiösen Andacht prägnant gegenüberstellen kann. Das Stilmittel des Wortspiels benutzt er durchaus, aber nicht als leere Spielerei mit Formulierungen.

Auch in der Verbindung mit dem Adjektiv „ästhetisch" ist das Wort „Andacht" sinnerfüllt. Was er darunter versteht, läßt sich nur aus einigen Andeutungen schließen. Zwei Sätze aus Schuberts As-Dur-Messe, die er in einem Chorkonzert hörte, brachten ihn zu der Ansicht, daß diese Messe keine künstlerisch hochstehende sei und das „Niveau der besseren österreichischen Kirchenmusik" nicht weit überrage. „Möglich, daß meine Empfänglichkeit für rein musikalische Aufnahme von Kirchenmusik nicht lebhaft genug ist; im Konzertsaale empfing ich einen tiefen Eindruck immer nur von jenen großen Ausnahmen, in welchen höchste musikalische Kunst und Genialität gleichsam auf eigene Faust ihre Wunder tun, die kirchlichen Formeln und Zwecke uns gänzlich vergessen machen. Dies ist der Fall mit Bachs H-moll-Messe und Beethovens Missa solemnis. Dies ist nicht der Fall mit Schuberts As-dur-Messe. Die Aufführung von eigentlich kirchlichen, für den praktischen Gottesdienst bestimmten Kompositionen im Konzertsaale ist an und für sich bedenklich und wird hier in den Gemütern der Hörer selten die rechte Resonanz antreffen."[23]

Daß Hanslick kirchliche Musik nicht als Konzertstück ansah, das er „rein musikalisch" aufnehmen konnte, sondern als dienenden Bestandteil eines Gottesdienstes, wird hier noch einmal bestätigt. Die Einstufung von Schuberts As-Dur-Messe in diese Gruppe ist selbst angesichts des sehr hohen Maßstabes, den Hanslick anlegt, fragwürdig; die „großen Ausnahmen Bachs und Beethovens stellt er als Grenzwerke dar, in denen der musikalische Anteil sich verselbständigt habe. Daß zumindest Bachs H-Moll-Messe den kirchlichen Zweck „gänzlich vergessen mache", erscheint als eine Überdehnung des Gegensatzes zu Schuberts Komposition. Hinzuweisen ist bei diesem Zitat aber vor allem auf Hanslicks Auffassung, eine kirchliche Musik müsse „in den Gemütern der Hörer" eine „Resonanz" haben, was bedeutet, daß im Hörer etwas Gleichgestimmtes vorhanden sein muß, das beim Hören der Musik angesprochen wird. Dieses Resonierende sieht Hanslick im Gemüt.

Eine solche Beziehung von Musik und Gemüt existierte in seinen Augen auch bei kirchlich nicht gebundenen Kompositionen. Bei Brahms' „Deutschem Requiem" fand er sie in besonderem Maße verwirklicht. Dieses Werk stellte er auf eine Stufe mit den „großen Ausnahmen", den Messen Bachs und Beethovens. „Ja, unserem Herzen steht letzteres noch näher, schon deshalb, weil es jedes konfessionelle Kleid, jede kirchliche Konvenienz abstreift, statt des lateinischen Ritualtextes deutsche Bibelworte wählt, und zwar so wählt, daß die eigenste Natur der Musik und damit zugleich das Gemüt des Hörers in intimere Mitwirkung gezogen wird."[24] Aus diesem Satz läßt sich recht gut erschließen, was „ästhetische Andacht" für Hanslick bedeutete: ein gleich starkes Angerührtsein von ästhetischem Sinn und Gemüt des Hörers. Ein Verzicht auf kirchlichen und konfessionellen Rahmen und stattdessen ein persönlich geprägtes Zusammenstellen des Textes durch den Komponisten zieht die „eigenste Natur der Musik" in „intimere Mitwirkung". Das heißt, daß das innere Engagement des Komponisten, der sich als Individuum, nicht als Diener einer Institution versteht und auch jeglichen äußeren Anschein in dieser Hinsicht vermeidet, sich am unmittelbarsten in die Musik umsetzen lasse, weil jeder Gebrauch von kirchlichen Formeln sich erübrigt und das ganz individuelle Verständnis des Komponisten die Musik prägt. Musik ist dadurch in ihrer „eigensten Natur" geschaffen worden, nämlich von nichts anderem als dem Willen des Komponisten. So unmittelbar sie vom Komponisten geschaffen wurde, so unmittelbar wirkt sie auch auf das Gemüt des Hörers, weil keine Verständnisbrücken hergestellt werden müssen, sondern die Musik als sie selbst verstanden werden kann. Allerdings spricht Hanslick nicht von der „Wirkung" der Musik, sondern von der „Mitwirkung" des Gemüts. Bibelworte, Musik und Gemüt wirken zusammen.

Bei der Besprechung eines Liedes hatte er die Formulierung „Verwachsen des Gedichts mit seiner Musik im Geiste des Hörers"[25] gebraucht und damit auch für die weltliche Vokalmusik ein Zusammengehen von Musik und Gemüt festgestellt. „Gemüt" bezeichnet bei ihm das, was Grimms Wörterbuch definiert als „die einheit unseres innern, in der auch geist in dem heutigen engen sinne mit aufgeht als in seinem ganzen."[26] Die spezielle Wirkung auf das Gemüt, die von Kirchenmusik ausgeht, wird vom Charakter des Textes, der Bibelworte, verursacht. Andacht als „die stimmung des gemüths zur empfänglichkeit gottergebener stimmungen"[27] ist es also im vollen Sinne, was Hanslick von der Kirchenmusik empfängt, nur soll sie nicht allgemein kirchlich sein, sondern von der ästhetischen Aufnahme des musikalischen Werks ausgehen. Kirchenmusik war für Hanslick eine Gattung, die sich seinen ästhetischen Prinzipien in mancherlei Hinsicht entzog. Er sprach daher von einem „Bruch in ihrem Begriff". Seine These, daß die Entstehung eines Musikwerkes im Komponisten mit einem musikalischen ersten Einfall beginne, konnte er für die Kirchenmusik nicht aufrechterhalten. Er räumte ein, daß die Religiosität des Komponisten entscheidenden Einfluß auf die Gestaltung des Werkes habe, wenn er auch in unterschiedlichem Maße seine Kritik darauf gründete. Auch der Hörer, so stellte er fest, könne Kirchenmusik nicht unter rein musikalischen Aspekten hören; sein persönliches Verhältnis zur Kirche und Religion beeinflusse sein Verständnis der

Musik. Hanslick selber, der sich zwar nicht als kirchlichen, wohl aber als religiösen Menschen ansah, hielt eine geistliche Komposition, die sich aus dem kirchlichen Rahmen und auch aus der klaren Begrenzung einer Konfession löste, für ein besseres Kunstwerk, weil die Musik sich eher ihrem Wesen gemäß entfalten könne, wenn sie eigenständig auftrete, nicht als Teil einer Zeremonie. In diesen Zusammenhang gehört seine Unterscheidung von „religiöser" und „ästhetischer Andacht". War ein Werk aber kirchlich gebunden, dann lagen ihm die katholischen Kompositionen des Südens näher, in denen er mehr Lebensfreude und sinnliche Schönheit fand.

Stilistisch war ihm wichtig, daß geistliche Musik eine friedvolle, „verklärte" Sphäre widerspiegele, daß sie die Menschheit über ihren Jammer tröste, nicht ihn darstellend wiederhole.[27a] Konstante Regeln für einen kirchlichen Stil hielt er dagegen nicht für gegeben, der Kirchenstil stand für ihn zu jeder Zeit in Verbindung mit dem Stand der Komposition. Aus diesem Grunde glaubte er jedoch auch, daß die weit fortgeschrittene Kompositionstechnik seiner Zeit für liturgische Kirchenmusik nicht mehr angemessen sei. Auch die geistige Situation seiner Zeit, die ursprüngliche Religiosität nicht mehr kenne, hielt er für ungünstig. Werke wie Brahms' „Deutsches Requiem" oder Verdis „Quattro pezzi sacri" sah er als Ausnahmen an, die aus der besonders glücklichen Veranlagung ihrer Komponisten heraus entstanden seien. Daß sie keine kirchlichen Werke im engeren Sinne sind, konnte seine Auffassung hierüber nur bestätigen.

Wirklich kirchliche Musik von Zeitgenossen war in seinen Augen künstlerisch unbedeutend. In einer Besprechung von Verdis Requiem erläuterte Hanslick 1875 seine Geringschätzung solcher Werke: „Die Zeit ist vorüber, da jeder große Komponist der Kirche bedurfte, um für voll zu gelten. Heute täuscht man sich nicht mehr darüber, daß weder die Kirche für ihre gottesdienstlichen Zwecke genialer Tondichter bedarf, noch umgekehrt. Man gesteht sich ein, daß für die Kirche das Alte ausreicht und das praktisch Tüchtige, ja Gewöhnliche oder Alltägliche ihr denselben, wo nicht besseren Dienst leiste, als Neues. Speziell für die Kirche und nur für die Kirche komponiert heutzutage der musikalische Lehr- und Nährstand, die Chorregenten, Domkapellmeister und sonstigen halbgeistlichen Musikbeamten, deren kleines Talent die große Öffentlichkeit nicht verträgt. Unsere ersten Tondichter komponieren wohl hin und wieder ein Stück aus der Kirche, aber im Grunde nicht für die Kirche."[28]

Anmerkungen:

1 GCW II/223.
2 AML I/6 f.
3 vgl. AML I/20 ff.
4 GCW II/223.
5 GCW II/222.
6 VMSch/44.
7 GCW II/17.
8 GCW II/151.
9 CCV/243. Eine dritte Kritik mit denselben Argumenten findet sich M.O. IV/175.
10 GCW II/155.
11 M.O. VIII/305.

[12] GCW II/209.
[13] M.O. VI/284.
[14] M.O. VIII/305.
[15] AML II/306.
[16] GCW II/155.
[17] VMSch/8.
[18] M.O. VII/282.
[19] VMSch/23.
[20] GCW II/222.
[21] CCV/380.
[22] VMSch/58.
[23] CCV/118 f.
[24] CCV/135.
[25] vgl. S. 125.
[26] Grimm, Deutsches Wörterbuch IV. I. II, Sp. 3299.
[27] Grimm, Deutsches Wörterbuch I, 1854, Sp. 303 zitiert diese Formulierung von Immanuel Kant. Die Andacht hatten schon Herder und Hegel in enge Verbindung mit der Musik gebracht. Herder schrieb (Werke XXII, S. 502): die Andacht „singt im Herzen; das Herz selber singet und spielet"; Hegel nannte sie ein „musikalisches Denken" (Phänomenologie des Geistes, hrsg. von J. Hoffmeister, Hamburg 6/1952, S. 163). vgl. zur Bedeutung der Andacht für Hegel: A. Nowak, Hegels Musikästhetik, S. 147 f.
[27a] Der Quietismus, der die Anschauung von der rechten Kirchenmusik seit Winterfeld stark beeinflußte, zeigt sich somit auch bei Hanslick, obwohl er den protestantischen Kirchenmusikern distanziert gegenüberstand.
[28] M.O. II/7.

6. Musik im Theater: die Oper

Wer Hanslicks in Buchform veröffentlichte Kritiken- und Aufsatzsammlungen überblickt, kann zunächst glauben, daß die Opernkritiken die Konzertrezensionen mengenmäßig weit überwiegen: reine Sammlungen von Konzertkritiken gibt es nur zwei, während die unter dem Gesamttitel „Die Moderne Oper" erschienene Reihe neun Bände umfaßt. Dem Betrachter wird auch auffallen, daß Hanslick seine Konzertkritiken ab 1848, Opernaufsätze dagegen erst ab 1870 zu Sammlungen zusammenzufassen begann. Ferner geben die zwei Bände über die Konzerte jeweils einen Überblick über große Zeiträume von 21 und 15 Jahren, die Opernbände bringen bei gleichem Umfang nur Aufsätze aus höchstens fünf Jahren, der letzte der neun Bände berücksichtigt gar nur etwas mehr als ein Jahr.

Ein genaueres Hinsehen klärt manches auf: der Reihentitel „Die Moderne Oper" ist irreführend, denn vom sechsten Band an erfaßte Hanslick darin auch Konzertkritiken. Sein zweiter, ausschließlich Konzerten gewidmeter Band enthält Kritiken aus den Jahren 1870 bis 1884, ab 1885 sind die Konzertbesprechungen in der „Modernen Oper" weitergeführt, und dort etwa zu gleichen Teilen mit den Opernartikeln. So kehrt sich das oben zugunsten der Oper ungleiche Verhältnis um: Konzertkritiken hat Hanslick damit aus der gesamten Zeit seiner Tätigkeit in Büchern veröffentlicht, Opernbesprechungen erst ab 1870.

Eine Erklärung dafür ist, daß Hanslick den 1869 erschienenen ersten Band seiner „Geschichte des Concertwesens in Wien" dadurch ergänzen wollte, daß er die dort besonders kurz behandelten jüngsten 20 Jahre im zweiten Band mit seinen eigenen Kritiken als selbst miterlebte Geschichte schilderte. Die erste seiner Sammlungen von Konzertkritiken ist also ein historisches Buch, die Einengung auf das Konzertwesen ist im Gegenstand dieses zweibändigen Werkes begründet. Als nächstes seiner Bücher erschien dann 1875 der erste Band der Opernreihe gleichen Titels. Es ist interessant, daß Hanslick auch hiermit ein historisches Ziel verfolgte. Im Vorwort führt er aus, daß die Oper wohl diejenige Gattung sei, deren Produkte die kürzeste Lebensdauer aller Musikwerke haben. Sie sei „die zusammengesetzteste, konventionellste und daher vergänglichste" aller „großen Musikformen"[1], und der „Unsterblichkeitsglauben", der alles Schöne für unvergänglich halte, treffe auf sie am wenigsten zu. Er wolle aus diesem Grund einen Überblick darüber geben, „was gegenwärtig auf der Bühne lebendig ist". Dabei zeige sich, daß überwiegend moderne Werke das Repertoire bilden. Daß Hanslick tatsächlich ein historisches Buch und keine einfache Kritikensammlung veröffentlicht hat, erweist sich an der Tatsache, daß er die meisten der darin enthaltenen Aufsätze neu schrieb und nur einige Feuilletons aus der „Neuen freien Presse" einarbeitete.

Seine ersten Aufsatzsammlungen verstand Hanslick somit gleichermaßen als Beiträge zur Musikgeschichte, wenn auch der Opernband schon populärer gehalten ist als die zumindest im ersten Band wissenschaftlich angelegte „Geschichte des Concertwesens". Zu berücksichtigen ist dabei auch, daß „Die Moderne Oper" als erstes seiner Bücher im Berliner „Allgemeinen Verein für Deutsche Literatur" erschien, der auch alle weiteren Bücher verlegte.[2]

Dieser Verein stellt sich nach seinem Statut, das in jedem Band abgedruckt ist, als ein Vorläufer moderner Buchclubs dar: gegen Zahlung einer festen Summe erhält jedes Mitglied vier Bücher einer Serie und verpflichtet sich bei ausbleibender Kündigung zur Weiterzahlung. Die Formulierung des Verlags, alle Bücher stammten „aus der Feder unserer beliebtesten und hervorragendsten Autoren"[3], deutet auf den Anspruch hin, ein breites, allgemeinbildendes, dabei aber populäres und unterhaltendes Angebot vorzulegen. In unregelmäßigen Abständen gehörten zu diesen Serien auch die neun Bände der „Modernen Oper", die Autobiographie und die Sammlung „Concerte, Componisten und Virtuosen..." von Hanslick. Schon ein flüchtiger Überblick über die Liste zeigt, daß Hanslicks Name innerhalb der ersten 25 Serien am häufigsten vertreten ist. Daraus läßt sich nicht nur auf den Erfolg schließen, den er mit seinen Aufsätzen über das Wiener Musikerleben im Deutschen Reich hatte, sondern auch auf seine Erfolgstüchtigkeit. Den Anfangsbestand füllte er noch überwiegend mit eigens dafür verfaßten Aufsätzen, später übernahm er in zunehmendem Maße Zeitungskritiken und Feuilletons. Der anfänglich historische Schwerpunkt verlagerte sich damit auf die geistvolle, interessante und unterhaltende Meinungsäußerung über aktuelle Erscheinungen des Musiklebens.

Der Kritiker Max Graf, der bei Hanslick an der Wiener Universität Musikgeschichte studierte und später noch einige Jahre sein Berufskollege als Zeitungsrezensent war, charakterisiert Hanslicks Stil: „Er war so klar und durchsichtig, daß ihm auch der Laie reiche Belehrung zu danken hatte, und so amüsant, daß ihn auch der Fachmann mit Vergnügen lesen konnte. Er wußte Menschen der verschiedensten Bildungsstufen zu fesseln, da er sein Wissen stets in eine heitere und witzige Form aufzulösen verstand, die den schwierigsten Stoff durchscheinend und hell machte."[4] Mit dieser zutreffenden Charakteristik erklärt sich das Interesse nicht nur der Wiener Zeitungsleser, sondern auch eines so weitreichenden Unternehmens wie des Berliner Literatur-Vereins an Hanslicks Schriften. Graf schildert Hanslick als ein fest integriertes Mitglied der Wiener gebildeten Gesellschaft, das beinahe auf allen geselligen Privatveranstaltungen anzutreffen und dort wegen seiner Begabung zu geistreichen und witzigen Unterhaltungen sehr beliebt gewesen sei. Hanslick selbst beschreibt in seiner Autobiographie derartige Gesellschaften, wobei er besonderen Wert auf die Schilderung berühmter und ihm bekannter Opernsänger und -sängerinnen legt. Auf seinen Auslandsreisen, die er als Berichterstatter bei Weltausstellungen oder Musikfesten unternahm, besuchte er in Frankreich Opernkomponisten (Auber, Rossini und Gounod) und in England berühmte Sängerinnen wie Jenny Lind. Auf den ausführlichen Bericht über diese Begegnungen verwendet er viel Platz in seinen Veröffentlichungen. Man spürt aus den Schilderungen heraus, daß er sich in diesen Kreisen wohlgefühlt hat. Mit der Oper verband ihn also nicht nur das künstlerische Interesse, sondern wahrscheinlich ebenso stark der gesellschaftliche Umkreis.

Hanslick war mit dem Musiktheater von Jugend auf verbunden. Seine Mutter besuchte mit ihm und seinen Geschwistern regelmäßig das Prager Theater, und er schrieb noch in seiner Autobiographie: „Das Prager Theater, sowohl Oper als Schauspiel, genoß damals eines ausgezeichneten und wohlverdienten Rufes, und so verdanke ich ihm eine Summe bildender und beglückender, bis in mein Alter nachwirkender Eindrücke." „Die tiefsten musikalischen Eindrücke hatte ich ja in der Jugend von der Oper empfangen."[5] Aus dieser Kindheitserfahrung entwickelte sich bei ihm eine Beziehung, die er selbst eine „alte Theaterpassion" nannte und die ihn „in jeder fremden Stadt gleich nach dem Komödienzettel fragen" ließ.[6] Alle diese Faktoren wirkten dabei mit, daß Hanslick mit dem Musiktheater persönlicher als mit dem Konzertleben verbunden war.[7]

Hanslick betrachtete die Oper als die „zusammengesetzteste" aller Musikformen. So schrieb er es im Vorwort seines Buches „Die Moderne Oper", und unter diesem Aspekt behandelt er sie auch in seiner Prinzipienschrift. Sie dient ihm hier nur als Demonstrationsobjekt für seinen Nachweis, daß es nicht Sinn der Musik sei, Gefühle darzustellen. Dies tue allein die Handlung und der Text. Die Musik widersetzte sich der Darstellung bestimmter Inhalte geradezu, was sich daran zeige, daß der Komponist dort, wo die Handlung genaues Darstellen verlange, zu der musikalisch bedeutungslosesten Form, dem Rezitativ, greifen müsse. Auf der anderen Seite seien die musikalischen Höhepunkte jeder Oper mit den verhältnismäßig handlungsarmen Arientexten verbunden. Das Wesen der Oper erfordere „das gleichmäßige Genügen an die musikalischen und die dramatischen Anforderungen," und daraus entwickele sich „ein steter Kampf... zwischen dem Prinzip der dramatischen Genauigkeit und dem der musikalischen Schönheit, ein unaufhörliches Konzedieren des einen an das andere."[8] An den großen Stationen ihrer Historie sei immer versucht worden, diesen Kampf zugunsten eines Prinzips zu entscheiden; dabei sei man über „die rechte Mitte" hinausgegangen in Richtung auf das andere Extrem, wie das Beispiel Glucks zeigte. Die „rechte Mitte" sei „das Ideal der Oper"[8], das nie vollständig zu verwirklichen sei.

Gleichwohl habe die Ästhetik der Oper davon auszugehen. Hanslick vergleicht die Oper mit einem konstitutionellen Staat, der „auf einem steten Kampfe zweier berechtigter Gewalten beruht."[9] Allerdings gibt er mit diesem juristischen Vergleich nicht exakt seine eigene Auffassung wieder. Zunächst schreibt er, er glaube nicht, daß der Kampf stetig sein müsse, sondern höchstens unabsehbar andauere. „In ihre Konsequenzen verfolgt, müssen das musikalische und das dramatische Prinzip einander notwendig durchschneiden. Nur sind die beiden Linien lang genug, um dem menschlichen Auge eine beträchtliche Strecke hindurch parallel zu scheinen."[9] Daß Hanslick hier einen zweiten Vergleich, nunmehr aus der Geometrie, anbringt, deutet auf eine logische Schwäche seiner Argumentation hin. Reduziert auf die ästhetische Aussage, hat Hanslick behauptet, das dramatische und musikalische Prinzip müßten sich in der „rechten Mitte" treffen. Dieses völlig „gleichmäßige Genügen" an beide Prinzipe sei aber das „Ideal der Oper", zu dem zu gelangen ein steter Kampf ausgetragen werde. Denn das Gewicht der beiden Prinzipe sei niemals völlig gleich, sondern wechsele von Fall zu Fall. Der Komponist muß somit jeweils entscheiden, welches im gegebenen Moment mehr Gewicht verlangt. Damit können die „beiden Linien" aber nicht mehr „parallel" verlaufen, auch nicht nur scheinbar, sondern sie durchkreuzen sich ständig, und erst die Verbindungslinie der Kreuzungspunkte stellt das Kunstwerk dar.

Einige Zeilen weiter distanziert er sich aber wieder von dieser Konstruktion eines unentscheidbaren Kampfes, indem er ihn für sich selbst entscheidet: im direkten Anschluß an die wiederholte These, es dürfe in der Oper „niemals ein prinzipiell unverhältnismäßiges Vorherrschen des einen oder des anderen Momentes" geben, kommt seine eigene tatsächliche Anschauung zum Vorschein: „Im Zweifel wird er [der Komponist] sich aber für die Bevorzugung der musikalischen Forderung entscheiden, denn die Oper ist vorerst Musik, nicht Drama."[10]

Damit distanziert sich Hanslick wieder von dem Bestreben, die „rechte Mitte" zwischen den zwei Prinzipen zu erreichen. Für ihn ist ein Standpunkt neben der Mitte der rechte, wo die Musik zwar nicht allein wichtig, aber doch wichtiger als das Drama ist.

An dieser Stelle muß angemerkt werden, daß Hanslicks Trennung von „Musik" und „Drama" begrifflich unscharf ist. Das Dramatische ist ein übergreifendes Prinzip, das auch in die Musik hineinwirkt; Hanslick verwendet das Wort „Drama" hier im Sinne von Textbuch, Handlung.

Hanslick stützt seine Anschauung ab mit Anmerkungen, in denen er zwei Komponisten anführt, die in seinen Augen beide einen Standpunkt neben der Mitte einnahmen. In der ersten Auflage weist er auf Richard Wagner hin, der im Lohengrin eine „spezifisch dramatische Tendenz im Gegensatz zur musikalischen"[11] verfolge. Im Tannhäuser sei diese Tendenz noch nicht zu erkennen gewesen, Hanslick schätzt ihn daher höher. Er behauptet, im Lohengrin sei das „Betonen des vorgeschriebenen Ausdrucks und Wortes" zwar geistreich und wirkungsvoll, die Musik könne jedoch „abgelöst von ihrem Worte" nicht befriedigen. Dieses Argument widerspricht aber seine ästhetischen Grundthese, das Wesen der Oper bestehe in ihrem Zusammengesetztsein. Gegen eine Oper zu argumentieren, indem man Musik und Worte ausdrücklich trennt, heißt, gegen die eigene These vom Wesen der Oper zu argumentieren. Es wird sich bei der Untersuchung seiner Kritiken zeigen, daß Hanslick häufig die Musik ohne ihren Text beurteilt, daß seine eigene kritische Methode in dieser Hinsicht der ästhetischen Einsicht direkt zuwiderläuft.

In den späteren Auflagen seiner Grundsatzschrift hat er diese Anmerkung durch eine andere ersetzt. An die Stelle Wagners, der die Musik zugunsten des Dramas vernachlässigt habe, setzt er nun Mozart, der in seinen Augen eindeutig der Musik den Vorzug gegeben habe. Er bezieht sich auf die bekannte Briefstelle, wo Mozart die Poesie der Musik „gehorsame Tochter" nennt. Er interpretiert sie so, daß Mozart damit der Musik in seinen Opern „entschieden die Herrschaft"[12] zugewiesen habe. Zusätzlich zu dem von Mozart angeführten „Faktum, daß gute Musik die elendesten Texte vergessen lasse"[13], behauptet er, die notwendige Herrschaft der Musik folge auch aus ihrem Wesen. Musik wirke „unmittelbar und stärker als jede andere Kunst" auf die Phantasie des Hörers ein, der über diesem mächtigen Eindruck den Text zunächst nicht beachte.

Der „stete Kampf" zwischen den zwei Prinzipen findet also in Hanslicks Anschauung nicht mehr statt, er ist schon entschieden zugunsten der Musik. Beim Lied hatte Hanslick die Notwendigkeit, Musik und Gedicht über der „rechten Mitte" zu einem eigenen Kunstwerk aus beiden Komponenten zu vereinen, nicht nur behauptet, sondern sich auch zueigen gemacht.[14] Für die Oper verteilt er die Gewichte anders und setzt damit einen grundsätzlichen Unterschied zwischen diese zwei Arten der Vokalmusik, und zwar ungeachtet der Tatsache, daß bei der Oper noch eine dritte Komponente, die Bühne nämlich, hinzukommt. Dazu wurde er vermutlich veranlaßt durch die Ansicht, gegen eine Stilrichtung opponieren zu müssen, die es beim Lied in diesem Maße nicht gab: die Unterordnung der Musik unter die Dichtung als bloßes Mittel zum dramatischen Ausdruck, wie sie Gluck und Wagner in ihren theoretischen Schriften in seiner Sicht für richtig erklärt hatten. Um diese Tendenz in vollem Maße zu verwirklichen, glaubt Hanslick, müsse man notwendig bis zum gesprochenen Drama zurückgehen. Damit habe man den Beweis, „daß die Oper wirklich unmöglich ist, wenn man nicht dem musikalischen Prinzip (mit vollem Bewußtsein seiner realitätfeindlichen Natur) die Oberherrschaft in der Oper einräumt."[15] Gluck und Wagner hätten ihre Theorie selbst widerlegt, denn in ihren Werken sei zu hören, daß der Musiker in ihnen an entscheidenden Stellen doch stärker war als der Theoretiker. Hanslick leitet die Notwendigkeit der musikalischen „Oberherrschaft" auch zu einem großen Teil aus der „realitätfeindlichen Natur" der Oper ab. Daß handelnde Personen auf der Bühne nicht sprechen, sondern singen, sei für die Phantasie ein leicht zu akzeptierendes Phänomen; daraus folge, daß ihr Singen aber auch die Hauptsache sein müsse; jede Anstrengung, das Singen der Realität anzunähern, sei verfehlt.

Hanslick geht an einer Stelle in seiner ästhetischen Schrift so weit, jede innere Bindung von Musik und Drama in der Oper zu leugnen. Am Beispiel von Glucks „Iphigenie" führt er das aus. Die Figur des Orestes werde eigentlich überhaupt nicht vom Komponisten gestaltet: „ ... die Worte des Dichters, Gestalt und Mimik des Darstellers, Kostüm und Dekorationen des Malers – dies ist's, was den Orestes fertig hinstellt. Was der Musiker hinzugibt, ist vielleicht das Schönste von Allem, aber es ist gerade das Einzige, was nichts mit dem wirklichen Orest zu schaffen hat: Gesang."[16] Die Figur des Dramas ist, wie Hanslick es hier darstellt, schon fertig, bevor der Komponist seine Arbeit beginnt. Indem dieser den Orest singen läßt, nimmt er ihn aus der Realitätsnähe, die die anderen beteiligten Künste herstellen, heraus. Die hier naheliegende Konsequenz, daß der Komponist damit den Intentionen des Dramas entgegenwirke und sie aufhebe, hat Hanslick allerdings nicht ziehen wollen, auch wenn es die pointierte Formulierung anzudeuten scheint. Aber daß es in seinen Augen nicht um eine Intensivierung, sondern um eine nivellierende Veränderung des Dramatischen durch die Musik geht, das spricht er hier aus und legt damit einen Grundzug seiner Opernästhetik frei, der ihn in allen seinen Rezensionen geleitet hat.

Hanslick erkannte dem Dramatischen keinen Eigenwert zu. Es erschien ihm unstatthaft, daß die Oper wie ein gesprochenes Drama spezifisch dramatische Ideen ausdrückte, daß das Dramatische nicht der Musik angepaßt war, sondern seinerseits die Musik sich anzupassen strebte. In Verdis Aida sah er einen solchen Fall, in dem die Eigenforderungen des Dramas die Musik einengten und darüber hinaus den „Total-Effekt" beim Publikum beeinträchtigten. Er sah es als Mangel an, daß die Handlung der Oper das Lokalkolorit zu stark betone; die gesamte Umgebung, in der die Oper spiele, sei dem europäischen Publikum des

19. Jahrhunderts zu fremd, es fühle sich „nicht recht unter Unseresgleichen". Der Zuschauer könne deswegen keine Sympathie für die Helden und die Ideale des Stückes aufbringen. Allein die Götzenbilder und „Kolossal-Statuen, die verschiedenen heiligen Bestien" würden sich wohl noch ertragen lassen. „Aber lauter braune Sänger auf der Bühne! Dazu diese häßlichen hüpfenden Mohren und die mit widerwärtiger Kostümtreue gefärbten, frisierten und geputzten Tänzerinnen! In der Oper, diesem privilegierten Asyl des schönen Scheines, ist uns die ethnographische Gewissenhaftigkeit nicht wertvoll genug, um auf alle Schönheit zu verzichten."[17] Die Oper ist für Hanslick ein „privilegiertes Asyl des schönen Scheines", die Schönheit darf hier nicht angetastet werden, wobei es ihn nicht stört, daß sie nur ein Scheinleben führt. Dieses Scheinleben ist es vielmehr gerade, was er erhalten wissen möchte, es ist dasselbe, was er 1854 die „realitätfeindliche Natur" nannte. Er strebt weg von der Realität in der Oper, er möchte eine Insel, auf der selbst so wenig reale Figuren wie Aida, Radames, Amneris wegen der relativ genauen Nachbildung eines alten Volkes, die ja auch teilweise auf Phantasievorstellungen beruht, noch zu starken Wirklichkeitsanstrich haben. Aufder anderen Seite aber will er sich „unter Unseresgleichen" fühlen. Insofern verlangt er doch eine Verbindung von „schönem Schein" und Realität; die Realität, in der das Opernpublikum lebt, soll in der Scheinwelt des Kunstwerks wiederzuerkennen sein.

Es ist bemerkenswert, daß Hanslick diese Kritik an dem Libretto der Oper übt, nicht an der Musik. Seine Äußerungen über Verdis Musik sind zur rechten Würdigung dieser Kritik am Bühnengeschehen unbedingt hinzuzuziehen. Verdi habe, so schreibt Hanslick, für seine Musik auch zwei ägyptische Nationalmotive von allerdings nur wenigen Takten Länge verwendet. „In der geistreichen und reizenden Verarbeitung dieser beiden National-Motive zeigt sich eine wahre Meisterhand. In fremden Lokalfarben haben wir bekanntlich heutzutage große Routine; was aber Verdi hierin vor Allen auszeichnet, ist der musikalische Schönheitssinn, mit dem er diesen Absonderlichkeiten ihre rechte, d.h. untergeordnete Stellung anweist, uns das Orientalische nicht mit photographischer Treue bringt, sondern idealisiert durch die Grazie und Fülle unseres modernen europäisch-abendländischen Tonwesens."[18] Die Musik bleibt nicht im Darbieten von „Absonderlichkeiten" stecken, sondern sie arbeitet die nationalen Motive ein; die Musik ist deswegen schön, weil sie „europäisch-abendländisch" bleibt. Der Gegensatz „mit photographischer Treue – idealisiert" liefert ein weiteres Charakteristikum für den „schönen Schein": Übereinstimmung mit der Realität ist nicht Sache der Kunst, sondern der Dokumentation. Die Kunst „idealisiert", sie abstrahiert von der Wirklichkeit und setzt an die Stelle ihre Schönheit. Insofern schließen Schönheit und Realität sich aus. „Fremde Lokalfarben" möglichst echt wiederzugeben, war daher ein Bestreben, das Hanslicks Schönheitsbegriff direkt entgegenlief.[19]

Dazu, daß man sich in der Oper unter seinesgleichen fühlte, gehörte für Hanslick auch, daß die Personen auf der Bühne glaubwürdig und menschlich handelten. Ihre Motive und Konflikte mußten lebensnah sein. Das Libretto zu „Cosi fan tutte" nannte er albern, weil es „mit seinen riesigen Zumutungen an unsere Leichtgläubigkeit mehr verletzt als ergötzt. Daß dieses geistlose Stück, dessen Personen uns nicht die mindeste Teilnahme abgewinnen, auch Mozarts schöpferische Phantasie gelähmt und zu weichlichem Formalismus verleitet hat, braucht nicht geleugnet zu werden."[20] Spezifisch für diese Kritik ist die Verbindung von „geistlosem" Libretto und „weichlichem Formalismus" der Mozartschen Musik. Das Fehlen von Geist, lebensvollem Witz im Libretto ermöglicht weder eine gemütvolle Teilnahme an den Personen noch an der Musik. Die Musik ist „formalistisch", eben weil ihr der Geist fehlt, der ihr Leben verleihen würde. Mit der Betonung der Bedeutung des Geistes für die musikalische Schönheit setzte sich Hanslick 1854 vom Formalismus ab.

Indem er in Mozarts „Cosi fan tutte"-Musik den Geist vermißt, kann er selber hier den Vorwurf des Formalismus aussprechen. Das Adjektiv „weichlich" erklärt sich aus dem Kontext: Hanslick vermißt die „kontrastierenden Schlagschatten", die Musik ist ihm zu gleichförmig und marklos.

Es war eine von Hanslicks grundlegenden Anschauungen zur Oper, daß die Figuren auf der Bühne dem Hörer „Teilnahme abgewinnen" mußte. Gegen Wagners „Nibelungen"-Trilogie erhob er den Vorwurf, daß dieses Prinzip nicht beachtet sei. Schon zum „Rheingold" schrieb er: „Man muß leidenschaftlicher Germanist sein, um sich für den ganzen Hofstaat der altnordischen Mythologie zu erwärmen; wir wollen auf der Bühne Menschen sehen, mit menschlichen Leidenschaften und Schicksalen."[21] Daß es Wagner nicht um die Darstellung mythologischer Überlieferung, sondern eben gerade menschlicher Leidenschaften ging, hat Hanslick nicht erkannt oder nicht erkennen wollen. Die Argumente der Wagnerianer, der Gehalt der „Nibelungen"-Dichtung Wagners sei von sittlicher Hoheit und reinigender ethischer Wirkung, wehrt er ab: er könne im Rheingold nur „Betrug, Lüge, Gewalt und tierische Sinnlichkeit" finden, in der Walküre störe ihn bei „großen dramatischen und musikalischen Schönheiten" „das sittlich Widerwärtige der mit so viel Glut ausgemalten Blutschande." Er wendet dagegen ein: „Es ist nicht Alles im Drama erlaubt, was im Epos vorkommen darf, und unsere sittlichen Anschauungen sind andere, als es die des elften Jahrhunderts waren."[22]

Seine Abneigung gegen alles Übernatürliche in Wagners Dichtung wird potenziert durch die zahlreichen Äußerungen Wagners und vor allem der Wagnerianer, die den Werken den Wert von metaphysischen Offenbarungen geben. Dies widerstrebt Hanslicks Auffassung vom rein musikalischen Sinn der Oper zutiefst und führt ihn sicher zu schärferen Urteilen, als sie ihm ein allein auf das Musikalische ausgerichtetes Werk Wagners entlocken würde. Im Parsifal sieht er die Tendenz fortgesetzt, dennoch ist sein Urteil zunächst differenziert: „Wer, naiv genügsamen Sinnes, den Wagnerschen ‚Parsifal' als eine höhere Zauber-Oper auffassen mag und kann, als ein freies Spiel einer im Wunderbaren schwelgenden Phantasie, der hat ihm die beste Seite abgewonnen und sich den möglichst ungetrübten Genuß errettet. Er wird von diesem Festspielzauber nichts abzuwehren haben, als die falschen Prätensionen, daß dem ein unergründlich-tiefer, heiliger Sinn zu Grunde liege, eine philosophische und religiöse Offenbarung ... Es wird uns als Wagners größte Tat gepriesen, daß er ‚den Gral, das höchste christlich-religiöse Ideal', verherrlicht habe. Aber wem unter uns ist denn der Gral ein religiöses Ideal? Wem ist er es jemals gewesen? Das Christentum unserer Zeit ist ein ganz anderes als das wundersüchtige der heiligen Gralsritter, und vielleicht kein schlechteres."[23]

Zweimal betont Hanslick, Wagners Motive stünden nicht in Übereinstimmung mit „unserer Zeit". Wagners sittliche Auffassungen und seine Anschauungen des wahren Christentums erregten bei ihm Anstoß. Er hat damit zweifellos auch zwei Ansatzpunkte zu berechtigter Kritik berührt, doch muß dazu angemerkt werden, daß die Forderung, der Künstler habe sich nach den allgemein geltenden Anschauungen seiner Zeit zu richten, in der Geschichte der Kunst nur sehr selten von großen Künstlern erfüllt wurde. Zum anderen ist das, was Hanslick „unsere sittlichen Anschauungen" nennt, nicht von so allgemeiner Gültigkeit gewesen, wie er es darstellt. Die Strömung in der Kunst und Philosophie, die sich zum Mythischen, Absonderlichen und Entlegenen wandte und an der Wagner wesentlichen Anteil hatte, war ja durchaus eine bestehende Geistesrichtung, die Hanslicks Zeit mitprägte.

Hanslick hielt es für falsch, in der Oper nach intellektuell-anspruchsvollen Aussagen zu streben. Nicht nur Wagners Bemühung, in seinen Werken philosophische Grundwahrheiten vom Wesen des Menschen künstlerisch darzustellen, sondern auch den Wunsch anderer Komponisten, dichterische Meisterwerke adäquat zu vertonen, hielt er für undurchführbar. Anläßlich Gounods „Faust", der von anderen Kritikern wegen der vielen Vereinfachungen als Verhöhnung von Goethes Dichtung beschimpft wurde, begründete er dies: „Die Oper ist aber eine zu gemischte, unreine, bedingte Kunstgattung, als daß sie im Stande wäre, einen Faust von der Höhe und Vollendung des Goetheschen hervorzubringen, überhaupt den vollkommeneren Organismus einer Tragödie ernstlich nachzuschaffen. Es ist ein sehr verschiedenes Unterfangen, ob Jemand sich vermißt, Goethes Faust zu komponieren, diese reiche, die höchsten Anliegen des Menschengeistes umfassende Gedankenwelt nachmusizieren zu wollen, oder ob er lediglich aus den sinnenfälligsten Momenten des Gedichtes sich ein dramatisches Gerüste, ein Libretto zusammenstellt."[24] In dieser grundsätzlichen Passage stellt Hanslick klar, daß die Handlung einer Oper nicht mehr als ein „Gerüste" sein darf, nicht selber nach Vollkommenheit im Sinne eines in sich geschlossenen „Organismus" streben soll. Das Gerüst muß aus „sinnenfälligen Momenten" bestehen, die, so ist zu ergänzen, durch ihre Momenthaftigkeit Gelegenheit zu in sich abgeschlossenen musikalischen Formen geben. Alle Anstrengungen, nach den „höchsten Anliegen des Menschengeistes" zu greifen, erklärt er für vermessen und am Wesen der Oper vorbeigehend. Dieses ist „gemischt, unrein, bedingt". Es verdient beachtet zu werden, daß Hanslick diese Ausführungen am Beispiel einer konventionellen Oper macht, die ihn zudem aus musikalischen Gründen nicht immer befriedigt hat. Seine Gegnerschaft gegen Wagners Musikdramen entspringt, wie sich hiermit zeigt, unmittelbar aus seinen ästhetischen Prinzipien.

Wagner hat allerdings die „Unreinheit" der Oper selbst erkannt und wollte mit seinen Werken eine Reform einleiten. Aber Hanslick hält demgegenüber gerade an der „unreinen" Oper fest, weil er dies als zu ihrem Wesen gehörig ansieht.

An Wagners Reform störte ihn noch ein anderes: daß sie zunächst theoretisch festgelegt und publiziert wurde und die musikalischen Werke erst nachfolgten. Speziell vom Tristan schrieb er deshalb nach dessen Wiener Erstaufführung 1883: „Dem Tristan wird immer ein doktrinärer Beigeschmack anhaften, seit Wagner ausdrücklich dazu aufgefordert hat, ‚an Tristan und Isolde die strengsten aus seinen theoretischen Behauptungen fließenden Anforderungen zu stellen' ... Bedenklich bleibt es immer, daß Wagners neues System des allein richtigen Musikdramas früher ersonnen und veröffentlicht war, als dieses Musikdrama selbst, das gleichsam als Probe nachfolgte für die Richtigkeit seiner Rechnung. Absolut frei im künstlerischen Schaffen war Richard Wagner nicht mehr nach seinem Auftreten als theoretischer Schriftsteller: er mußte mit seinen auf ‚Lohengrin' folgenden Opern etwas beweisen."[25]

Hanslick lehnte auch die Befrachtung des Dramas mit Symbolen und Gehalten ab, die sich nicht im Drama selbst erklärten, sondern eine vorherige Information des Publikums voraussetzten. Wagner gab Erklärungen zu seinen Werken ab, und Hanslick, der auch bei den symphonischen Dichtungen Liszts derartige verbale Verständnishilfen strikt abgelehnt hatte, sah darin etwas Ähnliches. Wagners Erläuterungen zum Lohengrin in der „Mitteilung an meine Freunde" – „vielleicht dem geräumigsten Weihrauchfaß, welches je ein Autor für sich selbst geschwungen" – zitiert er teilweise und kommentiert: „Glücklich die ‚Freunde', die das verstehen, aber noch glücklicher Jene, die Wagners Selbsterläuterungen nie zur Hand nehmen. Denn wem bei einer Aufführung des ‚Lohengrin' all der abenteuerliche Tiefsinn einfiele, den Wagner selbst darüber verlautbart hat, der könnte bei aller Vorliebe für diese Musik unmöglich in andächtiger Stimmung bleiben."[26] Hanslick verlangte, daß „ein rechtschaffenes Drama, gesprochen oder gesungen, sich selber erklären soll, ohne gelehrte Vorstudien."[27] So formulierte er es im Zusammenhang mit Wagners Quellen für den Parsifal. Wagner habe das allerdings nur zum Teil erreicht. Zwar brauche man das Epos des Wolfram von Eschenbach nicht zu kennen; auf der anderen Seite sei bei Wolfram aber einiges verständlicher als bei Wagner.[28]

Daß ein „rechtschaffenes Drama" sich selbst erklären müsse, bezieht sich auch auf die Anlage des Dramas selbst. In der Nachfolge der erfolgreichen „Cavalleria rusticana" von Mascagni entstanden in den 90er Jahren viele einaktige Opern, in denen ein meist recht grausames Geschehen in verkürzter Zeit auf der Bühne ablaufen mußte. Hanslick gefiel die gegenüber Wagners fünfstündigen Werken radikal zusammengedrängte Zeitdauer dieser Stücke, er hatte aber dennoch einen Einwand gegen die dramaturgische Anlage: „Diese gewalttätigen Einakter machen fast alle den Eindruck eines letzten Aktes, dem die früheren zwei oder drei amputiert worden sind. Es fehlt die erklärende Exposition und die Entwicklung der Handlung."[29] Es sind also nicht nur die „gelehrten Vorstudien", die er ablehnt, sondern jede Art von vorher notwendiger Information. Das dramatische Geschehen muß für ihn vollständig auf der Bühne klar werden.

Diese Forderung steht allerdings in indirektem Widerspruch zu der Äußerung über Gounods „Faust", wo er es die Aufgabe des Librettos genannt hatte, ein Gerüst aus den „sinnenfälligsten Momenten" des Goetheschen Dramas herzustellen. Das konnte er dort auch tun, denn Goethes Faust war als allgemein bekannt vorauszusetzen, und was das Libretto an Lücken im dramatischen Fortgang ließ, dachte sich das Publikum unwillkürlich hinzu. Man muß also Hanslicks Anschauung vom rechten Libretto etwas modifizieren: es bleibt bei der Grundforderung, daß die Handlung in sich verständlich sein muß. Dazu gehört die Ablehnung alles Symbolischen und Nicht-Menschlichen. Die Figuren müssen zudem menschliche Schicksale erleiden, die beim Publikum unmittelbare Teilnahme erregen. Ausnahmen sind solche Fälle, in denen allgemein bekannte Dichtungen als Vorlage dienen; hier kann die Kenntnis des Handlungsablaufes vorausgesetzt und auf einzelne, zur Vertonung besonders geeignete – d.h. für Hanslick auch: menschliche Teilnahme erregende – Szenen zurückgegriffen werden, deren Verknüpfung locker sein kann. Die Grundforderung der direkten Verständlichkeit wird damit auch, obgleich nur mittelbar, erfüllt.

Es entspricht der Anlage von Hanslicks Opernkritiken, daß bisher lediglich seine Anforderungen an das Textbuch der Oper betrachtet wurden. Er bespricht nämlich in seinen meist sehr ausführlichen Rezensionen auch als erstes die Handlung, indem er sie häufig nacherzählt und dazu kritische Anmerkungen macht. Auf die Musik geht er erst im zweiten Teil ein; dabei erklärt er oft Mängel der Musik aus Mängeln des Textbuches oder beklagt, daß ein gutes Textbuch nicht adäquat vertont worden sei. Seine Bemerkungen zur Musik selbst sind häufig relativ knapp gehalten. Sie sind im Kern eine ständige Auseinandersetzung mit der Kompositionstechnik und dem Stil Wagners und den vielen Jüngeren, die Hanslick als Wagner-Epigonen ansah. Ansatzpunkt war ihm dabei die in seinen Augen einseitige Ausrichtung auf die Dramatik.

Einige Auszüge aus Opernkritiken kennzeichnen seinen Standpunkt in dieser Frage. Richard Heubergers Oper „Mirjam" mißfiel ihm wegen ihres schlechten Librettos; der Komponist habe zudem weitgehend Wagners Stil nachgeahmt, was Hanslick in relativ milder Form schildert. Am Schluß nimmt er zu beidem Stellung: „Unsere Zeit fordert in der Oper stenger, als es ehedem geschah, dramatische Musik. Ich bestehe auf ganz demselben Anspruch; nur ist mir in diesem Begriff Musik das Hauptwort, dramatisch das Beiwort. Auch für die Oper ist Kraft und Originalität der musikalischen Erfindung die erste, wenngleich nicht einzige Bedingung. Jede gute Oper muß durchströmt, durchleuchtet sein von musikalischen Ideen, die als solche interessieren und nicht bloß als Nachmalerei von Empfindungen und Personen, die uns nicht interessieren."[30]

Die Formulierung, „unsere Zeit" fordere „dramatische Musik", ist eine sehr geschickte Verfälschung der tatsächlichen Forderung, die ja das Musikdrama anstrebte. Hanslick kann damit getrost auf „demselben Anspruch" bestehen, und seine Explikation ist keine Umwertung mehr, in der das Gewicht wieder auf die Musik verschoben werden müßte. Denn „dramatische Musik" bedeutet schon von vornherein das, was er ausführt: eine von der Musik abhängige Dramatik. „Kraft und Originalität der musikalischen Erfindung" gilt ihm als oberstes Gebot. Daß die musikalischen Ideen „als solche interessieren" sollen, zeigt, daß Hanslick auch an die Opernmusik den Maßstab des Musikalisch-Schönen anlegte.

Gab es in dem letzten Viertel seines Jahrhunderts noch neue Opern, welche diesem Maßstab standhielten? 1894 schrieb er nach der Aufführung von

Smetanas Oper „Der Kuß" im Rückblick auch auf die ein Jahr zuvor erstmals außerhalb der Tschechei aufgeführte „Verkaufte Braut": Beide Opern „liefern den Beweis, daß auch in unserer Zeit Musik dramatisch sein kann, ohne ihr selbständiges Recht, ihr Vorrecht aufzugeben. Und ferner: daß auch in einfachster Form, in naivstem Ausdruck Genialität sich äußern kann ... Ein großer, heute seltener Vorzug ist der einheitliche Stil in Smetanas Oper ... Ebenso ist die musikalische Charakteristik der einzelnen Personen durch keinerlei raffiniertes Zuviel auf die Spitze getrieben."[31] Aber dieses Urteil ist in doppelter Hinsicht relativ: einmal stammen die Opern nicht mehr ganz aus „unserer Zeit", sondern von 1866 und 1876 und sind nur für Wien neu gewesen; zum andern ist in jedem Satz spürbar, daß Hanslick Smetana gegen Wagner und seine Nachfolger als Antipoden anführen möchte. In der eingehenden Besprechung der Musik findet er einiges, was er „altmodisch", „treuherzig" nennt, was also nicht auf dem Stand der Zeit steht. Das Positive ist für ihn die „frische, naive und ehrliche Musik". Zum Abschluß der Kritik erklärt er selbst den Erfolg zum großen Teil aus der „Übermüdung nach der Wagnerschen Musik".

Dieses Lob galt somit nur partiell der Musik selbst, es war gleichzeitig ein Angriff. Auch die folgenden Sätze über die „Aida", die einzige Oper Verdis, deren Musik Hanslick vollständig gefiel, sind nicht ganz frei von Seitenhieben: „,Aida' erregt mir jederzeit ein Gefühl der Freude, fast des Erstaunens, daß so etwas heute noch entstehen konnte; ich möchte, das Wort im freieren Sinne genommen, ‚Aida' die letzte klassische Oper nennen. Sie ist vorläufig die letzte, in welcher der dramatische Ausdruck sich musikalisch, gesangschön, in vollen, farbigen Blütenkelchen entfaltet, und wo die Leidenschaft noch als glühende Melodie, nicht als glühende Asche uns entgegenströmt."[32] Melodiosität, Kantabilität als Träger des dramatischen Ausdrucks sind für Hanslick Merkmale dessen, was er als „klassische Oper" bezeichnet. Er gibt zu verstehen, daß er dieses Ideal für gültig hält, auch wenn es von den Komponisten nicht mehr anerkannt werde. Aida erregt sein Erstaunen, weil er eine Verwirklichung seines Ideals selber kaum noch erwartet hatte.

Zu den unverzichtbaren Bestandteilen einer musikalisch-schönen Oper gehörten für Hanslick unbedingt auch mehrstimmige Gesangspartien. „Den mehrstimmigen Gesang, Duette, Terzette, Chöre als angeblich ‚undramatisch' aus der Oper entfernen, heißt die wertvollste Errungenschaft der Tonkunst ignorieren und um zwei Jahrhunderte zurück wieder in die Kinderschuhe treten."[33] Mit diesem massiven Vorwurf behauptet Hanslick das unbedingte Primat der Musik und ihrer eigenen Gesetze. Ein Ignorieren von traditionellen Errungenschaften der Musik zugunsten eines dramatischen Prinzips stellt er damit als das Gegenteil dessen hin, als was es gemeint war: als Rückschritt in die Anfänge der neuzeitlichen Musik. Die wenigen Ensemblesätze und Chöre in Wagners Werken hebt er gegenüber diesem „gesungenen Gänsemarsch" denn auch umso nachdrücklicher hervor: den Männerchor in der Götterdämmerung[34] und besonders den Gesang der Rheintöchter am Schluß des Rheingold: „Wer die Wirkung dieses langentbehrten Zusammenklanges auf die Hörerschaft beobachtet hat und unter dem Eindrucke dieses Kontrastes noch nicht im Klaren ist über die Verkehrtheit des Wagnerschen Hintereinander-Stils, dem ist nicht zu helfen."[35]

Es ist interessant, daß Hanslick auch hier wieder von der Wirkung auf das Publikum ausgeht. Das Publikum ist ja an sich keine objektive Instanz zur Beurteilung von Werken nach den musikalischen Gesetzen, die Hanslick oben anführte. Es zeigt sich aber daran erneut, daß Hanslick seine Kritiken für das Publikum schrieb, dessen Geschmack er beeinflussen wollte. Allerdings hat es manchmal, so wie hier, den Anschein, als wollte er den Publikumsgeschmack gegen die künstlerische Intention des Komponisten anführen. Doch dazu muß man wissen, daß Hanslick einen Kampf gegen Wagner selbst als aussichtslos erkannt hatte und nur gegen Wagners Anhänger stritt, denen er blinde und übereifrige Parteinahme vorwarf.[36] Die Argumentation mit dem Geschmack des Publikums richtet sich also gegen einen Teil des Publikums selbst und dessen publizistische Wortführer, seine Kritiker-Kollegen.

Neben dem Verzicht auf mehrstimmigen Gesang führte Hanslick als weitere verfehlte Neuerungen Wagners die Auflösung jeglicher Form, nicht nur der Arien, sondern auch der umfassenden Symmetrie an, die ein Hören nach den Regeln musikalischer Logik ermögliche. Er glaubte deshalb nicht, daß Wagners Musikdramen „jemals ins Volk dringen" würden, sondern daß sie nur als ein „für den Musiker unerschöpflich lehrreiches Experiment" von großer Bedeutung sein und bleiben würden.[37] „Ins Volk zu dringen", war für ihn aber Bedingung für ein Kunstwerk; Mozarts und Webers Opern hätten sie erfüllt. Ihr Kunstmittel sei eine verlorengegangene Naivität gewesen, die auf die sinnliche Schönheit der Musik vertraute und für die „der Reiz und das Gewicht der musikalischen Erfindung die Hauptsache war."[38]

Das sinnliche Moment verlagerte Hanslick ganz in die Musik. Es war für ihn etwas anderes als das auf große, „berückende" Wirkung hin angelegte Blenden des Publikums, was er in der französischen Großen Oper fand und worauf ihm auch die große Wirkung des Lohengrin zu beruhen schien. Diese Musik wirkte auf ihn „wie das weiße Magnesiumlicht, in das wir nicht lange schauen können, ohne daß uns die Augen schmerzen. Dieses weiß flimmernde zuckende Licht ist es eben, wofür die unmusikalisch-sentimentalen Menschen schwärmen."[39] Die Verbindung von „unmusikalisch" und „sentimental" geht hier direkt zurück auf seine ästhetische Schrift und deren Trennung vom Musikalisch-Schönen und der Gefühlserregung. Dem steht die von Hanslick gemeinte Sinnlichkeit entgegen, die er beispielhaft und unerreicht in Mozarts „Don Giovanni", dem „einzigen, großen Gipfelpunkt", verwirklicht findet. „Keine zweite Oper, auch Fidelio nicht, macht mir unabgeschwächt den gleichen Eindruck, wie diese unerhörte Vereinigung von höchster musikalischer Schönheit und dramatischer Genialität."[40]

Das Sinnliche an der musikalischen Schönheit lag für ihn in der Melodie, die Mozart in Fülle hatte und die in der modernen Oper immer weniger anzutreffen war. Hanslick war aber überzeugt, daß das „sinnliche Moment im Kunstschönen ... sich nun einmal nicht negieren" lasse,[41] daß also die Tendenz, es zu unterdrücken, nicht zu dauernder Herrschaft gelangen könne. Die Fähigkeit, sinnlich-schöne Melodien zu erfinden, war für Hanslick mit geistiger Jugendfrische verbunden. Der alte Verdi habe sie in seinem „Othello" nicht mehr besessen, wie Hanslick 1887 nach der Uraufführung schrieb. „Für die Oper, diese sinnlichste aller Musikschöpfungen, ist das Weisewerden im Alter selten so gedeihlich, wie das Genialsein in der Jugend. Verdis Otello, einheitlicher, gediegener und reinlicher als seine früheren Opern, atmet doch nicht mehr deren natürliche Frische und Kraft. Der Meister hat sich ein edles Ziel gesteckt, allein auf dem Wege dahin ging manches Wertvolle verloren: die Naivität, die Jugend. Und die Jugend in der Musik das ist die Melodie."[42] Hier sind alle Begriffe zusammen genannt, die für Hanslick eine gute Oper bedingten: Sinnlichkeit, Genialsein, Jugend, Naivität, natürliche Frische, Kraft und Melodie. Dem stehen entgegen: Weisewerden, Alter, Einheitlichkeit, Gediegenheit. Letztere Begriffe könnten in der Besprechung einer Instrumentalmusik, etwa eines Brahmsschen Streichquartetts, auch von Hanslick positiven Wert erhalten.[43] In der Oper sind sie störend, weil sie die entscheidenden Werte verdrängen.

Alle guten Eigenschaften müssen sich für Hanslick in der Gesangsstimme vereinen, denn diese ist der Träger des Sinnlichen. Bei Wagner sah Hanslick dieses Prinzip vernachlässigt oder ganz aufgegeben zugunsten des Orchesters, das eigenständige Bedeutung erlangte. Wagners orchestrales Können erkannte er durchaus an, ohne zu verhehlen, daß ihm das allein nicht genügte. In der Kritik der Walküre formulierte er seine Stellungnahme dazu besonders deutlich: „Bewunderungswürdig ist Wagner in seinem Kombinationstalent für Instrumentierung und Harmonie; neu und erfindungsreich im Rhythmus und der Dynamik. Nicht das Gleiche gilt von seiner Melodie, obwohl sie im Nibelungenring ‚unendlich' ist, – leider ... Es kommt eben nur auf den Begriff von Melodie an. Nach unserer einfältigen Meinung ist die Melodie verschieden von Eisenfeilspänen und unser Ohr kein Magnet."[44] In sarkastischer Weise beklagt er hier das Fehlen der Melodie. Daß er aber die kompositorische Kunst Wagners im Orchesterpart ernsthaft würdigte, zeigt sich auch in seiner Äußerung zum Tristan: „Wie das Orchester in ‚Tristan und Isolde' die wichtigste Rolle, so spielt es auch die interessanteste von allen. Sobald wir vergessen können, daß der Sänger das Erste und Bestimmende in der Oper, die Begleitung das Dienende sein soll, folgen wir, immer lebhaft angeregt, oft bewundernd den unvergleichlichen Farbenmischungen und kunstreich verschlungenen Linien dieses merkwürdigen Orchesters."[45]

Hervorzuheben ist hier das Wort „kunstreich". Im Kapitel über die Programmusik zeigte sich eine klare Unterscheidung zwischen den Bedeutungen von „geistvoll" und „geistreich". Das „Geistreiche" war das Reflektierte, nicht Ursprüngliche, was der Musik durch Überlegung Geist zu geben suchte. Das „Geistvolle" dagegen meinte, daß die Musik vom Ursprung her Geist besaß, daß sie vom Geist (des Komponisten) geschaffen war. Analog läßt sich das Wort „kunstreich" interpretieren. Es bedeutet, daß Wagners Orchesterpartitur reich an Kunst ist, wobei Kunst eine mit Bedacht und technischem Können produzierte Eigenschaft ist, die der Musik im zweiten Schritt hinzugefügt wurde. Dem würde „kunstvoll" als das Ursprüngliche entgegenstehen. Zwar findet sich dieses Wort in Hanslicks Kritiken nicht als Gegenbegriff, aber man könnte die „natürliche Frische" und die „Naivität" als Ausdruck für diese Bedeutung verstehen. Im Kapitel über die Natur und das Natürliche wurde der Gegensatz von „natürlich" und „künstlich" bereits herausgestellt. Dabei zeigte sich auch, daß das

„Natürliche" eine Scheinkategorie war, bei der es darauf ankam, daß „die Kunst kaum zu merken" war. Hanslicks Einwand gegen Wagners Orchesterstil würde dann darin bestehen, daß die Kunst immer „zu merken" sei.[46]

Hanslick selbst bestätigt diese Interpretation in der Kritik der Meistersinger nach deren erster Wiener Aufführung 1870. Er bespricht Wagners Leitmotivtechnik, indem er vom Verhältnis Singstimme-Orchester ausgeht: „Das natürliche Verhältnis ist auf den Kopf gestellt: das Orchester unten ist der Sänger, der Träger des leitenden Gedankens; die Sänger auf der Bühne sind ausfüllende Instrumente." Um bei dieser verkehrten Methode die Personen dennoch charakterisieren zu können – so fährt er fort –, habe Wagner die Leitmotive verwendet. „Die Kunst, mit welcher Wagner die verschiedenen Erinnerungs- oder Leitmotive im Orchester anbringt ..., ist ohne Frage bewunderungswürdig." Zu bedauern sei nur, daß diese Kunst „durchwegs Produkt der Reflexion" sei. „Die zauberische Macht des ‚Unbewußten', welche in der Konzeption jedes Kunstwerkes das erste Wort sprechen soll, weicht vor solchem Verstandes-Absolutismus scheu zurück."[47]

Gegen die Leitmotivtechnik selbst hat Hanslick zweierlei Einwände. In den Meistersingern störte ihn, daß sie allein das gesamte musikalische Geschehen beherrschten. Sie seien zwar „die glücklichsten melodiösen Ansätze in der ganzen Oper", aber ihre ständige Wiederholung wirke nur ermüdend. „Anfangs erfreut sich der Hörer an diesen Melodiechen, deren Verfolgen und Erkennen überdies den Verstand beschäftigt ... Für den Musiker, der befähigt und geneigt ist, sich vorzugsweise an dem technischen Datail zu erfreuen und darüber zeitweise das Unerquickliche des Total-Eindrucks zu vergessen, hat die Orchester-Begleitung der Meistersinger unstreitig einen fesselnden Reiz." Der Einwand lautet also, Wagners Musik wende sich zu einseitig an den Musiker, der auf die Faktur der Kompositon achten und an Details seine Freude haben könne. Aber auf diesen einseitigen Standpunkt will Hanslick sich nicht stellen, er verlangt vielmehr einen erquicklichen Total-Eindruck. Damit meint er, wie er es einige Zeilen weiter formuliert, ein „Kunsterlebnis", dessen „echter Schönheitssegen uns beglückend und läuternd durch's Leben begleitet." An dieser Stelle wird klar, daß Rudolf Schäfke unrecht hatte, als er Hanslicks Opernkritiken an der Schrift „Vom Musikalisch-Schönen" maß und Abweichungen als Schwäche seiner Theorie deutete.[48] Hanslick verstand die Oper als ein Ereignis, das mehr Dimensionen hatte als die „reinmusikalische", auf die er 1854 die Musikästhetik festlegen wollte.

Hatte Hanslick die Motive der Meistersinger noch als „melodiöse Ansätze" anerkannt, so fand er im Parsifal auch dies nicht mehr vor: „Den verschiedenen Leitmotiven im ‚Parsifal' vermag ich weder großen musikalischen Reiz, noch eine besonders charakterisierende Kraft und Prägnanz abzusehen ... Die Leitmotive in den ‚Nibelungen' und im ‚Parsifal' haben lange nicht mehr ... dieselbe, jedesmal packende Wirkung, schon deshalb nicht, weil ihrer zuviele sind. Wo jede kleine Tonreihe leiten und bedeuten soll, da leitet und bedeutet eigentlich keine mehr."[49] Charakteristik der Personen hing für Hanslick mit charakteristischer Musik zusammen. Er kritisierte am Parsifal, daß die Personen keine klaren Charaktere seien, und stellt in der Musik eine entsprechende unscharfe

„Physiognomie" fest. „Physiognomie" der Musik war für ihn gleichbedeutend mit melodisch klaren Linien, im Parsifal findet er nur viele kleine „Tonreihen". Dies zeigt, daß er die psychologisch differenzierende Funktion des Wagnerschen Orchesters nicht anerkannte und auf seinem grundsätzlich anderen Standpunkt der älteren Operncharakteristik beharrte. Er gab das selber zu und glaubte auch nicht an die Möglichkeit einer Annäherung der Standpunkte. Er schrieb in derselben Parsifal-Kritik, Wagners Kompositionstechniken empfinde er „als schwere Nachteile in der Opernmusik, Wagner und seine Anhänger preisen sie als den höchsten Fortschritt. Das sind schroffe prinzipielle Meinungsverschiedenheiten, über welche zu streiten heute nicht mehr möglich ist."[50]

Es sei darauf hingewiesen, daß Hanslick der Ansicht Wagners, seine Methode sei der Fortschritt, nicht die These entgegenstellt, er halte sie für einen Rückschritt, wie er es bei Einzelheiten durchaus meinte. Hier spricht er nur von „schweren Nachteilen". Hanslick mußte angesichts der großen Anhängerschaft Wagners, auch unter den jüngeren Komponisten, erkennen, daß Wagners Methode von den Opernkomponisten als Möglichkeit zum musikalischen Fortschritt akzeptiert wurde. Seinem Argumentieren haftet hier ein etwas resignierender Charakter an, aber nur im Hinblick auf die Tatsache, daß die Komponisten im Wagner-Stil schreiben, nicht etwa, daß sein eigenes Prinzip widerlegt sei. Es gibt auch in anderen Kritiken Anzeichen für diese Resignation. Seine überdurchschnittlich ausführliche Besprechung des „Ring des Nibelungen", aus der schon einiges zitiert wurde, schließt er mit folgendem Satz: „Aber wie Tannhäuser im Venusberge nach den liebgewohnten Glockenklängen der Erde, so sehnen wir uns bald aus tiefstem Herzen nach dem melodischen Segen unserer alten Musik. ‚Hör' ich sie nie, hör' ich sie niemals wieder?'"[51] Nun ist diese Formulierung als effektvoller Abschluß eines langen Aufsatzes mit Vorsicht zu interpretieren, aber Hanslicks Sehnen „nach dem melodischen Segen unserer alten Musik" ist ein häufiger ausgesprochenes Motiv. Als Beispiel einer Kritik, die sich nicht mit Wagner auseinandersetzt, soll hier noch eine Passage aus der 1889 geschriebenen Besprechung einer Aufführung von Lortzings „Die beiden Schützen" folgen: „Bei mancher gar zu selbstverständlichen Melodie oder allzu kindlichen Szene überfliegt uns wohl ein Lächeln, das ungefähr sagen will: Unbegreifliche Zeiten, welche sich an dergleichen ergötzen konnten! Aber in dieses moderne Selbstbewußtsein mischt sich doch ein bißchen Neid auf unsere Voreltern... Sind jene ‚unbegreiflichen' Zeiten nicht auch glücklichere gewesen? Etwas wie ein Hauch aus jenen Tagen naiver Genügsamkeit schleicht sich doch in unser eigenes Herz, und wir leihen den einfachen Melodien und harmlosen Späßen ein freundliches Ohr, weil sie naiv und anspruchslos sind. Wir sitzen vor der Bühne fast wie vor einem trauten Kaminfeuer und wärmen uns, früherer Zeiten gedenkend, an dem derben Humor der Handlung und der gemütvollen Fröhlichkeit der Musik."[52]

Sicherlich ist nicht Lortzings Opernstil das Ziel von Hanslicks Sehnsucht, aber einige der hier genannten Eigenschaften kennzeichnen, was er meint. Die Naivität ist schon mehrmals im Sinne einer ursprünglichen, nicht aus Reflexion entstandenen Musik festgehalten worden. Sie taucht auch hier wieder auf zusammen mit der Anspruchslosigkeit. Diese kann bei Hanslick nur ein Lob sein, wenn sie nicht als Simplizität, sondern im Sinne von „unprätentiös" verstanden wird. Solche Musik macht den Hörer glücklich mit ihrer „gemütvollen Fröhlichkeit".

Wie schon beim Lied und in der Kirchenmusik, erweist sich das Gemüt auch in der Oper als ein ästhetisch ausschlaggebender Faktor.Die in der Lortzing-Kritik deutlich ausgedrückte Auffassung, daß sowohl die Musik gemütvoll sein als auch das Gemüt der Hörer von der Musik angerührt werden müsse, legt die Interpretation nahe, daß das Gemüt im Bereich der Vokalmusik eine ähnliche Funktion hat wie die Phantasie in der reinen Instrumentalmusik. Für die Phantasie, das „ästhetische Organ", hatte Hanslick in seiner ästhetischen Schrift festgestellt, daß es sowohl im Komponisten wie im Hörer wirksam sei. Phantasie und Gemüt lassen sich nicht einfach gleichsetzen, doch ihre Bedeutung als ästhetische Kategorien ist in den Kritiken gleich groß. Und wie das Gemüt in Kritiken von Instrumentalmusik, so taucht die Phantasie in Vokalmusik-Rezensionen kaum auf.

Das Gemüt als die „einheit unsers innern, in der auch der geist in dem heutigen engen sinne mit aufgeht als in seinem ganzen"[52a] ist durch seine Vielschichtigkeit geeignet, die vielfältigen Seiten des Gehalts von Vokalmusik aufzunehmen. Die Phantasie hatte Hanslick direkt mit dem „Musikalisch-Schönen" der Instrumentalmusik in Verbindung gebracht. Daß er deshalb für die Vokalmusik einen anderen Begriff brauchte und das Gemüt dafür einsetzte, scheint plausibel. Er benutzte es nicht in dem eingeengten Sinne von biedermeierlicher Gemütlichkeit, sondern – das zeigte sich z.B. in den Aufsätzen über Kirchenmusik – durchaus in der anspruchsvollen Bedeutung, wie sie die Grimmsche Definition festlegt.[53]

Von den Komponenten der „zusammengesetztesten aller Kunstformen", der Oper, verlangte das Gemüt nach Hanslick vor allem die sinnliche Schönheit der Musik und der singenden Stimme. Wagners Stil erfüllte diese Forderung nicht, daher stand Hanslicks Urteil fest; es war prinzipiell begründet, auch wenn persönliche Motive hinzukamen. Gerade Hanslicks Bewunderung für Wagners Orchestertechnik, die sein Gesamturteil aber nicht beeinträchtigte, zeigt, daß er nicht die Kategorie Phantasie, sondern die Kategorie Gemüt in der Oper entscheiden ließ.

Weil er Wagner als den führenden Opernkomponisten seiner Zeit anerkannt hat, findet sich erstens in allen Opernkritiken eine mehr oder weniger offene Auseinandersetzung mit seinem Stil und ergibt sich zweitens eine Anschauung von der richtigen Oper, deren Beispiele der Vergangenheit entstammen. Vergangenheit heißt hier: die erste Hälfte seines Jahrhunderts.

Das Gemüt fordert aber auch von der Handlung sein Recht: die handelnden Personen müssen seine Teilnahme erregen, und zwar unmittelbar, ohne Vermittlung des Verstandes. Rein symbolische Opernfiguren wie Wotan oder Mime lehnt Hanslick ab. Schwierige Verständlichkeit hindert die Oper auch, „ins Volk" zu dringen, was zu ihrer Bestimmung gehört und ein Gradmesser ihres Wertes ist.

Trotz der 1854 aufgestellten These, in der Oper werde zwischen Musik und Drama ein ständiger Kampf ausgetragen, an dem beide mit gleicher Berechtigung teilnähmen, hat die Musik tatsächlich das Vorrecht. Der These wird aber auch schon in der Grundsatzschrift selbst an anderer Stelle widersprochen, wo Hanslick schreibt, die Oper sei „vorerst Musik, nicht Drama". Mozarts „Don Giovanni" als die einzige Oper des 18. Jahrhunderts, die er uneingeschränkt liebte, würdigt er zwar gerade unter dem Aspekt, daß Musik und Drama auf „unerhörte" Weise vereint seien, aber die Vereinigung bedeutete für ihn eine vollständige Einschmelzung des Dramatischen in die Musik. Dies zeigt sich daran, daß er die Sinnlichkeit als die zentrale Idee der Oper herausstellt, als den Träger der Sinnlichkeit aber die gesungene Melodie ansieht.

Musikästhetik und Musikkritik verhalten sich bei der Oper wie auch bei der Vokalmusik in Hanslicks Schriften nicht kongruent zueinander. Dennoch bildet die Musikästhetik den substantiellen Kern: die musikalische Schönheit hat den Vorrang vor allem sie Umgebenden. Hanslick bespricht auch in seinen Kritiken die Werke und nicht seine Empfindungen. Allerdings haben die Werke mehr Dimensionen, als daß sie sich ausschließlich an die Phantasie als ästhetisches Organ wenden könnten. Hanslick setzt daher an diese Stelle das Gemüt. Alle Schichten des Gemüts, die von Vokalmusik angesprochen werden, wurden in der ästhetischen Schrift aber deswegen ausgegrenzt, weil diese sich ausdrücklich auf die Instrumentalmusik beschränkte.

Anmerkungen

1 M.O. I/VII.
2 Mit Ausnahme der Broschüre „Suite", Wien 1884; die Aufsätze dieser Sammlung sind allerdings großenteils Zweitveröffentlichungen.
3 Statut § 3.
4 Max Graf, Die Wiener Oper, Wien 1955, S. 209f.
5 AML I/13, 54.
6 AML II/220.
7 Die These von E. Stange, Hanslick habe eine „grundsätzliche Abneigung" gegen die Oper gehabt, ist eine unbewiesene Behauptung, die schon durch diese biographischen Fakten widerlegt wird. vgl. Stange, S. 220 u.a.
8 VMSch/27.
9 VMSch/28.
10 Schon Hostinský weist darauf hin, daß Hanslick mit diesem Satz „alles Frühere, so gut, wie über den Haufen" werfe; er spricht von einem „förmlichen Staatsstreich". aaO. S. 74.
11 VMSch/28.
12 8. Auflage, S. 63 Anm.
13 Daß dieses „Faktum" nicht zutrifft, beweist Hanslick selber oft in seinen Kritiken, wenn er die Erfolglosigkeit einer Oper trotz guter Musik mit dem schlechten Libretto erklärt, z. B. auch bei Mozarts „Cosi fan tutte".
14 vgl. S. 122.
15 VMSch/30.
16 VMSch/98. Wie subtil Gluck seine Figuren gestaltete, zeigt L. Finscher am Beispiel des Orpheus in dem Aufsatz: Che farò senza Euridice? Ein Beitrag zur Gluck-Interpretation, in: Festschrift Hans Engel, Kassel 1964, S. 96–110.
17 M.O. I/249.
18 M.O. I/250.

[19] Die in der Bildenden Kunst von Hans Makart repräsentierte, in Wien um 1870 sehr verbreitete Geschmacksrichtung, die Prachtvolles und Phantastisch-Exotisches liebte, lag Hanslick fern.
[20] M.O. III/128.
[21] M.O. I/308.
[22] M.O. II/220 f.
[23] Die Frage „Was ist der heilige Gral?" und den Hinweis auf die veränderten Glaubensinhalte des Christentums hatte er schon 1858 in einem ausführlichen Aufsatz über Lohengrin vorgebracht. Es ist dies ein erneuter Beleg dafür, daß Hanslick bestimmten prinzipiellen Anschauungen über Jahrzehnte unverändert treu blieb. Das ist sogar bis in gleichbleibende Formulierungen hinein zu beobachten. Der Lohengrin-Aufsatz erschien am 9. und 10. November 1858 in der „Presse"; er ist in englischer Übersetzung abgedruckt in: Eduard Hanslick, Music Criticisms 1846–99, translated and edited by H. Pleasants, Harmondsworth 1950, S. 58–68.
[24] M.O. I/199. vgl. dazu die schon zitierte Formulierung in VMSch/21, die Musik müsse die „Worte zum bloßen Efeuspalier" umschaffen.
[25] M.O. IV/20 f.
[26] M.O. III/202 f. Das Wort „andächtig" hat hier zwar nicht den Sinn, der im vorigen Kapitel für die „Andacht" herausgearbeitet wurde. Aber da es hier in satirischer Bedeutung gebraucht wird, widerlegt es das Ergebnis des vorigen Kapitels nicht.
[27] M.O. III/296.
[28] M.O. III/303–308.
[29] M.O. VII/120.
[30] M.O. VII/118.
[31] M.O. VII/109 ff.
[32] M.O. II/89 f.
[33] M.O. II/235.
[34] M.O. II/244.
[35] M.O. I/311.
[36] vgl. M.O. III/344, 354.
[37] M.O. II/230 f.
[38] M.O. VI/151.
[39] AML II/6.
[40] M.O. I/30.
[41] M.O. I/34.
[42] M.O. IV/331.
[43] Zumindest Begriffe wie Einheitlichkeit und Gediegenheit; sie allein würden allerdings auch bei Instrumentalmusik nicht ausreichen.
[44] M.O. I/313.
[45] M.O. IV/23 f.
[46] vgl. S. 85 f. Auch die dort schon zitierten Wagner-Kritiken stimmen mit dieser Interpretation überein.
[47] M.O. I/304 f.

[48] Rudolf Schäfke, Eduard Hanslick und die Musik-Ästhetik, Leipzig 1922.
[49] M.O. III/315.
[50] ebenda.
[51] M.O. II/237 f.
[52] M.O. VI/159.
[52a] Definition des Grimmschen Wörterbuchs, vgl. S. 141.
[53] „Die innere Welt in ihrer Gesamtheit" nannte Novalis des Gemüt. Fragment 1211, Werke, hrsg. von H. Friedmann, Berlin/Leipzig/Wien/Stuttgart o.J., Band III, S. 214.

IV. Hanslicks Stellung zur Musikgeschichte

Zwei extreme Äußerungen stecken ein weites Feld ab, in dem Hanslicks historischer Standpunkt aufzufinden ist. In seiner ästhetischen Schrift hält er seinen Begriff des „Musikalisch-Schönen" ausdrücklich aus jeglicher historischen Einengung heraus, er erklärt ihn geradezu für ungeschichtlich. „Das ‚Musikalisch-Schöne' in dem von uns vorgenommen spezifischen Sinn beschränkt sich nicht auf das ‚Klassische' noch enthält es eine Bevorzugung desselben vor dem ‚Romantischen'. Es gilt sowohl in der einen als der andern Richtung, beherrscht Bach so gut als Beethoven, Mozart so gut als Schumann... Unsere Thesis also enthält auch nicht die Andeutung einer Parteinahme. Der ganze Verlauf der gegenwärtigen Untersuchung spricht überhaupt kein Sollen aus, sondern betrachtet nur ein Sein; kein bestimmtes musikalisches Ideal läßt sich daraus als das wahrhaft Schöne deduzieren, sondern bloß nachweisen, was in jeder auch in den entgegengesetztesten Schulen in gleicher Weise das Schöne ist."[1] Die Problematik dieser Feststellung kann vorläufig noch unerörtert bleiben. Es soll hier nur festgehalten werden, daß Hanslick seinen Zentralbegriff „in gleicher Weise" auf Bach, Mozart, Beethoven und Schumann glaubt anwenden zu können. Seine Konsequenz, daß die ästhetische Betrachtung von Musikwerken von allen historischen Bedingungen zu abstrahieren habe, ist schon im Kapitel über sein Verhältnis zur Ästhetik besprochen worden.

Mit dem berühmt gewordenen Eingeständnis, es „würde lieber den ganzen Heinrich Schütz verbrennen sehen, als das ‚deutsche Requiem'"[2], nimmt Hanslick einen entgegengesetzten, ebenso extremen Standpunkt ein. Hatte er 1854 das „Musikalisch-Schöne" als einen objektiven Begriff dargestellt, der keinerlei „Parteinahme" beinhalte, und sich damit auch identifiziert, so spricht er in seiner Autobiographie eine ganz unverblümte subjektive „Bevorzugung" aus. Nun braucht darin noch kein Widerspruch zu liegen: man kann in einem ästhetischen System einen Begriff für richtig halten und mit gleichem Recht eine persönliche Vorliebe äußern, auch wenn der ästhetische Begriff jede Vorliebe ausschließt. Die Unstimmigkeit liegt aber tiefer. Hanslick begründet sein subjektives Bekenntnis nämlich mit allgemeinen Veränderungen, die seine eigene Generation von der Schütz-Zeit trennen. Er fragt seinen Gesprächspartner Billroth: „Aber warum nicht zugeben, daß eine Scheidewand, sei es die feinste und durchsichtigste, uns von der Ideenwelt jener alter Meister trennt? Daß eine Flut von Gegensätzen im Denken und Fühlen uns heute bewegt, von denen frühere Jahrhunderte so wenig eine Ahnung hatten, wie von den Reichtümern, welche unsere heutige Musik sich erwarb?"[2]

Die Existenz der „Scheidewand" ist für Hanslick zweifelsfrei. Nur ob man sie auch zugibt, ist fraglich. Indem er dies tut, stellt er seine persönliche Vorliebe aber doch als die eigentlich angemessene Haltung hin, die den Tatsachen Rechnung trägt. Und zu diesen Tatsachen zählt er auch, daß die „alten Meister" eine eigene „Ideenwelt" gehabt haben, die in seiner Zeit nicht mehr gültig sein kann. Denn seine Zeit werde bewegt von eigenen „Gegensätzen im Denken und Fühlen". Das bedeutet, daß er ein Urteil über Musik, auch wenn es nur ein persönliches ist und nicht das objektive „Musikalisch-Schöne" meint, historisch begründet und nicht ästhetisch in dem 1854 definierten Sinn. Zudem zieht er geistesgeschichtliche Gründe heran, von musikhistorischen Wandlungen spricht er nur nebenbei.

Demnach stellt er die Musik nicht nur in einen kunsthistorischen, sondern in einen noch weiteren kulturgeschichtlichen Zusammenhang. Dieses Verfahren hatte er schon in seiner ästhetischen Schrift für legitim und notwendig erklärt, jedoch dessen Trennung von der Ästhetik gefordert. Mit seinem Begriff des „Musikalisch-Schönen" hatte er selbst sich auf die Seite der Ästhetik gestellt. Hat er nun bis zu dem Zeitpunkt seiner Selbstbiographie einen grundlegenden Wandel durchgemacht, der ihn zu einem Historiker werden ließ?

Zusätzlich zu den schon am Anfang dieses Hauptteils angeführten Äußerungen, wozu vor allem die Schilderung seines Interessenwandels von der Ästhetik zur Geschichte gehörte, sollen hier noch einige Einzelheiten untersucht werden, die Hanslicks spezifische Stellung zur Musikgeschichte klarmachen. Dazu müssen zunächst noch mehrere biographische Fakten erwähnt werden. Man darf nicht meinen, Hanslick habe sich zur Zeit seines ersten Buches nur für Ästhetik interessiert und erst gegen Ende der 50er Jahre seine Liebe zur Geschichte entdeckt, gleichsam als Folge seines geschilderten Überdrusses am Philosophieren über Musik. Hanslick erzählt selbst, daß er während des vorbereitenden Studiums der ästhetischen Literatur ebenso auch historische Werke gelesen habe. Einen Teil seiner Zeit widmete er überdies „Partituren größtenteils von alten Opern, die mich stets am meisten interessierten."[3] Wenn man bedenkt, daß Hanslick dieses Selbststudium aus eigenem Antrieb neben seiner beruflichen Tätigkeit durchführte, kann man von mangelndem historischem Interesse auch in diesem Stadium nicht sprechen.

Auf der anderen Seite bewies er aber wenig historisches Differenzierungsvermögen, als er am Schluß seines 1. Kapitels zum Beweis, daß die von ihm bekämpfte Gefühlsästhetik tatsächlich weit verbreitet sei, Zitate von Mattheson und Marpurg bis Friedrich Thiersch und Fermo Bellini unterschiedslos aneinanderreihte. In späteren Auflagen fügte er sogar noch zwei Zitate von Dommer und Richard Wagner hinzu.

Nach der Aufnahme seiner Vorlesungstätigkeit an der Wiener Universität, die nach seinen eigenen Darstellungen die Behandlung der Kirchentonarten, der Madrigalform, der ersten Monodien und den Stilunterschied von Johann Sebastian und Philipp Emanuel Bachs Musik einschloß, wurde er bald aufgefordert, auch für einen weiteren Hörerkreis musikgeschichtliche Vorträge zu halten. Er veranstaltete daraufhin 1858 und in den folgenden Jahren drei Vortragszyklen, die alle geschichtliche Themen behandelten. Besonders interessant ist der Titel des ersten Zyklus: „Geschichte der Musik von ihren Anfängen bis Beethoven."[4]

Diese Vorträge waren übrigens „die ersten musikalischen in Wien und so ziemlich der Anfang der populär-wissenschaftlichen Vorträge überhaupt." Hanslick trat somit vor die Wiener Öffentlichkeit weniger als Autor des vier Jahre zuvor erschienenen Buches, das ihn bekannt gemacht hatte, sondern als Musikhistoriker.

Ein historisches Interesse und Wissen war 1854 schon vorhanden. Auch in seiner ästhetischen Schrift fand es seinen Niederschlag. Die eingangs zitierte Festlegung seiner Schrift auf einen unhistorischen Begriff des „Musikalisch-Schönen" muß noch eingehender interpretiert werden. Sein Anspruch, nachweisen zu wollen, was in jeder musikalischen Stilrichtung „in gleicher Weise das Schöne" sei, meint nicht, daß das Schöne der Musik immer gleich sei. Es soll vielmehr heißen, daß es stets in gleicher Weise, nämlich musikalisch, zu bestimmen sei. In diesem Sinne fasst er seine Unterscheidung des „ästhetischen Beurteilens" vom „historischen Begreifen" zusammen: „Objektiv aber steht fest erstens: daß die Verschiedenartigkeit des Ausdrucks der verschiedenen Werke und Schulen auf einer durchgreifend verschiedenen Stellung der musikalischen Elemente beruhe, und zweitens: daß, was an einer Komposition, sei es die strengste Bachsche Fuge, oder das träumerischeste Notturno von Chopin mit Recht gefällt, musikalisch schön sei."[5] Ästhetisches Beurteilen geschieht demnach nicht in Unkenntnis historischer Unterschiede; das trotz dieser Unterschiede gleichbleibende Prinzip aber sucht die Schönheit ausschließlich in der Musik.

So gesehen, ist es auch kein Widerspruch, wenn Hanslick an anderer Stelle schreibt: „Man kann von einer Menge Kompositionen ... ohne Unrichtigkeit sagen, daß sie einmal schön waren."[6] Denn hier geht es ihm um die inhaltliche Ausfüllung des Musikalisch-Schönen. Zum Inhalt des Schönen gehören die formbildenden Elemente wie Modulationen, Kadenzen, Harmoniefolgen, und diese sind dem geschichtlichen Wandel unterworfen. Insofern wandelt sich auch das „Schönheitsideal". Dieses Wort besagt schon, daß die Schönheit in der Musik für Hanslick inhaltlich nicht konstant war, daß vielmehr jede Zeit ihr eigenes „Ideal" hatte. Einen „Urtypus" der Schönheit konnte die Musik nach seiner Überzeugung nicht besitzen, „weil sie kein Vorbild in der Natur hat. Sie produziert mit absoluter Freiheit."[7] Diese auf das sechste Kapitel seiner Grundsatzschrift zurückgehenden Sätze stehen in einer 1860 geschriebenen Kritik zweier Händel-Oratorien, in der Hanslick einige Zeilen weiter interessante Ausführungen über die Verflechtung des Musikwerkes mit historischen Gegebenheiten macht. „Der Musiker schafft frei aus sich heraus. Das Subjektive und alle Faktoren der Zeit, die eine bestimmte Subjektivität zusammensetzen helfen, werden demnach ungefesselt in der Musik hervortreten, und mit dem durch gleiche historische und konventionelle Momente bestimmten Geschmack der Zeitgenossen korrespondieren. Die nächste Generation bringt dem Tonstück eine andere Bildung, eine andere Stimmung entgegen; was vordem als neu reizte, ist nun ein gelöstes Rätsel; die Musik aber besitzt in der Neuheit der Erfindung die Hälfte ihrer Macht."

Wie eng Hanslick an dieser Stelle die historische Situation des individuellen Komponisten ebenso wie die des Hörers mit dem Musikwerk selbst in Verbindung bringt, kann den Leser seiner ästhetischen Schrift sehr überraschen. Es scheint tatsächlich so, als habe Hanslick seine Postulate von 1854 hier widerrufen. Doch man muß beachten, daß er in dieser Kritik das tut, was er im Gegensatz zum „ästhetischen Beurteilen" das „historische Begreifen" genannt hatte. Ein direkter Widerruf liegt hier somit nicht vor. Es wäre auch verfehlt, den hier zitierten Sätzen einen anderen aus der Grundsatzschrift gegenüberzustellen: „Die ästhetische Untersuchung weiß nichts und darf nichts wissen von den persönlichen Verhältnissen und der geschichtlichen Umgebung des Komponisten, nur was das Kunstwerk selbst ausspricht, wird sie hören und glauben."[8] Denn Hanslick fährt fort, daß man zur Erklärung und Würdigung von Beethovens Symphonien nicht seine politische Gesinnung, seine Taubheit oder gar sein Junggesellentum heranziehen dürfe; diese Fakten sind tatsächlich weniger objektiv anwendbar als die oben zitierten „Faktoren der Zeit".

Aus direkten Gegenüberstellungen von Einzelsätzen aus den Kritiken und der Grundsatzschrift allein kann man also keine schlüssigen Erkenntnisse darüber gewinnen, ob Hanslick ein positives oder eher negatives Verhältnis zur Musikgeschichte hatte. Hilfreicher ist die Beobachtung einschlägiger Äußerungen in den Kritiken über längere Zeit hinweg, denn dabei lassen sich einige Grundzüge aufzeigen. Auch darüber, inwieweit er sich Tendenzen seiner Zeit angeschlossen hat, geben einige Kritiken Aufschluß.

Die im Gespräch mit Billroth geäußerte Vorliebe für die Musik seiner eigenen Zeit, die in der oben zitierten Bevorzugung des „Deutschen Requiems" von Brahms vor dem „ganzen Heinrich Schütz" ihre äußerste Zuspitzung fand, ist nicht als historische Aussage zu werten. Denn dabei geht Hanslick von der „Fiktion aus, das Eine oder das Andere, die neue oder die alte Musik, opfern zu müssen" und setzt gleich hinzu, er freue sich, „sie beide besitzen, beide genießen" zu dürfen.[9] Bezeichnend ist aber, daß Hanslick zuvor einen Satz von Wilhelm Grimm zitiert hat, mit dem er sich vollständig identifiziert: „Wir sind einmal modern, und unser Gutes ist es auch." Für ihn sind dabei die Wörter „modern" und „unser" entscheidend. Hanslick fühlte sich als Glied seiner Zeit und seiner Gesellschaft, er hielt nur das für ein „Gutes", das zugleich auch „unser Gutes" war. Der unmittelbare Bezug zur eigenen Zeit, ihrer geistigen Situation und ihrer Gemütslage schien ihm den Wert eines Kunstwerkes mit zu bestimmen. Aus diesem Grund kam eine Hinwendung zu älterer Musik aus Freude an der Wiederentdeckung oder gar Wiederbelebung für ihn überhaupt nicht in Betracht. Historismus im Sinne der Überbetonung des Historischen lag ihm fern. Der Satz: „Für unser Herz beginnt sie [die „lebendige Musik"] mit Mozart, gipfelt in Beethoven, Schumann und Brahms"[10] ist weniger wegen der genannten Komponisten als vielmehr wegen des Zusammenhangs von „lebendiger Musik" und „für unser Herz" grundlegend für Hanslicks Geschichtsauffassung.

Zwei Sätze aus einer Kritik über Händels Oratorium „Athalia" von 1870 weisen denselben Tenor auf. Händels Arien kritisiert er unter musikalischen Gesichtspunkten und behauptet lakonisch: „Mit diesen Arien hat unsere moderne Empfindungsweise fast jede Fühlung verloren." Und in der damals relativ neuen Händelliteratur sieht er wenig Gutes: „Die von unbedingter Händel-Vergötterung diktierten Bücher von Chrysander und Gervinus haben ohne Zweifel die musikhistorische Kenntnis, aber keineswegs den Enthusiasmus für Händelsche Musik vermehrt."[11] Hanslick war selbst Professor für Musikgeschichte, glaubte aber nicht daran, daß man durch historische Kenntnisse Zugang zu älterer Musik bekommen könne, denn das könnten nur „Enthusiasmus" und „Fühlung" bewirken. Aber diese Voraussetzungen nachträglich herstellen zu wollen, hielt er für aussichtslos.

In dem Maße, wie sich die „moderne Empfindungsweise" verändert, wird auch die Musik alt oder gar veraltet. Zwischen den Gattungen gibt es für Hanslick Unterschiede in der Geschwindigkeit des Veraltens. „Nicht nur der Mensch, auch die Musik wird alt; am schnellsten durch ihre so vielfach gemischten Elemente die Opernmusik. Die eine verfällt früher und auf einmal, die andere später und stückweise ihrem Schicksale: endlich kommt die Zeit für jede. Ein halbes Jahrhundert bedeutet für eine Oper schon ein respektables Alter ..."[12] Was aber einmal „verfallen" ist, das hält Hanslick auch für unwiederbringlich. Er kennt aber auch Ausnahmen von der im letzten Satz gegebenen Faustregel. Von den 1883, dem Jahr dieser Kritik, über 50 Jahre alten Opern nennt er als solche den „Fidelio", die drei Opern von Weber und Spohrs „Jessonda", aus dem 18. Jahrhundert fünf Mozart- und vier Gluck-Opern, letztere allerdings „mehr lebensfähig als wirklich lebendig." Für den Kritiker Hanslick bedeutet „lebendig" eine Aufführung rechtfertigend und lohnend.

Das Oratorium galt ihm als eine Gattung von längerer Lebensdauer. Haydns zwei Alterswerke waren für ihn die beiden einzigen dieses Komponisten, die er noch für lebendig hielt; die Symphonien konnte er nicht mehr als solche anerkennen. Bachs Passionen, die 1862 und 1864 in Wien zum ersten Mal aufgeführt wurden, überraschten ihn „durch die unmittelbare Kraft dieser Musik."[13] Hanslick zeigte sich in dieser Besprechung auch als Historiker von fundiertem Wissen, indem er die Geschichte der Passion bis ins Mittelalter zurückverfolgte. Musikalisch beeindruckten ihn in Bachs Passionen die Chöre weit mehr als die lyrischen Arien, die er wegen ihres pietistischen Textes, aber auch „durch ihre veraltete Form und die ungewohnt dürftige Instrumentierung" weniger geniessen konnte. Die Turba-Chöre ließen ihn ausrufen: „Welch mächtige, dabei ungesuchte Wirkung! Sie ist um so bemerkenswerter, als die Kraft und Verfeinerung des dramatischen Ausdrucks unbestritten dasjenige Element in der Musik ist, welches eine spätere Kunstepoche am glücklichsten weitergeführt hat. Wie tief Mendelssohns wirksamste Chöre diesen Vorbildern Bachs verpflichtet sind, wird niemand entgangen sein." Die Kontinuität eines Kompositionsprinzips, die bis in die „modernen" Kompositionen hineingewirkt hat und daher auch vertraut ist, bewirkt den unmittelbaren Eindruck. Die Arien dagegen bedürfen eines historischen Wissens und erscheinen „veraltet".

Doch man muß die Schlußsätze dieser Kritik mit berücksichtigen, um das Bild nicht einseitig werden zu lassen. Gleichzeitig sollte man bedenken, daß Hanslick Bachs Passionen als einzigartige Ausnahmeerscheinungen verstand, die ihn zu diesen Sätzen anregten: „Außer einiger technischer Einsicht verlangt die Würdigung dieses Werkes auch historischen Sinn. Nur durch seine Vermittlung vermag man die Bedeutung des Ganzen zu erfassen und unbeirrt von fremdartigen Einzelnheiten es zu genießen. Diesen historischen Sinn, den schönsten Erwerb unserer Zeit, scheint das Publikum in der Tat auch in musikalischen Dingen sich mit jedem Jahr sicherer anzueignen; es versteht moderne Anschauungen, individuelle Neigung und Gewohnheit von den Denkmälern einer großen Vergangenheit fernzuhalten, und stößt es sich auch hie und da mit den Fühlhörnern, so zieht es sie doch nicht zurück."

Hanslick hält den „historischen Sinn" durchaus auch für geeignet, dem Hörer eines alten Musikwerkes dieses genießen zu helfen. Aber er meint hier den Gesamteindruck. „Moderne Anschauungen, individuelle Neigung und Gewohnheit" müssen „ferngehalten" werden, die Würdigung kann nur die eines „Denkmals" sein. Einige Teile bleiben „fremdartig", man „stößt sich" an ihnen. Der historische Sinn ermöglicht nur einen vermittelten Genuß; Unmittelbarkeit des Verstehens scheidet für Hanslick völlig aus, eine Wiederbelebung alter Musik hält er für ausgeschlossen.[14] Dennoch begrüßt er die Aufführung der Passionen, und eine Erweiterung des historischen Sinns nennt er „den schönsten Erwerb" seiner Zeit.

Ihm selber ist es jedoch nicht immer gelungen, seine „modernen Anschauungen" völlig vom historischen Sinn ausschalten zu lassen. Das zeigt seine zwei Jahre später verfaßte Besprechung von Bachs Weihnachts-Oratorium.[15] Wegen der fehlenden dramatischen Chöre empfing er von diesem Werk nicht den „unmittelbar zündenden Eindruck" der Passionen. „Im Verlaufe wird dies Festsitzen auf einem so engbegrenzten lyrischen Felde etwas monoton. Dazu kommt noch, daß durch den süßlich pietistischen Text etwas Weiches und Spielseliges in die ganze Betrachtung kommt, das unserm Gefühle widerstrebt ... So unermeßlich sich auch Bachs Musik über seinen Text stellt, so übte dieser doch insofern einen Einfluß auf jene, daß Bach rein geistliche und religiöse Empfindungen mitunter in zierlichen und fröhlichen Weisen besingt, die unsere angeblich so frivole Zeit als dem Gegenstand nicht ganz angemessen empfindet." Ebenso wie in diesen Sätzen urteilt Hanslick im folgenden auch über Bachs Parodietechnik ganz aus der Anschauung des 19. Jahrhunderts.

Er fühlte sich dazu wohl berechtigt, denn er sah den Verlauf der Geschichte grosso modo als lineare Weiterentwicklung. Daß Zeitstile einen Eigenwert haben, hat er kaum anerkannt. Gerade für ältere Epochen brachte er wenig Verständnis auf. Palestrinas „Stabat Mater" besprach er 1879 und betonte, „daß Palestrinas Musik, rein als solche, als Komposition betrachtet, uns beinahe alles das schuldig bleibt, war wir musikalische Erfindung nennen. Die Musik lag damals, so sehr sie nach einer Seite, der künstlich polyphonen, ausgebildet war, doch als schöne Kunst in ihren Anfängen; Elemente, die uns seit Bach, Händel und Mozart unentbehrlich, fast untrennbar von dem Begriff Musik sind, fehlten ihr noch zu Palestrinas Zeit."[16] Im Zusammenhang bespricht Hanslick die enge Verbindung dieser Musik mit der kirchlichen Sphäre; dort werde sie normalerweise weniger auf ihre musikalische Qualität hin betrachtet. Daher findet er es aufschlußreich, sie einmal „als solche, als Komposition" zu beurteilen. Und dabei fehlt ihm „musikalische Erfindung", also thematisches Material. Eine polyphone Musik ist auf andere Weise ja auch „erfunden", doch das trifft nicht seinen Begriff; sie hat den Mangel des „künstlichen", was ja bei Hanslick unnatürlich, unmelodiös und daher unschön bedeutet. Daß er hier schreibt, bei Palestrina habe die Musik „als schöne Kunst" noch „in ihren Anfängen" gelegen, ist aus Achtung vor der historischen Größe Palestrinas eine vorsichtige Formulierung, denn eine Musik ohne „Erfindung" war für ihn keine „schöne Kunst".

Die Tatsache, daß das „Stabat Mater" nach Palestrina noch mehrmals komponiert wurde, gibt ihm Anlaß zu einem kurzen historischen Überblick: „Weit mehr vertraut ist unser Publikum mit dem ‚Stabat Mater' von Pergolese vollends mit dem Rossinis! ... Welch tiefe Kluft zwischen diesen Kompositionen desselben Kirchenliedes! ... Pergolese faßt das erzählende Gedicht schon dramatisch auf, bringt in den einzelnen Absätzen verschiedene Stimmungen zum Ausdruck. Rossinis ‚Stabat Mater' hat von Kirchenmusik nur noch die Worte, komponiert sind sie im effektvollsten Opernstil." Im Sinne von Hanslicks Musikbegriff bezeichnet die Entwicklung von Palestrina über Pergolesi zu Rossini einen ständigen Fortschritt. Die damit verbundene Vermischung der Stile ist weniger wichtig, solange die Musik gut „erfunden" ist. Palestrinas Komposition scheint ihm monoton, Pergolesi führte musikalische Kontraste ein, und Rossini vollends schuf eine lebendige, wirkungsvolle Musik.

In einer Kritik über eine Oper von Grétry schrieb Hanslick den Satz: „Das Publikum mißt einen älteren Autor doch nur an seinen Nachfolgern, wobei er häufig zu kurz kommt. – der Historiker mißt ihn an seinen Vorgängern. Und welch großen Fortschritt bezeichnet da Grétry!"[17] Damit will Hanslick zunächst nur eine unangemessene Beurteilungsweise des Publikums zurechtrücken. Aber der Gedanke der ständigen Weiterentwicklung steht im Hintergrund, denn sonst wäre eine Entgegnung gegen das Messen von Komponisten an ihren Nachfolgern auch in der Form möglich gewesen, daß er auf den Eigenwert jedes Komponisten in seiner speziellen Situation hingewiesen hätte. Bei älterer Musik aus dem 18. Jahrhundert hielt er es aber tatsächlich für das historisch angemessene Verfahren, den „Fortschritt" bis hin zu der Musik seiner eigenen Zeit darzustellen. Allein unter diesem Aspekt besprach er 1861 die Aufeinanderfolge von Bachs 3. Orchestersuite und Schumanns 1. Symphonie in einem Konzert: „Gewiß die interessanteste Zusammenstellung zweier so grundverschiedener Kunst-Epochen! Die Orchester-Komposition des achtzehnten und jene des neunzehnten Jahrhunderts. Die Symphonie im Keim – denn was ist die ‚Orchester-Suite' anders? – und die Symphonie in ihrer reichsten Blütenfülle."[18] Die Erkenntnis der „Grundverschiedenheit" beider Epochen wird auch über den Abstand eines Jahrhunderts hinweg überdeckt von der Grundidee einer stetigen, durchgehenden Entwicklung.

Hanslick hat diese Geschichtsauffassung sein Leben lang bewahrt, wenn auch eine Veränderung des Akzents sich beobachten läßt. Mit 23 Jahren, 1848, schrieb er über eine Symphonie des Komponisten Josef Netzer, die ihm zu epigonenhaft erschien. Aus dieser Kritik soll eine längere Passage zitiert werden, um Hanslicks Ausgangspunkt klarzumachen. „Mit wahrer Freude hören wir Mozartschen Stil nur mehr von Mozart selbst, dessen Genie golden durch die veraltetsten Formen strahlt, wie die Sonne durch Ruinen. Wer sich aber heute in diese Ruinen längst verlassener geschichtlicher Anschauungen rettet, der verzichtet im Vorhinein auf nachhaltige Wirkung; er hat ein halbes Jahrhundert verschlafen. Es wäre ein arger Irrtum, von jedem Komponisten eine absolut neue Richtung zu verlangen; dazu sind nur wenige Männer des Genies berufen, sie brechen einen neuen Weg durchs Dickicht, den nachkommenden Talenten ist es vorbehalten, diesen Weg zu erweitern, ihn glatt und fahrbar zu machen. Wer selbst nicht die Kraft besitzt, von eigenen Gnaden einen neuen Meilenstein in das Gebiet der Kunstgeschichte zu pflanzen, der gehe immerhin vom letzten großen Meilensteine aus, aber nicht vom vorletzten. Nach Mozart durfte man noch Mozartisch schreiben, nach Beethoven darf man es nicht mehr; der Strom der Zeit wirft jeden Leichnam aus."[19] Die Entwicklung wird hier dargestellt als Fortschritt, die Vorwärts-Richtung ist entscheidend. Mozarts Stil, von Mozart selbst legitim ausgefüllt, ist aber 1848 „veraltet", er gleicht jetzt Ruinen; aber nur, wenn zeitgenössische Komponisten sich seiner bedienen. Dann haben sie den Anschluß an die inzwischen viel weiter fortgeschrittene Entwicklung verpaßt. Wörter wie „absolut neu", „brechen einen neuen Weg durchs Dickicht" charakterisieren den Standpunkt des jungen Hanslick, der ganz auf der Seite des Fortschritts stand und mit seinen Kritiken im vormärzlichen Wien Anstoß erregte. Hanslick ist der Auffassung, der Fortschritt müsse immer an das letzte Glied der Kette anschließen, ein weiteres Zurückblicken sei nicht zeitgemäß. Das Bild vom „Strom der Zeit" ist hier noch ganz linear verstanden, komplizierte Rückverbindungen unter der Oberfläche des Stroms werden nicht anerkannt.

Eine etwas modifizierte Anschauung zeigt sich in einer Kritik von 1857 an Schumanns d-moll-Symphonie. „Gewiß kann die Musik gegenwärtig auch bei Beethoven nicht mehr stehen bleiben. Keineswegs aber, weil sie schon ganz anderer Stoffe und Formen bedürfte, ungeahnter Neubauten, die alles Frühere annullieren; sondern weil neben dem unverlierbaren Genuß der Beethovenschen Werke die Phantasie bereits neue Anregungen, der Geist frische Aufgaben verlangt. Man braucht nicht sowohl neue Gattungen in der Musik, als neue Individuen."[20] Im selben Jahr besprach Hanslick die ersten Aufführungen von Liszts symphonischen Dichtungen in Wien. Die von Liszt behauptete Notwendigkeit, eine neue symphonische Gattung zu schaffen, erkannte er nicht an, und Schumanns in Wien zum ersten Mal gehörte 4. Symphonie diente ihm als willkommenes Gegenbeispiel. Schumann galt ihm als starke Persönlichkeit, der den Fortschritt durch Individualität schaffte und keine völlig neuen Formen benötigte. Das „absolut Neue" kann Hanslick wegen des Auftretens von Liszt nun nicht mehr propagieren, die Forderung nach Neuem bleibt aber bestehen. Hanslick bezieht sich, indem er mit der „Phantasie" und dem „Geist" argumentiert, auf seine drei Jahre zuvor erschienene Grundsatzschrift, in der er auch gegen Liszt Stellung genommen hatte. Die Modfikation des Standpunktes besteht hier zudem in der Betonung des Nebeneinander von Beethovens Musik und des Neuen. Der „Strom der Zeit" ist breiter geworden und führt auch das Ältere mit.

Die zunehmende Tendenz unter den Komponisten der Neudeutschen Schule, den Fortschritt der Musik in eine andere Richtung zu lenken, als sie Hanslick richtig erschien, ließ ihm den Anschluß an die Tradition als Notwendigkeit immer klarer werden. Als er 1875 in zwei kurz nacheinander veranstalteten Konzerten im selben Saal zuerst Szenen aus Wagners „Götterdämmerung" und später Brahms' „Deutsches Requiem" hörte, sah er in diesen Werken die

Verkörperung zweier entgegengesetzter Kompositionsprinzipien. „Größere Gegensätze in der Musik zweier Zeitgenossen gleicher Nation sind kaum denkbar ... Bei Wagner jeder Satz in Manier getaucht, bei Brahms kein einziger. Wagner fängt auf den Trümmern aller früheren Musik die seinige ganz neu an; Brahms glaubt anständiger Vorfahren, wie Bach und Beethoven, sich nicht schämen zu sollen. Während die Musik bei Wagner die Innerlichkeit ihrer Herrschaft aufgegeben hat, um Malerei zu werden, bleibt sie bei Brahms die eigenste Sprache eines starken Gemüts und zeigt uns, wie eine Tondichtung alle Herzen erschüttern kann, ohne die Grundfesten der Musik zu erschüttern."[21] Erneuerung auf dem Boden der Tradition wird hier zusammen mit allen Eigenschaften einer guten geistlichen Vokalkomposition gesehen, demgegenüber erscheint das „absolut Neue" nur als „Manier", weil ihm die Kontinuität der musikalischen Überlieferung abgeht.

Daß der Zusammenhang mit der Tradition notwendig ist, um eine Musik zu komponieren, die nach Hanslicks Begriff ein musikalisches Kunstwerk darstellt, schrieb er auch 1900 noch in einer Erwiderung an Richard Strauss. Er zitierte einen Satz, den Strauss in der „Grazer Tagespost" veröffentlicht hatte: „In der Hauptstadt... herrschen leider noch die ewigen Schönheitsgesetze, die unsereins auch gern einmal zu Gesichte bekäme, die aber bis heute als rätselhafte Geheimnisse im Busen der Herren Hanslick und Genossen schlummern." und antwortete direkt: „Diese rätselhaften Geheimnisse liegen aber in Wahrheit offen vor allen musikalischen Menschen, welche lesen können: in den Partituren von Mozart und Beethoven, Schubert, Mendelssohn und Schumann, Brahms und Dvorak. Jeder von ihnen, wohlgemerkt, war ein Neuerer gegen seine Vorgänger – sie alle aber haben in ihren Symphonien Musik gemacht und nicht Bilderrätsel."[22]

Hanslick entgegnet dem Vorwurf, er habe die musikalischen Schönheitsgesetze selbst erdacht, indem er mit Nachdruck auf die bereits vorhandenen Werke hinweist, in denen sie verwirklicht wurden. Die Komponisten, deren Zahl gegenüber der Äußerung von 1848 groß geworden ist, waren alle „Neuerer" – das bleibt Hanslick gleich wichtig –, aber nicht mehr allein im direkten Anschluß an den „letzten großen Meilenstein", sondern „gegen seine Vorgänger". Hanslick bringt den einzelnen Komponisten mit mehreren älteren in Verbindung, die insgesamt eine große Tradition begründet haben. Auf ihr mußte jede Erneuerung aufbauen. Das „absolut Neue", das er 1848 durchaus von einzelnen „Männern des Genies" forderte, ist in seiner Sicht von Liszt, Wagner und Richard Strauss in einer falschen Richtung verwirklicht worden, die das Wesen der Musik als einer eigenständigen Kunst mißachtete. Hanslicks Wandlung vom enthusiastischen Fortschrittskämpfer zum eher konservativen Traditionalisten beruht auf dem immer gleichen Begriff der Musik als einer schönen Kunst, den er 1854 grundsätzlich entwickelt hatte und den er gegen eine wachsende Anzahl von Komponisten behaupten mußte. Auf der anderen Seite sah er aber auch Komponisten, die seinem Musikbegriff entsprechende Werke schufen, und daher konnte er sich in seiner Autobiographie mit Recht den Ausspruch Wilhelm Grimms zueigen machen: „Wir sind einmal modern, und unser Gutes ist es auch."

Von diesem „modernen" Gesichtspunkt beurteilte er auch die Werke der Vergangenheit. Unter „moderner" Musik verstand er mit den Jahren immer mehr Werke, da er die herausragenden Kompositionen seines Jahrhunderts als Stamm beibehielt und die darauf fußenden neu entstehenden Werke hinzunahm. Ältere Musik vor Mozart besaß für ihn historisches Interesse, jedoch vornehmlich im Hinblick darauf, welche Prinzipien der „modernen" Musik in ihnen schon vorhanden waren oder sich anbahnten. Walter Wiora unterscheidet zwischen einem „retrospektiven" und einem „relativistischen„ Historismus.[23] Der retrospektive versteht sich „als gesteigerte Hingabe an frühere Zeiten und ihre Hinterlassenschaft"; dieser Typus ist Hanslick fremd. Hanslicks Betrachtung älterer Musik in ihrer Beziehung auf die zeitgenössische könnte dazu verleiten, einen „relativistischen" Historisten in ihm zu sehen. Dem widerspricht aber Hanslicks Neigung, seinen zeitgenössischen Musikstil aus dem geschichtlichen Entwicklungsprozeß herauszuhalten. Daß sich dieser Stil seinerseits auch wieder wesentlich weiterentwickeln könnte, war ein Gedanke, den Hanslick nicht akzeptierte; er glaubte eher, daß die Musik das Ziel ihrer Entwicklung nunmehr erreicht habe. Die damit gleichzeitig erworbene Vielfalt der Mittel müßte es ihr ermöglichen, auf längere Zeit hinaus prinzipiell auf demselben Punkt zu verharren und lediglich weitere Feinheiten hinzu zu erfinden.[24] Erst in dem schon einmal zitierten Satz, „am Beginne eines neuen Jahrhunderts" empfehle es sich, „den Novitäten der musikalischen ‚Sezession'... jedesmal nachzusagen: Es ist sehr möglich, daß ihnen die Zukunft gehört"[25], könnte man seine Einsicht erkennen, daß die „Sezession" im Blick auf die Zukunft möglicherweise richtig war, daß eine Trennung von der Tradition notwendig geworden war.

War seine Wirksamkeit als unmittelbar am Geschichtsprozeß Beteiligter mit dem Ende des 19. Jahrhunderts in dieser Hinsicht beendet, so blieb sie unter einem anderen Aspekt bis weit in das 20. Jahrhundert hinein bestehen: seine Kritiken haben sicher zu einem beträchtlichen Teil dazu beigetragen, den „Grundbestand des uns vertrauten stehenden Repertoires"[26] zu errichten, der allerdings um einige wichtige Werke erweitert dasteht, die er nicht als „lebendig" anerkannte. Auch an dem musikhistorischen „Bildungsgut"[26] hat er mitgearbeitet: in seinen Aufsatzsammlungen publizierte er mehrere Einzelheiten, die er der Allgemeinheit bewußt machen wollte. Allerdings lassen diese Studien weder nach ihrer Entstehungszeit noch nach ihren Themen eine Systematik erkennen; es finden sich Aufsätze über „J.J. Rousseau als Musiker"[27], „Boieldieu"[28], „Grillparzer als Musiker"[29], Erlebnisschilderungen von Besuchen bei Rossini, Auber, Berlioz, Gounod, denen teilweise Quellenwert zukommt. Veröffentlichungen von an ihn gerichteten Briefen, so des einzigen, den Richard Wagner ihm als Antwort auf seine Tannhäuser-Analyse schrieb[30], sind bewußte Beiträge zur Musikgeschichte. Sie haben aber alle Gelegenheitscharakter, Anlässe waren häufig Geburts- oder Todestage der Komponisten, oder Begegnungen auf Hanslicks vielen Reisen. Schließlich darf der Geschichtsforscher Hanslick nicht übersehen werden, der die „Geschichte des Concertwesens in Wien" schrieb, die allerdings in seinem Gesamtschrifttum eine Ausnahmestellung einnimmt und insofern sein Verhältnis zur Musikgeschichte nicht klären hilft.

Anmerkungen:

[1] VMSch/44.
[2] AML II/304.
[3] AML I/236.
[4] AML I/275. Bei einem solchen Vortrag unterstützte ihn Brahms am Klavier mit dem Vortrag der 32 Variationen von Beethoven.
[5] VMSch/46.
[6] VMSch/41.
[7] GCW II/202.
[8] VMSch/45.
[9] AML II/304 f.
[10] AML II/307
[11] CCV/13 f.
[12] M.O. IV/122.
[13] GCW II/243. Die weiteren Zitate stehen auf den folgenden Seiten.
[14] Aus diesem Grunde entstand eine Kontroverse mit dem Wiener Musiker Robert Hirschfeld. vgl. ders., Das kritische Verfahren Ed. Hanslick's, Wien 3/1885.
[15] GCW II/306 ff.
[16] CCV/261 f.
[17] M.O. II/138.
[18] GCW II/228 f.
[19] GCW II/10.
[20] GCW II/124.
[21] CCV/135.
[22] M.O. IX/49.
[23] W. Wiora, (4), S. 301.
[24] Hanslick behielt seinen Standpunkt, das Wesen der Musik sei die Schönheit, auch am Ende des Jahrhunderts bei, als immer mehr Ästhetiker im Erhabenen den Sinn dieser Kunst sahen. Die damit verbundene pessimistische Weltsicht, die sich bei Rudolf Louis besonders zugespitzt findet, („Das Schöne ist die optimistische Seite des Ästhetischen, das Erhabene die pessimistische", Der Widerspruch in der Musik, 1893, Nachdruck Walluf 1972, S. 9) fand bei Hanslick keinen Widerhall.
[25] M.O. IX/77.
[26] W. Wiora, aaO., S. 318.
[27] M.O. II/169
[28] M.O. III/254.
[29] M.O. V/267.
[30] M.O. II/268.

Zusammenfassung in Thesen

Musikästhetik und Musikkritik sind bei Eduard Hanslick auf vielfache Weise miteinander verwoben. Wie sich in den vorangegangenen Kapiteln gezeigt hat. führt eine Zusammenschau all seiner Schriften zu Ergebnissen, die eine isolierte Betrachtung nur eines Zweiges seiner Tätigkeit nicht hätte erbringen können. In Thesenform seien diese Ergebnisse zusammengefaßt:

1. Ästhetisches Denken und kritische Grundhaltung durchdringen sich.

Hanslick verfaßte seine ästhetische Schrift in Form einer Kritik an der „Gefühlsästhetik"; er schrieb kein philosophisches Buch, auch kein wissenschaftliches. Dazu wäre es notwendig gewesen, die kritisierte Richtung zu differenzieren und zu spezifizieren. Aber Hanslick sprach nur global von der „verrotteten Gefühlsästhetik" und wählte die polemische Methode, welche die Ablehnung wie die Formulierung der eigenen Position gleichermaßen zuspitzt. In seinen Kritiken zeigt sich sein ästhetisches Grundkonzept, das sich über Jahrzehnte hinweg verfolgen läßt. Auch schon vor dem Entstehungsjahr der ästhetischen Schrift kann man Ansätze dazu in den Kritiken finden.

2. Ein Studium der Kritiken öffnet den Blick auf die ganze Breite von Hanslicks Musikanschauung.

Isoliert betrachtet, scheint die ästhetische Schrift das Verhältnis von Form und Inhalt sowie die Bedeutung des Gefühls für die Musik und am Rande einige weitere Themen zu behandeln. In den Kritiken stellt sich heraus, daß auch solche Themen für Hanslicks Musikanschauung konstitutiv sind, die in der ästhetischen Schrift nur kurz berührt wurden. Besonders eindrucksvoll wird das am Beispiel der Vokalmusik deutlich, für die Hanslick eine klare Vorliebe hatte, die er aber aus der ästhetischen Schrift ausgrenzte, obwohl sie einige seiner Prinzipien (sinnliche Schönheit, Melodie) besser realisieren konnte als die Instrumentalmusik. Dies zu erkennen sowie den Ansatz einer eigenen Ästhetik der Vokalmusik in einer Anmerkung der ästhetischen Schrift zu entdecken, ermöglichte die Kenntnis der Kritiken.

3. Die zentralen Themen der ästhetischen Schrift werden nach einer Gegenüberstellung mit den Kritiken ihrer polemischen Einkleidung entledigt und in der Substanz erkenntlich.

Seine Sicht des Verhältnisses von Musik und Gefühl beispielsweise erschöpft sich nicht im Negativen; vielmehr wird eine positive Seite, nämlich die Gleichstellung des immanenten Gefühls mit dem immanenten Geist, erst voll erkannt, wenn man ihre Bedeutung in den Kritiken verfolgt. Die wenigen Sätze, die dies in der ästhetischen Schrift ausdrücken, erhalten somit für Hanslicks Ästhetik mehr Gewicht als die viel ausführlichere Ablehnung von Gefühlserregung und -darstellung.

4. Hanslicks oberstes Prinzip des Musikalisch-Schönen behält in allen Schriften seine Gültigkeit.

Bei einzelnen Gattungen treten spezifische Wesensmerkmale hinzu, bedingt teils durch mitbeteiligte Künste, teils durch Gegebenheiten des Kunstlebens, aber Hanslick macht sein Urteil im letzten davon abhängig, ob das besprochene Werk als Komposition schön sei. Abweichungen von diesem Prinzip sind vorhanden, sie können jedoch, im Kontext betrachtet, als untergeordnet eingestuft werden.

5. Die ausschließliche Bindung an den Schönheitsbegriff bringt Hanslick in Gegensatz zu der dominierenden Kunstrichtung des späten 19. Jahrhunderts.

Das Erhabene, das Häßliche, auch das Humoristische[1] bekamen im Laufe dieses Jahrhunderts immer größere Bedeutung als ästhetische Prinzipien. Alle Komponisten dieser Richtung gerieten gleichermaßen in fundamentalen Gegensatz zu Hanslick, der ihre Werke geradezu als „richtig" oder „falsch" beurteilte und insofern ein „Dogmatiker" war.[2] So tief wurzelte die 1854 veröffentlichte Auffassung „Vom Musikalisch-Schönen" in ihm, daß er sie gegen die bedeutendsten Komponisten seiner Zeit behauptete und sich auch von Beethoven nicht umstimmen ließ, wo dieser andere als „schöne" Musik schrieb.

6. Hanslicks Standpunkt ist mit dem Satz „Tönend bewegte Formen ..." unzureichend gekennzeichnet. Nicht das Verhältnis von Form und Inhalt stand im Mittelpunkt von Hanslicks Interesse, sondern das dadurch ermöglichte Schöne, das ausschließlich in der Musik selbst zu suchen war. Form und Inhalt hat Hanslick schon 1854 nicht widerspruchsfrei einander zugeordnet, die spezifische Bedeutung des Begriffs „Form" hat er in den Kritiken nicht aufrechterhalten.

Anmerkungen:

1 vgl. Rudolf Louis, Der Widerspruch in der Musik, Leipzig 1893.
2 vgl. Werner Braun, Musikkritik, Köln 1972, S. 96 ff.

Hanslicks Schriften mit den Abkürzungen ihrer Titel

Vom Musikalisch-Schönen. Ein Beitrag zur Revision der Ästhetik der Tonkunst, Leipzig 1854, Nachdruck Darmstadt o.J.	= VMSch
Vom Musikalisch-Schönen. Achte vermehrte und verbesserte Auflage, Leipzig 1891	= 8. Auflage
Geschichte des Concertwesens in Wien, Wien 1869	= GCW I
Aus dem Concertsaal. (Geschichte des Concertwesens, zweiter Teil), Wien 1870	= GCW II
Concerte, Componisten und Virtuosen der letzten fünfzehn Jahre. 1870–1885, 2. Auflage, Berlin 1886	= CCV
Die Moderne Oper. Kritiken und Studien Neuntes Tausend, Berlin 1892	= M.O.I
Musikalische Stationen (Der „Modernen Oper" II. Theil), Fünftes Tausend, Berlin 1885	= M.O.II
Aus dem Opernleben der Gegenwart (Der „Modernen Oper" III. Theil), 3. Auflage, Berlin 1889	= M.O.III
Musikalisches Skizzenbuch (Der „Modernen Oper" IV. Theil), 2. Auflage, Berlin 1888	= M.O.IV
Musikalisches und Literarisches (Der „Modernen Oper" V. Theil), Berlin 1889	= M.O.V
Aus dem Tagebuche eines Musikers (Der „Modernen Oper" VI. Theil), Berlin 1892	= M.O.VI
Fünf Jahre Musik (Der „Modernen Oper" VII. Theil), 2. Auflage, Berlin 1896	= M.O.VII
Am Ende des Jahrhunderts (Der „Modernen Oper" VIII. Teil), 3. Auflage, Berlin 1899	= M.O.VIII
Aus neuer und neuester Zeit (Der „Modernen Oper" IX. Teil), 3. Auflage, Berlin 1900	= M.O.IX
Suite. Wien 1884	= Suite
Aus meinem Leben, Berlin 1894, Nachdruck Westmead 1971	
Erster Band	= AML I
Zweiter Band	= AML II

Weitere Literatur

Adorno, Theodor W.	Ästhetische Theorie, 1970, Taschenbuch-Ausgabe, Frankfurt/Main 1973
Ambros, August Wilhelm	Die Grenzen der Musik und Poesie. Ein Beitrag zur Aesthetik der Tonkunst, Prag 1856
Augustinus, Aurelius	De Musica, hrsg. von G. Marzi, Firenze 1969
Baumgarten, Alexander	Aesthetica, Frankfurt/Oder 1750–58, Nachdruck Hildesheim 1961
Beattie, James	Essays. On Poetry and Music, as they affect the Mind. Edinburgh 1776
Billroth, Theodor	Wer ist musikalisch? Nachgelassene Schrift, hrsg. von E. Hanslick, Berlin 1895
Blume, Friedrich	Artikel Hanslick, in: MGG Band 5, Kassel/Basel 1956, Sp. 1482–1493
Böhmer, Helga	Musik als tönend bewegte Form. Von Hanslick zu Strawinsky, in: Melos XVII (1950), S. 337–340
Braun, Werner	Musikkritik, Köln 1972
Brendel, Franz	Geschichte der Musik in Italien, Deutschland und Frankreich, 1851, Leipzig 5/1875
Dahlhaus, Carl	Eduard Hanslick und der musikalische Formbegriff, in: Die Musikforschung XX (1967), S. 145–153
	Musikästhetik, Köln 1967
	Zu Kants Musikästhetik, in: Archiv für Musikwissenschaft X (1953), S. 338–347
Dalberg, Friedrich Hugo von	Blicke eines Tonkünstlers in die Musik der Geister, Mannheim 1787
Darenberg, Karl H.	Studien zur englischen Musikästhetik des 18. Jahrhunderts, Hamburg 1960
Dubos, Jean Baptiste Abbé	Réflexions critiques sur la poésie et la peinture, Paris 1719
Ehrlich, Heinrich	Die Musik-Aesthetik in ihrer Entwickelung von Kant bis auf die Gegenwart, Leipzig 1882
Epperson, Gordon	The Musical Symbol. A Study of the philosophic Theory of Music, Ames 1967
Finscher, Ludwig	Che farò senza Euridice? Ein Beitrag zur Gluck-Interpretation, in: Festschrift Hans Engel zum siebzigsten Geburtstag, hrsg, von H. Heussner, Kassel/Basel 1964, S. 96–110

Gatz, Felix M. — Musik-Ästhetik in ihren Hauptrichtungen. Ein Quellenbuch der deutschen Musik-Ästhetik von Kant bis auf die Gegenwart, Stuttgart 1929

Glatt, Dorothea — Zur geschichtlichen Bedeutung der Musikästhetik Eduard Hanslicks, München 1972

Goldschmidt, Hugo — Die Musikästhetik des 18. Jahrhunderts, Zürich/Leipzig 1915, Nachdruck Hildesheim 1968

Graf, Max — Die Wiener Oper, Wien/Frankfurt 1955

Grillparzer, Franz — Studien zur Musik, in: Gesammelte Werke, hrsg. von E. Rollet und A. Sauer, Band 7

Hegel, Georg Wilhelm Fr. — Vorlesungen über die Ästhetik, hrsg. von F. Bassenge, Frankfurt/M. 1965

Heinse, Wilhelm — Musikalische Dialoge, aus dem Nachlaß hrsg. von J.F.K. Arnold, Leipzig 1805

Herbart, Johann Friedrich — Kurze Enzyklopädie der Philosophie, 1831, in: Sämtliche Werke, hrsg. von K. Kehrbach und O. Flügel, Aalen 1964, Band 9

Herder, Johann Gottfried — Werke, hrsg. von B. Suphan, Berlin 1880, Band XXII

Hirschfeld, Robert — Das kritische Verfahren Ed. Hanslick's, Wien 3/1885

Hoffmann, Ernst Theodor A. — Werke, Insel-Ausgabe, Frankfurt/M., Band I

Hostinský, Otokar — Das Musikalisch-Schöne und das Gesamtkunstwerk vom Standpunkte der formalen Ästhetik, Leipzig 1877

Huber, Kurt — Ästhetik, hrsg. von Otto Ursprung, Ettal 1954
Musikästhetik, hrsg. von Otto Ursprung, Ettal 1954

Kant, Immanuel — Kritik der Urteilskraft, hrsg. von Gerhard Lehmann, Stuttgart 1963

Kirchmeyer, Helmut — Situationsgeschichte der Musikkritik und des musikalischen Pressewesens in Deutschland, dargestellt vom Ausgange des 18. bis zum Beginn des 20. Jahrhunderts, IV. Teil: Das zeitgenössische Wagner-Bild, 3. Band: Dokumente 1846–1850, Regensburg 1968 (darin: Eduard Hanslicks Aufsatz über „Tannhäuser" von 1846, Sp. 147–183)

Körner, Christian Gottfried — Über Charakterdarstellung in der Musik, Leipzig 1808, abgedruckt in: Darenberg, loc.cit., S. 147–158

Kullak, Adolph — Das Musikalisch-Schöne. Ein Beitrag zur Aesthetik der Tonkunst, Leipzig 1858

Lotze, Hermann — Geschichte der Ästhetik in Deutschland, München 1868

Rezension von Eduard Hanslick, „Vom Musikalisch-Schönen", Göttinger gelehrte Anzeigen 1854, in: Kleine Schriften, Leipzig 1891, Band III, S. 213

Über Bedingungen der Kunstschönheit, 1847, in: Kleine Schriften, Band II, S. 231

Louis, Rudolf — Der Widerspruch in der Musik, 1893, Nachdruck Walluf 1972

Michaelis, Christian Fr. — Über den Geist der Tonkunst. Mit Rücksicht auf Kants Kritik der ästhetischen Urteilskraft. Ein ästhetischer Versuch, Leipzig 1795

Moos, Paul — Die Philosophie der Musik von Kant bis Eduard von Hartmann, Berlin 2/1922

Mozart, Wolfgang Amadeus — Briefe und Aufzeichnungen, Gesamtausgabe, hrsg. von der Internationalen Stiftung Mozarteum Salzburg, gesammelt und erläutert von W.A. Bauer und O.E. Deutsch, Band III: 1780–1786, Kassel/Basel 1963

Nägeli, Hans Georg — Vorlesungen über Musik mit Berücksichtigung der Dilettanten, Stuttgart/Tübingen 1826

Novalis — Werke, hrsg. von H. Friedmann, Berlin/Leipzig/Wien/Stuttgart o.J., Band III

Nowak, Adolf — Hegels Musikästhetik, Regensburg 1971

Pfitzner, Hans — Die neue Aesthetik der musikalischen Impotenz, München 2/1920

Pleasants, Henry Hrsg. — Eduard Hanslick, Music Criticisms 1846–99, translated and edited by H. Pleasants, Harmondsworth 1950

Printz, Felix — Zur Würdigung des musikaesthetischen Formalismus Eduard Hanslicks, Diss. München 1918

Schäfke, Rudolf — Eduard Hanslick und die Musik-Ästhetik, Diss. Leipzig 1922, (Besprechung von Paul Moos in: ZfMw V, 1922/23, S. 628 f.)

Geschichte der Musikaesthetik, 1933, Tutzing 2/1964

Schelling, Friedrich W. J. — Philosophie der Kunst, 1859, Nachdruck 1960

Über das Verhältnis der bildenden Künste zu der Natur. Wiederabdruck der Rede vom 12.10.1807, Marbach 1954

Schering, Arnold — Aus den Jugendjahren der musikalischen Neoromantik, in: Jahrbuch der Musikbibliothek Peters, 1917, S. 45-63

Kritik des romantischen Musikbegriffs, in: Jahrbuch der Musikbibliothek Peters, 1937, S. 9–28

Schlegel, Johann Elias	Abhandlung von der Nachahmung, 1742, in: Ausgewählte Werke, hrsg. von Werner Schubert, Weimar 1963
Schubart, Christian Fr. D.	Ideen zu einer Ästhetik der Tonkunst, Wien 1806, Nachdruck Hildesheim 1969
Schumann, Robert	Schriften über Musik und Musiker, hrsg. von Heinrich Simon, Leipzig o.J.
Seidl, Arthur	Vom Musikalisch-Erhabenen, Leipzig 2/1907
Stade, Fr.	Vom Musikalisch-Schönen. Mit Bezug auf Dr. E. Hanslick's gleichnamige Schrift, Diss. Freiburg 1871
Stange, Eberhard	Die Musikanschauung Eduard Hanslicks in seinen Kritiken und Aufsätzen. Eine Studie zur musikalisch-geistigen Situation des 19. Jahrhunderts, Diss. (masch.) Münster 1954
Stuckenschmidt, Hans Heinz	Glanz und Elend der Musikkritik, Berlin/Wunsiedel 1957
Urban	Über die Musik, deren Theorie, und den Musikunterricht, Elbing 1823
Vischer, Friedrich Th.	Aesthetik oder Wissenschaft des Schönen, 2. Auflage, hrsg. von R. Fischer, Band V, Die Musik, München 1923 Über das Verhältniss von Inhalt und Form in der Kunst, Zürich 1858
Wagner, Richard	Ein glücklicher Abend, 1841, in: Sämtliche Schriften und Dichtungen, Volks-Ausgabe, 6. Auflage Leipzig o.J. Band 1, S. 136–149
Wackenroder, Wilhelm H.	Werke und Briefe, hrsg. von Fr. von der Leyen, Band 1
Wellek, Albert	Artikel Musikästhetik – psychologisch, in: MGG, Band 9, Sp. 1023–34
Wiora, Walter	(1) Artikel Absolute Musik, in: MGG, Band 1, Sp. 46–56 (2) Das deutsche Lied. Zur Geschichte und Ästhetik einer musikalischen Gattung, Wolfenbüttel/Zürich 1971 (3) Die Musik im Weltbild der deutschen Romantik, in: Beiträge zur Geschichte der Musikanschauung im 19. Jahrhundert, hrsg. von W. Salmen, Regensburg 1965, S. 11–50 (4) Grenzen und Stadien des Historismus in der Musik, in: Die Ausbreitung des Historismus über die Musik, hrsg. von W. Wiora, Regensburg 1969, S. 299–327 (5) Herders Ideen zur Geschichte der Musik, in: Im Geiste Herders. Gesammelte Aufsätze zum 150. Todestag, Kitzingen 1953, S. 73–128

(6) Zwischen absoluter und Programmusik, in: Festschrift Friedrich Blume zum 70. Geburtstag, Kassel/Basel 1963, S. 381–388

(7) Historische und Systematische Musikwissenschaft. Ausgewählte Aufsätze von Walter Wiora, hrsg. von H. Kühn und Chr.-H. Mahling, Tutzing 1972. Darin wieder abgedruckt die Aufsätze (3), (5) und (6).

Zimmermann, Robert

Vom Musikalisch-Schönen. (Rezension von Eduard Hanslicks Schrift), 1854, in: Kritiken und Studien zur Philosophie und Ästhetik, Wien 1870, Band II, S. 239–253

Zur Reform der Aesthetik als exakte Wissenschaft, in: Kritiken und Studien zur Philosophie und Ästhetik, Band II, S. 223–265

Namensregister

Ambros, A.W.: 14, 28, 29-36
Auber, D.F.E.: 145, 172
Augustinus, A.: 20, 23, 27

Bach, J.S.: 63, 68, 73, 128, 132, 135, 137f., 140, 141, 163, 164, 165, 167f., 169
Baumgarten, A.: 18
Beattie, J.: 24
le Beau, L.A.: 67
Beethoven, L.v.: 12, 33, 41, 43, 45, 53, 61, 69, 72, 73, 80, 89, 94, 105, 109, 111, 112, 131, 132-134, 139, 140, 141, 163, 164, 166, 170, 171, 175
Berger, L.: 124f.
Berlioz, H.: 35, 65f., 68, 94, 96, 103, 106, 172
Billroth, Th.: 79, 82, 114, 132, 137, 163, 166
Boieldieu, F.A.: 172
Boito, A.: 75
Brahms, J.: 11, 35, 52, 53f., 62, 63, 64, 65, 68, 86, 89, 107, 108f., 124, 128, 129, 130, 141, 142, 156, 166, 170f., 173
Brendel, F.: 12
Bruch, M.: 52
Bruckner, A.: 43, 45
Brüll, L.: 81
Burke, E.: 105

Chopin, F.: 11, 44, 61, 165
Chrysander, F.: 166
Cornelius, P.: 81

Dahlhaus, C.: 14
Dalberg, F.H.v.: 25
Donizetti, G.: 139
Dubos, J.B.A.: 105
Dvorak, A.: 52, 54, 95f., 98, 101, 102, 104, 105, 106, 108, 109, 171

Eccard, J.: 135
Eschenbach, W.v.: 152

Fétis, F.J.: 56
Franz, R.: 125

Gervinus, G.G.: 166
Glatt, D.: 9, 14, 18, 19
Gluck, C.W.: 29, 121f., 146, 148, 160, 167
Goethe, J.W.: 23, 122, 151f.
Goldmark, K.: 53, 76, 100, 102

Goldschmidt, H.: 24
Gounod, Ch.: 75, 139, 145, 151f., 172
Graf, M.: 145
Graumann, A.: 66
Grétry, A.E.M.: 169
Grieg, E.: 99, 127
Grillparzer, F.: 16f., 18, 172
Grimm, J.: 85
Grimm, W.: 166, 171
Grünfeld, A.: 61

Händel, G.F.: 126, 129, 137f., 166, 168
Haydn, J.: 12, 89, 108, 111f., 133, 167
Hegel, G.W.F.: 11, 33, 34, 35, 42, 49, 77, 123, 130, 143
Heine, H.: 127
Hellmesberger, J.: 113
Helmholtz, H.v.: 85
Herbart, J.F.: 14, 22
Herbeck, J.: 80, 130
Herder, J.G.: 14, 25, 27, 28, 40, 143
Heuberger, R.: 153
Hirschfeld, R.: 173
Hoffmann, E.T.A.: 11, 25, 27, 77, 80
Hostinský, O.: 69, 160
Hugo, V.: 73

Jansa, L.: 111
Joachim, J.: 99, 100

Kant, I.: 14, 19, 20, 40, 49, 143

Laló, E.: 80
Lassus, O.: 73
Leoncavallo, L.: 52, 55
Lessing, G.E.: 18, 74
Lind, J.: 145
Liszt, F.: 11, 12, 74f., 79f., 89, 92-94, 96-98, 102, 104, 106, 118, 134ff., 137, 152, 170, 171
Lortzing, A.: 158f.
Lotze, H.: 17
Louis, R.: 173

Mahler, G.: 129
Makart, H.: 161
Marx, A.B.: 114
Mascagni, P.: 52, 84f., 152

Massenet, J.: 67, 80
Mattheson, J.: 77, 164
Mendelssohn - B., F.: 11, 75, 93, 94f., 112, 113, 128, 167, 171
Meyerbeer, G.: 75
Michaelis, Ch.F.: 20
Moos, P.: 69
Mozart, W.A.: 12, 73, 74, 86, 89, 139, 147, 150, 155, 160, 163, 166, 167, 168, 169f., 171, 172

Nägeli, H.G.: 14, 17, 77, 111, 114
Neßler, V.: 86
Netzer, J.: 169
Novalis: 14, 34, 161
Nowak, A.: 55

Palestrina, G.P.: 73, 138, 168
Pergolesi, G.B.: 169
Pfitzner, H.: 55
Printz, F.: 14, 17

Rheinberger, J.: 94f.
Riotte, J.P.: 108
Rossini, G.: 42, 139, 145, 169, 172
Rousseau, J.J.: 172
Rubinstein, A.: 52, 61, 98f., 107

Saint-Saens, C.: 53
Schäfke, R.: 7, 157
Schering, A.: 12f.
Schiller, F.: 74, 123, 130
Schlegel, F.: 14, 25, 26f., 34
Schlegel, J.E.: 24, 27, 34
Schubart, C.D.: 40
Schubert, F.: 12, 43, 66, 74, 112, 124ff., 127, 128, 129, 140, 171
Schütz, H.: 73, 135, 138, 163, 166
Schumann, R.: 11, 21, 30, 42, 61, 69, 73, 95, 103, 112, 113, 127, 130, 163, 166, 169, 170, 171
Sechter, S.: 56
Smetana, F.: 154
Spohr, L.: 167
Spontini, G.: 42, 43, 45
Stange, E.: 160
Stavenhagen, B.: 75
Stockhausen, J.: 127
Strauß, J. (Sohn): 94, 117ff.
Strauß, J. (Vater): 116f.
Strauss, R.: 75, 97, 102-106, 129, 171

Tieck, L.: 25, 26
Tschaikowsky, P.I.: 107

Urban: 23

Verdi, G.: 62, 69, 73f., 76, 78, 136f., 142, 148f., 155f.
Vischer, F.T.: 35, 40, 41, 49, 56, 68, 87

Wackenroder, W.H.: 11, 26
Wagner, R.: 11, 12, 21, 52, 73, 76, 80, 85, 93, 99, 103, 106, 108, 121, 126, 147f., 150-159, 164, 170f., 172
Weber, C.M.v.: 155, 167
Widor, Ch.M.: 80
Wiora, W.: 172
Wolf, H.: 126, 129

Zimmermann, R.: 14, 19, 35, 36, 77

Register der Werke,
aus deren Rezensionen hier zitiert wurde.

Die Auswahl der Rezensionen Hanslicks richtete sich nach dem jeweiligen Zusammenhang innerhalb dieser Arbeit. Das folgende Register stellt in keiner Weise einen Querschnitt durch Hanslicks Tätigkeitsbreite als Kritiker dar.

Bach, J.S.
- Christ lag in Todesbanden (Kantate): 63
- H-moll-Messe: 140
- Komm, Jesu, komm (Motette): 128
- Orchestersuite Nr. 3: 169
- Passionen nach Matthäus und Johannes: 167
- Weihnachts-Oratorium: 168

Beethoven, L.v.
- Christus am Ölberg: 134
- Coriolan-Ouvertüre: 53
- Egmont-Ouvertüre: 53, 94
- Klaviersonate op. 110: 114
- Missa solemnis: 132f., 140
- Späte Streichquartette: 112
- Streichquartett F-Dur, op. 135: 114
- Symphonie Nr. 5: 105, 134
- Symphonie Nr. 9: 109, 134

Berlioz, H.
- Carneval romain: 65
- Harold in Italien: 65, 96
- König Lear - Ouvertüre: 65, 94
- Romeo und Julia: 65
- Symphonie Fantastique: 35, 65, 96

Boito, A.
- Mefistofele: 75

Brahms, J.
- Deutsches Requiem: 62f., 141, 170f.
- Gesang der Parzen: 128
- Haydn-Variationen: 107
- Klarinettensonate Es-Dur, op. : 64
- Klavierkonzert Nr. 2: 53f.
- Lieder: An die Stolze 130, Auf dem See 124, Der schönste Bursch 63, In stiller Nacht 63
- Schicksalslied: 108f.
- Streichquintett G-Dur, op. 111: 65

Violoncellosonate e-moll, op. 38: 86
Violoncellosonate op. 108: 64

Bruch, M.
Achilleus: 52

Bruckner, A.
F-moll-Messe: 43

Brüll, I.
Das Goldene Kreuz: 81

Cornelius, P.
Der Barbier von Bagdad: 81

Dvorak, A.
Der Wassermann: 102
Die Mittagshexe: 108
Die Waldtaube: 101
Legenden op. : 95
Symphonie Nr. 6: 54
Symphonie Nr. 9 „Aus der neuen Welt": 102

Goldmark, K.
Ländliche Hochzeit: 102
Penthesilea-Ouvertüre: 53
Prometheus-Ouvertüre: 100

Gounod, Ch.
Die Erlösung (Oratorium): 139
Margarethe: 151

Graumann, A.
Das Andreasfest (Oper): 66f.

Grieg, E.
Henrik Wergeland (Lied): 127
Holberg-Suite: 99

Händel, G.F.
Das Alexanderfest: 126
Messias: 126

Heuberger, R.
Mirjam (oper): 153

Joachim, J.
Ouvertüre zum Andenken an Heinrich von Kleist: 99f.

Liszt, F.
Dante-Symphonie: 98
Die Heilige Elisabeth: 92
Die Ideale: 97
Graner Messe: 79, 134f.
Les Préludes: 93
Mephisto-Walzer: 74

Lortzing, A.
Die beiden Schützen: 158

Mahler, G.
Lieder aus des Knaben Wunderhorn: 129
Lieder eines fahrenden Gesellen: 129

Mascagni, P.
Freund Fritz: 84

Massenet, J.
Scènes pittoresques: 67

Mendelssohn - B., F.
Das Märchen von der schönen Melusine: 94
115. Psalm: 128

Mozart, W.A.
Cosi fan tutte: 149f.
Don Giovanni: 155

Neßler, V.
Der Trompeter von Säkkingen: 86

Palestrina, G.P.
Stabat Mater: 168f.

Pergolesi, G.B.
Stabat Mater: 169

Rheinberger, J.
Das Märchen von den sieben Raben: 94

Rossini, G.
Stabat Mater: 169

Rubinstein, A.
Die Nixe: 52
Dramatische Symphonie: 98

Saint-Saens, C.
Danse macabre: 53
Phaeton: 53

Schubert, F.
Die schöne Müllerin: 124, 127f.
Die Winterreise: 127
Messe As-Dur: 140
Streichquartett g-moll: 66

Schumann, R.
Dichterliebe: 127
Musik zu Manfred: 69
Symphonie Nr. 1: 169
Symphonie Nr. 4: 170

Smetana, F.
Der Kuß: 154
Die verkaufte Braut: 154

Spontini, G.
Die Vestalin: 43

Strauss, R.
Also sprach Zarathustra: 104f.
Aus Italien: 102
Don Juan: 75, 97, 103, 105
Till Eulenspiegels lustige Streiche: 103 f.

Tschaikowsky, P.I.
Romeo und Julia: 107

Verdi, G.
Aida: 76, 149, 154
La Traviata: 76
Maskenball: 76
Othello: 74, 155f.
Quattro pezzi sacri: 136f.
Rigoletto: 73

Wagner, R.
Der Ring des Nibelungen (insgesamt): 85, 158
Rheingold: 150, 154

Walküre: 150, 156
Götterdämmerung: 154, 170f.
Lohengrin: 147, 152, 155
Meistersinger: 80, 157
Parsifal: 85f., 99, 150f., 157
Tannhäuser: 93
Tristan und Isolde: 76, 152, 156